William Rowlinson
Liselotte Lehnigk
Gisela Schladebach

Deutschland hier und

Oxford University Press

Oxford University Press, Oxford OX2 6DP

Oxford New York
Athens Auckland Bangkok Bombay
Calcutta Cape Town Dar es Salaam Delhi
Florence Hong Kong Istanbul Karachi
Kuala Lumpur Madras Madrid Melbourne
Mexico City Nairobi Paris Singapore
Taipei Tokyo Toronto

And associated companies in
Berlin Ibadan

Oxford is a trade mark of Oxford University Press

First published 1993
Reprinted 1994, 1996

ISBN 0 19 912106 0

Typeset by CGS Studios Limited, Cheltenham

Printed in Hong Kong

Cover photo: remains of the Berlin Wall
Photo page 3: restoration of the Victory Column (Berlin West)
Photo page 4: Marx-Engels monument (Berlin East)

Contents

Weltanschauung – was nun?

Preface

Deutschland hier und jetzt is a two-year course within a single book leading from post-GCSE to A level. It combines a communicative approach to language with a wide-ranging content that relates entirely to the new, post-reunification Germany. The pupil's book consists of twenty-two textbook units with accompanying audio recordings. Each unit centres on a single topic area and contains about half a dozen extracts from German newspapers and magazines together with recordings made in both the old and new *Bundesländer.* This material is not initially used for formal exercises and analytical language work: instead the articles provide a starting point for pairwork, discussion, role-playing and simulation, debate, reports, information-gathering and transmission, opinion forming, argument, re-presentation and other tasks that demand real communication in the language. Aural comprehension work is based on unscripted recordings of German people of various ages, backgrounds and accents, and on recorded versions of the printed text in a few cases where this is appropriate and useful.

Material has been very carefully chose to reflect post-reunification Germany and its concerns in both west and east, to have intrinsic interest for the learner, and to be long-lasting in its informational content. A variety of styles, registers and levels of difficulty has been included within each topic, and the course is enlivened by much material of a lighter kind. The earlier units contain a greater proportion of shorter and easier passages. Intentionally, individual pieces are not over-exploited, so that what the student sees as central to the learning process is understanding of and reaction to content, rather than manipulation of forms.

Formal work is not neglected, however. It has an essential supportive role, and for each unit a set of language manipulation exercises is included in a separate section at the end of the book. These exercises are of a variety of types that correspond to those included in many modern A-level examinations. It is suggested that for each unit these form-based activities be attempted only after the communicative work within the main body of the book has been tackled. A comprehensive grammar section, with index, covering all the material that is really needed at A level is also included, as well as a strong-verb table.

Vocabularies are provided alongside all articles and for the recordings, containing words that are unlikely to be known to a student at this point in the course. Clearly they will not cater for all problems of all students, but by keeping dictionary-searching to a minimum they encourage more rapid and fluent comprehension and allow the greatest possible concentration on content.

Complementing the units on general topics there are geographical units based on Berlin, north and south Germany and the former GDR, as well as a unit on the current concerns of Austria and Switzerland and their attitudes to the new Germany. The final unit tells, historically, the story of *die Wende* and reunification in contemporary press extracts and in recorded comments of West and East Germans. In terms of content the course overall presents a comprehensive picture of the new post-unification Germany.

Texts have sometimes been abridged. This has been done occasionally to remove language difficulties, but mainly to cut out irrelevances and material that will quickly date. Articles have only been shortened, not rewritten. Where possible they have been left untouched. The taped items were recorded by the authorial team in Cologne, Dresden, Bonn, Berlin and Hürth; they too have been edited to retain what is relevant and interesting.

The teacher's book for the course contains notes on the exploitation of each unit, background information, additional related textual material, transcripts of all recordings and further exercises. The ring-bound A4 format of the teacher's book means that the additional material provided can be readily photocopied.

The aim of **Deutschland hier und jetzt** is to bridge the gap between structured GCSE work and the much more autonomous work of the A-level year. It should make students feel at home with real German in a variety of registers, and give them confidence in their command of the language by putting them in situations where genuine communication is necessary. This means not only expanding vocabulary (always a major problem in German at this level) but also providing opportunities to use it in forming and expressing opinions, orally and in writing and in a variety of situations and group sizes. The course also, and importantly, aims to give students, through the spoken and written words of Germans today, some idea of what life is like in the sixteen *Bundesländer* and what sort of things concern their citizens. It should also lead those students to express their own opinions on these matters, fluently and confidently.

Bakewell 1992 W.R.

Symbols

The following symbols are used in the text:

 Material from the tape recordings is to be introduced in this section of the unit.

 This section of the unit involves pairwork.

Das heutige Deutschland

Deutschland war lange Zeit ein Land ohne feste Grenzen. Es bestand aus einer Vielzahl kleinerer oder größerer Staaten. Das Reich der Hohenstaufer erstreckte sich im 12. Jahrhundert von der Nord- und Ostsee bis nach Süditalien. Teile des Deutschen Reiches, das 1871 von Bismarck geschaffen wurde, gehören heute zu Frankreich, Polen und Rußland. Selbst Österreich betrachtete sich zeitweise als deutsches Land.

Das heutige Deutschland

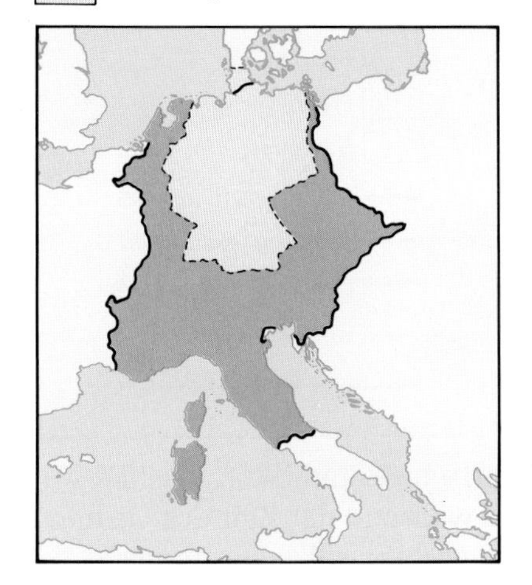

Das Stauferreich Die Staufer erhielten ihren Namen von ihrer Stammburg Hohenstaufen in Schwaben. Von 1138 – 1254 saßen sie auf dem deutschen Königs- und Kaiserthron. Der bekannteste Staufer war Friedrich I. (Barbarossa).

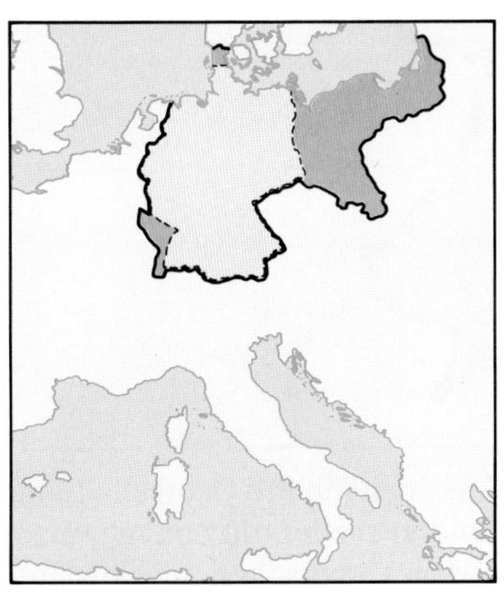

Das Deutsche Reich Otto von Bismarck (1815 – 1898) war der Gründer des Deutschen Reiches unter Kaiser Wilhelm I., dem er seit 1862 als preußischer Ministerpräsident gedient hatte. 1871 wurde er zum Reichskanzler ernannt.

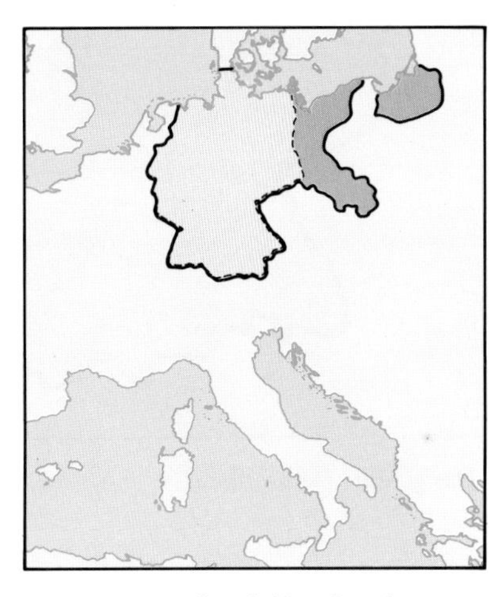

Das Dritte Reich Adolf Hitler, der Kanzler im sogenannten Dritten Reich, hat die Ziele des Nationalsozialismus in seinem Buch „Mein Kampf" beschrieben. Das waren u.a.: die Vernichtung der Juden, die Errichtung eines totalitären Polizeistaats, die Unterwerfung von Presse und Rundfunk unter den Staat.

Am Ende des Ersten Weltkriegs war Deutschland zwar etwas kleiner als zu Bismarcks Zeiten, doch im sogenannten Dritten Reich, 1933 von Hitler und den Nationalsozialisten geschaffen, dehnte es sich wieder und noch weiter aus: Europa war nun von Südfrankreich bis Rußland besetzt, Nordafrika von Ägypten bis Tunesien. Dieses „tausendjährige" Reich dauerte aber gerade 12 Jahre: Es endete 1945 mit der deutschen Niederlage im Zweiten Weltkrieg.

Nach dem Ende des Zweiten Weltkriegs wurde Deutschland 1945 in vier Besatzungszonen aufgeteilt: die amerikanische, die britische, die französische und die sowjetische. Die amerikanische und die britische Zone wurden kurz danach zum „Vereinigten Wirtschaftsgebiet" zusammengefaßt, und die Bundesrepublik wurde am 21.9.1949 gebildet. Aus der sowjetischen Zone wurde

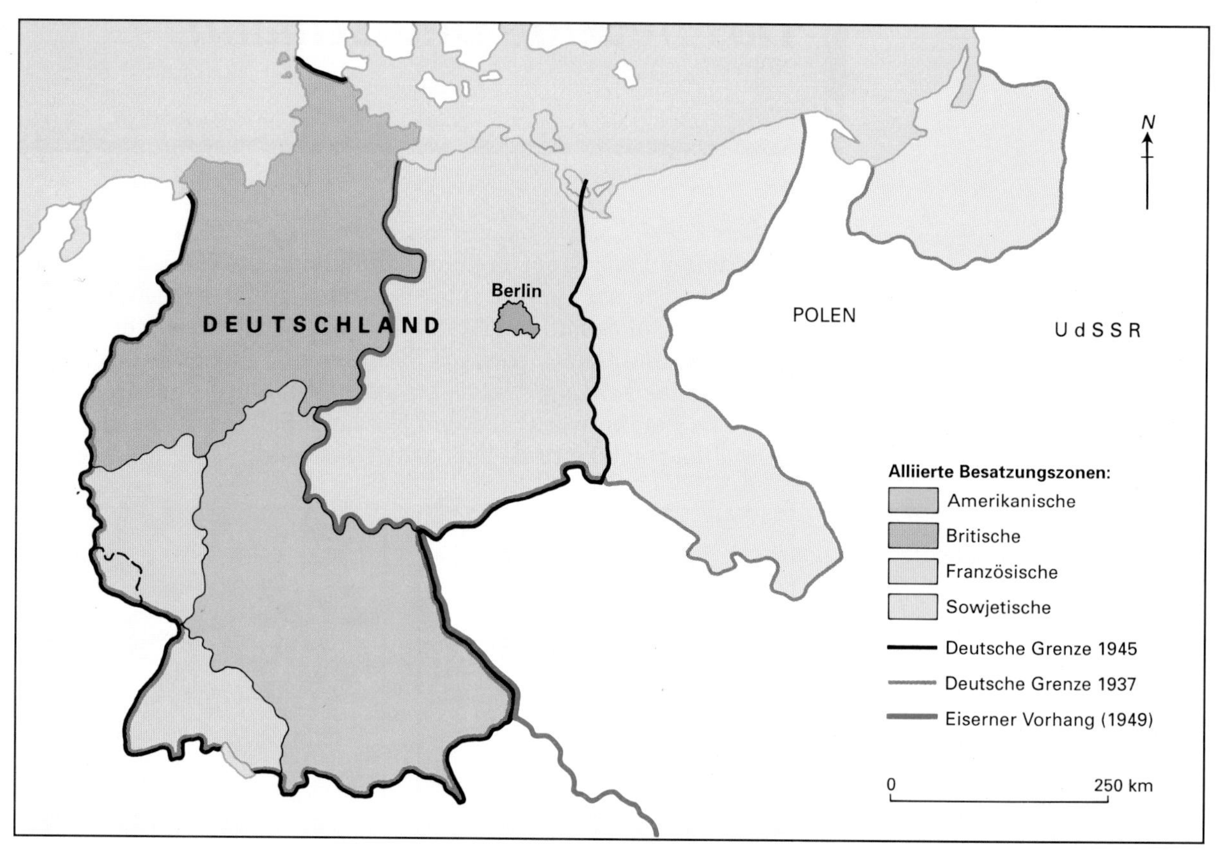

Das geteilte Deutschland

kurz danach die Deutsche Demokratische Republik. Zwischen beiden verlief die Zonengrenze, die während der Zeit des „kalten Krieges" zwischen der Sowjetunion und dem Westen immer undurchdringlicher wurde.

Die Bundesrepublik erholte sich relativ schnell von den Auswirkungen des Krieges. Bonn, eine verschlafene Kleinstadt am Rhein, wurde die neue Hauptstadt. In den 50er Jahren erlebte die Bundesrepublik einen raschen wirtschaftlichen Wiederaufbau (man spricht vom sog. „Wirtschaftswunder"). Die Bundesrepublik war auch einer der Gründerstaaten der Europäischen Gemeinschaft und wurde bald zu ihrer führenden Wirtschaftsmacht.

Die Deutsche Demokratische Republik dagegen, bis 1973 von der Bundesrepublik als „sogenannte" Deutsche Demokratische Republik (bzw. „Ostzone") bezeichnet, erholte sich nur langsam vom Krieg. Dieser Staat nannte sich „sozialistisch", aber der Sozialismus, der dort praktiziert wurde – so wissen wir heute –, hatte wenig Ähnlichkeit mit Sozialismus, wie er im Westen verstanden wird. Wohnungsnot und Mangel an Konsumgütern aller Art charakterisierten dieses Land. Dazu kam ein allgegenwärtiges Spitzelsystem, das von der gehaßten Staatssicherheit („Stasi") aufgebaut wurde. Es gab ein absolutes Reiseverbot für die überwiegende Mehrheit der Bürger, zumindest in Richtung Westen, und ein System der Scheindemokratie, in dem alle Macht in den Händen der kommunistischen Partei lag – der „Sozialistischen Einheitspartei" (SED).

Die Bundesrepublik Deutschland und die Deutsche Demokratische Republik

Das geteilte Berlin

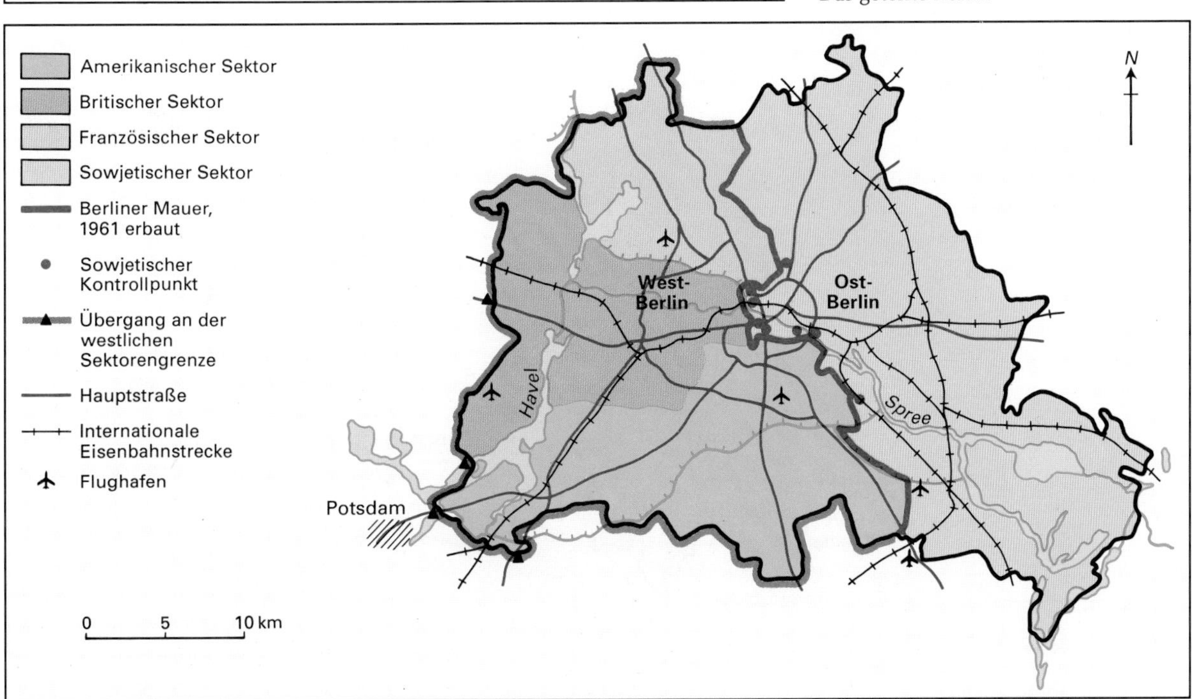

Das heutige Deutschland

Berlin, nach dem Krieg, wie Deutschland selbst, in vier Besatzungszonen geteilt, spiegelte das Doppeldeutschland wider: Der Ostteil wurde zur Hauptstadt der DDR, der Westteil blieb eine Insel des demokratischen und kapitalistischen Westens tief im Herzen des Ostens. Die Isolation West-Berlins schien komplett, als 1961 die Berliner Mauer errichtet wurde – durch Berlin und um Berlin herum –, die den westlichen Teil der Stadt von der DDR-Hauptstadt abtrennte.

Aus diesen zwei deutschen Staaten wurde am 3.10.1990 wieder ein einziger, die heutige Bundesrepublik. Nach Massenprotesten, der Flucht von Tausenden von DDR-Bürgern und dem Rücktritt des Staats- und Parteichefs Erich Honecker wurden die Staatsgrenzen zur Bundesrepublik geöffnet. Es folgten der Abriß der Mauer, die ersten freien Wahlen in der DDR und schließlich die Vereinigung der beiden deutschen Staaten. Aus der ehemaligen DDR wurden fünf neue Bundesländer, Ost- und West-Berlin schlossen sich zum Bundesland Berlin zusammen, und – nach vielem Hin und Her – wurde das vereinigte Berlin zur Hauptstadt Deutschlands ernannt.

Das Ende dieses Nachkriegs-Dramas war für die Menschen im neuen Deutschland aber erst der Anfang. Zwei Teile eines Landes, das vierzig Jahre lang als zwei völlig verschiedene Staaten existierte, wachsen nicht schnell und vor allem nicht problemlos zusammen . . .

Das werden wir erfahren. Wie sieht es also in diesem neuen Deutschland aus? Bitte wenden!

Überreste der Mauer, die nach ihrem Fall als Kunstgalerie dienten

Der weihnachtlich geschmückte Brunnen
vor dem Münchner Rathaus

Einheit 1

Feiern, wie die Feste fallen

1

Auch in Deutschland feiert man gerne, ob Karneval in Köln, Freimarkt in Bremen oder das Oktoberfest in München. Mindestens einmal im Jahr finden viele Deutsche eine Gelegenheit, sich zu verkleiden, Umzüge zu organisieren, zu trinken und zu tanzen. Manche Feste sind sehr alt – wie zum Beispiel das Fest der guten und bösen Hexen vom Blocksberg.

Hören Sie sich die Aufnahme über die Feiern zur Walpurgisnacht im Harz erst dann an, nachdem Sie die folgenden Fragen gelesen haben. Wenn Sie die Aufnahme gehört haben, können Sie sicher diese Fragen (oder die meisten von ihnen) beantworten:

- *In welcher Nacht versammeln sich die Hexen?*
- *Was rufen sie?*
- *Worauf reiten sie?*
- *Wann verschwinden sie wieder?*
- *Wer erscheint dann?*
- *Was symbolisiert sie?*
- *Wo findet die größte Feier statt?*

Lesen Sie nun den Artikel und beantworten Sie auch die Fragen, die Sie vorher eventuell nicht beantworten konnten.

sich versammeln gather
die Hexe witch
reiten ride
der Besen broomstick
die Gasse alley
der Nachwuchs offspring
der Spuk manifestation
der Einzug entry
der Sieg victory
entsprechend appropriately
feiern celebrate
stattfinden take place

Auf zur Walpurgisnacht!

In der Nacht zum 1. Mai versammeln sich im Oberharz wieder die Hexen. Mit lauten „huii-huii"-Rufen reiten sie auf ihren Riesenbesen durch die Straßen und Gassen, der Nachwuchs übrigens schon am Nachmittag. Punkt 24 Uhr ist der Spuk vorbei, die Hexen urplötzlich verschwunden; die Maikönigin erscheint. Ihr Einzug symbolisiert den Sieg des Sommers über den Winter und muß freilich entsprechend gefeiert werden. Die größte Walpurgisfeier im Oberharz findet in Bad Grund statt.

Auto & Reise

* Ausdrücke zum Einprägen

punkt 24 Uhr

der Spuk **ist vorbei**

die Feier **findet** in Bad Grund **statt**

▲ Das Münchener Oktoberfest

Karneval in Köln ▶

2 [cassette icon]

Das bekannteste Fest in Deutschland ist wohl das Münchener Oktoberfest, das aber schon Ende September beginnt und auf der Theresienwiese in München gefeiert wird. Dort kann man Bier trinken, Blasmusik hören und tanzen. Außerdem gibt es einen Jahrmarkt mit Achterbahn, Schießbuden . . . und noch mehr Bier.

Hören Sie nun, was ein Münchener über das Oktoberfest sagt, und beantworten Sie dann folgende Fragen:

- *Wie oft findet das Oktoberfest statt?*
- *Wo in München findet es statt?*
- *Und seit wann?*
- *Was war der Anlaß zum ersten Oktoberfest?*
- *Wer sagt: „O'zapft is!"? Und was passiert dann?*

jährlich every year
der Begriff expression
die Wiese meadow
ziehen draw
der Anlaß cause
die Hochzeit wedding
die Braut bride
anläßlich (+ gen) on the occasion of
die Abweichung deviation
kriegsbedingt caused by the war
der Ausspruch saying
o'zapft (Bavarian dialect = **angezapft**) broached
der Kanonenschlag cannon-shot; maroon

* Ausdrücke zum Einprägen

es ist das größte, das berühmteste Volksfest **auf der ganzen Welt**

die Leute kommen **aus nah und fern**

von alters her from time immemorial
die Fastenzeit Lent
je nachdem depending on
feiern celebrate
witzig witty
der Vortrag speech
die Hochburg stronghold
der Fastelovend (Rheinland dialect = **Fastenabend**) Shrove Tuesday
die Karnevalsgesellschaft carnival association
veranstalten organize
toll mad
der Rosenmontag day before Shrove Tuesday
der Umzug procession
prunkvoll gestaltet magnificently designed
geschmückt decorated
der Wagen (here) float
die Reitergruppe group of riders
dicht umsäumt mit densely crowded with
die Pappe cardboard; papier maché
prächtig splendid
das Dreigestirn triumvirate
die närrische Zeit carnival
regieren govern
die Jungfrau virgin

Im Rheinland (vor allem in Köln) ist der Karneval das größte Fest des Jahres, das zum Teil auf den Straßen gefeiert wird. Hier erzählt ein Kölner davon.

Hören Sie sich die Aufnahme an und beantworten Sie dann folgende Fragen:

- *Zu welcher Jahreszeit findet der Karneval statt?*
- *Wie lange dauert er?*
- *Welches sind die zwei anderen Städte im Rheinland (außer Köln), wo Karneval groß gefeiert wird?*
- *Wie nennen die Kölner die letzten drei Tage des Karnevals?*
- *Was passiert am Rosenmontag?*
- *Wer regiert in Köln während des Karnevals?*

* Ausdrücke zum Einprägen

von alters her wird im Rheinland Karneval gefeiert

je nachdem, wann Ostern ist

der Höhepunkt ist dann aber der Rosenmontag

. . . ziehen **kilometerweit und stundenlang** . . .

3

Auch in Deutschland gibt es besondere Tage im Jahr, die – laut Volksmund – das Wetter bestimmen, wie zum Beispiel der „Siebenschläfer".

A Lesen Sie den Artikel (unten) und beantworten Sie dann die Fragen Ihrer Partnerin/Ihres Partners in Ihren eigenen Worten.

B Sie dürfen den Artikel noch nicht lesen. Stellen Sie Ihrer Partnerin/Ihrem Partner folgende Fragen. Sie/er kann Ihnen den Artikel dann erklären.

- *Welcher Tag des Jahres heißt „Siebenschläfer"?*
- *Was soll passieren, wenn es an diesem Tag regnet?*
- *Klappt das immer?*
- *Kannst du mir ein Beispiel geben, wann das nicht der Fall war?*
- *Welche anderen Tage des Jahres sollen ebenfalls das Wetter bestimmen?*

Hat Ihnen **A** den Inhalt des Artikels erklären können? Prüfen Sie es nach, indem Sie nun selbst den kurzen Bericht lesen.

Der Siebenschläfer kommt heiter und warm daher

Heute haben wir Siebenschläfer. Falls es nun regnet, soll es sieben Wochen lang jeden Tag vom Himmel plätschern. Sagt der Volksmund.

So ganz und gar hat es mit der Voraussage, die mit dem 27. Juni verknüpft ist, selten geklappt. Eher war wohl das Gegenteil der Fall. So zum Beispiel auch im Jahre 1983. Da hat es am 27. Juni nur so gegossen. Und was erlebten wir danach? Den heißesten Juli des Jahrhunderts mit Höchsttemperaturen bis zu 37,1 Grad Celcius.

Dennoch bleibt der Volksglauben an die Bedeutung des 27. Juni unerschütterlich. So – wie die Eisheiligen und die Schafkälte – zählt der Siebenschläfer zu den Lostagen des Jahres, deren Wetter für den weiteren Verlauf der Witterung den bestimmenden Ausschlag geben soll. Wissenschaftlich exakt begründete Regeln gibt es allerdings dafür nicht. Das stört auch niemanden.

Berliner Zeitung (27.6)

der Schläfer sleeper
falls if
plätschern patter down
sagt der Volksmund so people say
die Voraussage forecast
verknüpft linked
eher rather
der Fall case
gießen pour
erleben experience
Celcius centigrade
dennoch even so
unerschütterlich unshakeable
die Eisheiligen Ice-saints Days (11 - 13 May)
die Schafkälte 'sheep-cold', (10 - 20 June)
zählen zu be one of
der Lostag critical day
der Verlauf course
die Witterung weather
der bestimmende Ausschlag the decisive factor
wissenschaftlich scientific
allerdings it's true
stören (here) worry

✻ Ausdrücke zum Einprägen

falls es nun regnet
so **ganz und gar**
es hat selten **damit geklappt**
eher **war** wohl **das Gegenteil der Fall**
so zum Beispiel auch im Jahre 1883
das Wetter an diesem Tag soll **den bestimmenden Ausschlag geben**
das stört auch **niemanden**

Die Höhepunkte des deutschen Jahres sind, wie bei uns, für viele die Sommerferien – und Feste wie Weihnachten, Ostern oder Silvester. Wir haben eine Kölnerin gefragt, wie man in Deutschland Ostern, Weihnachten und Silvester feiert.

Hören Sie sich die Aufnahme zweimal an und machen Sie dann zwei Listen:

1 von den Bräuchen, die unseren ähnlich sind;

2 von den Bräuchen, die in Deutschland anders sind als bei uns.

* Ausdrücke zum Einprägen

Ostern ist **in erster Linie** das Fest der Ostereier

so haben sie den Eindruck, daß es wirklich einen Osterhasen gibt

damit fängt es an

oder **in letzter Zeit** auch mit Champagner

der Brauch custom
der Osterhase Easter hare
hoppeln hop
buntbemalt brightly coloured
verstecken hide
wahrhaftig true
die Erwachsenen grown-ups
schmeißen (colloq.) fling; throw
der Eindruck impression
ansonsten otherwise
der Zweig twig
der Nikolaustag St Nicolas' Day
eigentlich actual
nach Einbruch der Dunkelheit after it gets dark
der Engel angel
verteilen distribute
abschließen lock
bechäftigen keep busy
anstecken light
der Silvester New Year's Eve
schick smart
die Klamotten (pl., colloq.) clothes
das Lokal pub; restaurant
der Sekt (German) sparkling wine
anstoßen auf drink to

Weihnachtszeit in Deutschland:
Der Heilige Sankt Nikolaus (links oben), Sternsinger-Musikanten im Advent (rechts oben), Bescherung unter dem Christbaum (links)

Der Schwibbogen in Johanngeorgenstadt (sehe Seite 18)

5

Für viele Menschen, auch in Deutschland, ist Weihnachten das wichtigste Fest des Jahres. In entlegenen Ortschaften des deutschen Ostens sind noch interessante Weihnachtsbräuche erhalten . . .

der Kamm ridge; crest
böhmisch Bohemian
der Bergmann (pl.: **die Bergleute**) miner
gründen found
der Erzbergbau ore-mining
die Grube mine
entbehren do without
ständig constantly
die Sehnsucht longing
schnitzen carve
die Kerze candle
der Engel angel
die Schürze apron
verheißen promise
heimkehrend homecoming
die Geborgenheit security
die Hoffnung hope
sparen mit save on
verschwenderisch extravagantly
der Schwibbogen 'flying buttress'
ursprünglich originally
der Bergschmied colliery blacksmith
herstellen make
eisern iron
der Leuchter candleholder
im Gebrauch in use
das Gebiet region
eine besinnliche Runde a quiet get-together
das Huthaus security building
festlich festive
die Knappschaft miners' guild
der Himmelsbogen 'vault of heaven'
prägen form
Orts- town
zahllos countless
der Nachfolger successor
die Ebene plain

Vorweihnachten im Erzgebirge: Von Schwibbogen und Lichterengeln

Oben im Erzgebirge, hart an Kamm und Grenze, liegt Johanngeorgenstadt. 1654 durch böhmische Bergleute gegründet, ist der Ort bis Mitte unseres Jahrhunderts mit dem Erzbergbau verbunden gewesen.

Schwer war das Leben in alter Zeit, am härtesten im Winter. Im Dunkeln machten sich die Bergleute auf den Weg zur Grube, im Dunkeln kamen sie wieder nach Haus. Wochenlang mußten sie das Tageslicht entbehren, ständig lebte in ihnen die Sehnsucht nach Sonne und Wärme. Sie schnitzten sich Figuren nach ihrem Bilde, gaben ihnen Kerzen in die Hand und stellten sie ins Fenster.

Zum Lichterbergmann gesellte sich bald der Lichterengel – die Bergmannsfrau in blauer Schürze. Das Licht im Fenster verhieß dem heimkehrenden Bergmann Geborgenheit und Glück, war Symbol der Liebe und Hoffnung. Das ganze Jahr über hatte er mit Kerzen gespart. Zu Weihnachten und zur Jahreswende ging er verschwenderisch damit um. Das Haus wurde illuminiert, und hatte seine Frau ein Kind geboren, bekam nun auch der Lichterengel im Fenster Nachwuchs.

Kerzen, ein halbes Dutzend und mehr, standen in der Weihnachtszeit auch auf dem Schwibbogen. Der Schwibbogen war ursprünglich ein von Bergschmieden hergestellter eiserner Leuchter und als solcher auch im Gebrauch. Bis in die 30er Jahre unseres Jahrhunderts hinein findet man ihn nur im Johanngeorgenstädter Gebiet.

Der 24. Dezember war für die Bergleute ebenso wie der 31. Dezember arbeitsfrei. Sie kamen aber zu einer besinnlichen Runde im Huthaus zusammen, und – hell sollte es dabei sein. Der Schwibbogen spendete das festliche Licht. Der Leuchter war das Weihnachtsgeschenk des Bergschmiedes an die Knappschaft. Unter dem Himmelsbogen (so war die Rundung des Leuchters wohl ursprünglich gemeint) dominieren biblische Szenen.

Heute prägen die großen Ortsschwibbogen das Bild auch vieler anderer Erzgebirgsstädte zur Winterzeit. Hinzu kommen die zahllosen kleinen Modelle in den Fenstern der Wohnhäuser. Und längst haben die Nachfolger des Johanngeorgenstädter Schwibbogens ihren Weg auch in die großen Städte der Ebene genommen . . .

Berliner Zeitung

* Ausdrücke zum Einprägen

der Ort ist **bis Mitte unseres Jahrhunderts** mit dem Erzbergbau verbunden gewesen

im Dunkeln **machten sich** die Bergleute **auf den Weg zur** Grube

das ganze Jahr über hatte er mit Kerzen gespart

und **als solcher** auch im Gebrauch

bis in die 30er Jahre unseres Jahrhunderts **hinein**

A Versuchen Sie, in nicht mehr als zwei Absätzen die Bedeutung und die Ursprünge vom Lichterbergmann und dem Lichterengel schriftlich zu erklären.

B Versuchen Sie, in nicht mehr als zwei Absätzen die Bedeutung und den Ursprung des Schwibbogens schriftlich zu erklären.

Beide: Lesen Sie nun, was Ihre Partnerin/Ihr Partner geschrieben hat. Hat sie/er alles Nötige gesagt?

6

In der Großstadt ist das Leben nicht so besinnlich, aber auch dort haben sich noch alte Traditionen gehalten – wie zum Beispiel die Weihnachtsmärkte (hier wird über den Berliner Weihnachtsmarkt berichtet).

ungemütlich uninvitingly
feucht damp
tröpfeln drip
schaulustig curious
die Eröffnung opening
einfinden gather
herrschen (here) be
das Gewimmel milling crowd
die Leckerei delicacy
der Broiler (E. German) chicken
der Hauch breath
unbestritten unquestionably
spüren feel
verlockend tempting
der Duft smell
zahlreich countless
die Bude stall
bemalt painted
allerlei all kinds of
handgewebt hand-woven
die Fichte spruce
außerdem as well
aufbauen set up
der Autoskooter dodgem
hoch im Kurs stehen be very popular
das Bastelzentrum handicraft centre
die Veranstaltung event
das Blasorchester brass band
vorgesehen planned
der bürgerliche Name real name
umringt surrounded
die Überraschung surprise
befördern produce
Erinnerungs- souvenir

Weihnachtsmarkt öffnete gestern seine Pforten

Auch wenn es gestern eher ungemütlich feucht vom Himmel tröpfelte, hatten sich viele Schaulustige um 15 Uhr zur Eröffnung des Weihnachtsmarktes zwischen Alexanderplatz und Jannowitzbrücke eingefunden.

Schnell herrschte Gewimmel auf dem Marktgelände, drehten sich die Karussells, probierte man einiges von den vielen kulinarischen Offerten, die von der weihnachtlichen Leckerei bis zum Broiler oder zur böhmischen Gulaschsuppe reichten. Ein Hauch weihnachtlicher Atmosphäre war unbestritten schon zu spüren. Das lag nicht nur am Meißener Glockenspiel oder an den verlockenden Düften der zahlreichen Buden, sondern auch am Lichterglanz und den Verkaufsständen, die manch weihnachtliche Geschenkidee zeigten. So in der Handwerkergasse, wo bemaltes Glas, allerlei Handgewebtes oder Fotos vom alten Berlin zu finden sind.

Rund um die 30 Meter hohe Neustrelitzer Fichte haben sich außerdem rund 60 Schausteller mit ihren Geschäften aufgebaut. Dazu gehören Autoskooter, viele Spielbuden und Kinderkarussells. Für die Jüngsten stehen bestimmt Ponyreiten oder eine Fahrt mit der Kindereisenbahn hoch im Kurs. Geschenke können im Bastelzentrum angefertigt werden.

Über 125 Veranstaltungen mit Solisten, Blasorchestern und Tanzgruppen sind vorgesehen. Der Weihnachtsmann, mit bürgerlichem Namen Alfred Aulich, war auch schnell – vor allem von den kleinsten Gästen – umringt, für die er manche Bonbonüberraschung aus seinen Taschen beförderte. Weitere Weihnachtsmann-Kollegen stehen übrigens für Erinnerungsfotos bereit.

Berliner Zeitung

* Ausdrücke zum Einprägen

die vielen Offerten, die **von der** weihnachtlichen Leckerei **bis zur** Gulaschsuppe **reichten**

das **lag nicht nur am** Glockenspiel, **sondern auch am** Lichterglanz

rund um die 30 Meter hohe Neustrelitzer Fichte

für die Jüngsten **steht** bestimmt eine Fahrt mit der Kindereisenbahn **hoch im Kurs**

über 125 Veranstaltungen mit Solisten und Tanzgruppen **sind vorgesehen**

Was kann man auf dem Berliner Weihnachtsmarkt tun? Machen Sie eine Liste nach diesem Muster:

weihnachtliche Leckereien probieren
Suppe essen
usw.

Wie viele Dinge (mindestens 15) haben Sie gefunden, die man machen kann?

A Sie sind eine junge Mutter/ein junger Vater und besuchen mit Ihrem Kind den Weihnachtsmarkt. Nehmen Sie Ihre Liste und fragen Sie Ihr Kind, was es gerne machen möchte (für die Autoskooter ist es Ihres Erachtens noch zu jung).

B Sie sind das Kind. Die meisten Vorschläge Ihrer Mutter/Ihres Vaters gefallen Ihnen nicht, aber Autoskooter fahren wäre schön ...

Einheit 2

Mahlzeit!

1

Was ißt man in Deutschland gerne? Und zu welchen Tageszeiten? Das kann sehr verschieden sein, aber vielleicht „typisch" deutsch wäre: ein reichhaltiges Frühstück mit frischen, knusprigen Brötchen; mittags, meist zwischen 12 und 13 Uhr, die Hauptmahlzeit: Schweine- oder Kalbsbraten vielleicht, mit (Brat)Kartoffeln und Gemüse; nachmittags eine Tasse Kaffee und ein Stück Kuchen; abends häufig nur kalt, d.h. Brot, Käse und Aufschnitt.

die Durchschnittsfamilie average family
etwa roughly
das belegte Brötchen filled roll
der Aufschnitt cold meats and sausage
bestehen exist
das Pausenbrot (break) sandwich
von zuhause from home
die Schnitte slice
eventuell possibly
die Besonderheit peculiarity
evangelisch Protestant
die Linse lentil
daher rühren, daß stem from the fact that
ursprünglich originally
putzen clean
aufbringen find
reichen serve
das Sprudelwasser sparkling soft drink
die Hauptmahlzeit main meal
es sei denn, (daß) unless
angewiesen sein auf rely on

* Ausdrücke zum Einprägen

wenn man über das Essen in Deutschland **was sagen soll, wär's am besten,** man nimmt sich eine Durchschnittsfamilie

und trinken **eventuell** dazu eine Tasse Kaffee

das rührte ursprünglich daher, daß die Hausfrau ihre Wohnung zum Wochenende putzte

es sei denn, der Vater arbeitet

Diese Kölner Hausfrau beschreibt, was eine deutsche Durchschnittsfamilie an einem normalen Tag ißt.

- *Inwiefern ist das typische deutsche Frühstück anders als das Ihre?*
- *Wann – und warum – gibt es manchmal mittags nur Suppe als Hauptgericht?*
- *Abendessen nennt man in Deutschland auch Abendbrot. Warum?*

Sie sind in einer deutschen Familie zu Besuch. Es ist Freitag. Schreiben Sie in Ihrem Tagebuch auf, was Sie heute bei jeder Mahlzeit gegessen haben.

2

Wenn sie auswärts essen gehen, dann soll es für die Deutschen der älteren Generation am liebsten auch traditionelle Küche sein – die sogenannte gutbürgerliche Küche. Wie in Köln bei Paula Kleinmann . . .

Bohnen mit Speck

Eigentlich hat Gastronomin Paula Kleinmann nie Zeit. Sie wird 76, aber sie kennt noch jede Schweinshaxe mit Namen.

Die letzten 40 Jahre sind am Interieur der Gaststätte auf der Zülpicher Straße spurlos vorübergegangen. Geblieben sind die Jagdtrophäen an der Wand, die Kochplatte neben der Theke, mit der vor sich hinbrodelnden Tagessuppe, geblieben auch die gutbürgerlichen Gerichte auf der umfangreichen Speisekarte. Was lieben die Gäste an der Gaststätte, von den üppigen Portionen deftiger Gerichte einmal abgesehen? „Die ganze Atmosphäre hier im Restaurant, das ist eben ein Familienlokal. Wir machen das zu zweit, mein Sohn Gustav und ich. Er ist die nette, vornehme Natur, ich in der Küche die rauhe."

Von morgens nun bis nachmittags halb drei steht sie am Herd, dann wieder von abends halb sechs bis alles aufgeräumt ist. Dann aber setzt sie sich zu den Gästen, um sie aufzumuntern. Sie trinkt dann auch einen mit... „In jungen Jahren sind wir um acht Uhr morgens nach Hause gekommen und um neun standen wir wieder fidel in der Küche."

Eine Ruhepause gibt es erst um halb zwölf, wenn sie sich alle zum Kaffeetrinken um den großen Tisch versammeln, der Gustav, die Enkelchen, die türkische Frau, die in der Küche hilft. Zweimal war Paula verheiratet, nun bleibt wegen der Arbeit keine Zeit mehr, einen Mann zu lieben und zu beherbergen, aber bützen kommen sie ja alle. Lieblingsgäste aber kann sich eine Wirtin nicht leisten, sie muß alle gleich behandeln.

Paula stammt nicht aus Köln, sondern aus Westfalen „vom ganz kleinen Land". Nach Köln kam sie 1941, vom Krieg hierher verschlagen. Aber es gefiel ihr „vom ersten Tage an". Eben weil sie die Kölschen so gern hat, will sie ja auch hier sterben. Und vor dem Sterben? Da bleibt Paula Kleinmann zum ersten Mal eine Antwort schuldig. „Was soll ich denn da noch machen, ich feier' ja immer noch meinen Geburtstag. Ich habe immer gesagt, laßt mich bis zum letzten Atemzug arbeiten, das ist mein Wunsch." Und schon ist sie wieder mit den Gedanken bei den Schweinshaxen im Backofen.

Kölner Illustrierte

die Schweinshaxe knuckle of pork
spurlos without trace
vorübergehen go by
Jagd- hunting
die Kochplatte hotplate
die Theke bar
vor sich hin to itself
brodeln bubble
das Gericht dish
umfangreich extensive
üppig sumptuous
deftig solid; substantial
abgesehen von apart from
das Lokal restaurant
vornehm cultured
rauh rough
der Herd stove
aufräumen clear up
aufmuntern liven up
fidel cheerful
erst um not until
sich versammeln gather
das Enkelchen little grandchild
beherbergen look after
bützen (Rhineland dialect) kiss
sich leisten afford
behandeln treat
stammen aus come from
verschlagen driven
die Kölschen (Rhineland dialect) people of Cologne
schuldig at a loss for
feiern celebrate
der Atemzug breath
der Wunsch wish
der Backofen oven

* Ausdrücke zum Einprägen

von den üppigen Portionen **einmal abgesehen**

von morgens nun **bis nachmittags** halb drei

eine Ruhepause gibt es **erst um halb zwölf**

es gefiel ihr **vom ersten Tage an**

eben weil sie die Kölschen so gern hat

Füllen Sie einen Fragebogen wie den folgenden für Paula Kleinmann aus:

Name ______________________

Vorname ______________________

Geburtsort ______________________

Alter ______________________

Familienstand ______________________

Kinder ______________________

Wohnsitz: Wo? ______________________

Seit wie lange? ______________________

Beruf ______________________

Versuchen Sie nun anhand Ihres ausgefüllten Fragebogens und mit Hilfe des Artikels, das Wesentliche über Paula Kleinmann (und über ihr Leben) in nicht mehr als hundert Wörtern aufzuschreiben.

- *Würden Sie gerne in Paula Kleinmanns Restaurant essen?*
- *Warum (nicht)?*
- *Finden Sie Frau Kleinmann sympathisch?*
- *Würden Sie gern für sie arbeiten?*
- *Solche Restaurants sind heute nicht mehr so häufig zu finden wie früher. Warum wohl nicht?*

Was in Deutschland „Restaurant" oder „Lokal" heißt, ist bei weitem aber nicht immer, was Paula Kleinmann und ihre Gäste darunter verstehen . . .

Der Trend zum Außer-Haus-Verzehr hält weiter an. Etwa ein Viertel unserer Ausgaben gehen dafür drauf. Nur noch jeder zweite Bundesbürger hält sich an die Zeremonie von Frühstück, Mittagessen und Abendbrot im trauten Familienkreis. Fast-Food-Betriebe und Feinkost-Tempel haben Konjunktur, denn dieselben Verbraucher, die so sehr auf Qualität und Geschmack achten, wenn sie zu Hause oder im Feinschmecker-Restaurant essen, greifen tagsüber zu Fast Food.

der Verzehr consumption
anhalten go on
die Ausgaben outgoings
draufgehen für go on
der Bundesbürger German citizen
sich halten an keep to
traut intimate
der Betrieb business
die Feinkost delicatessen
die Konjunktur boom
der Verbraucher consumer
achten auf pay attention to
der Feinschmecker gourmet
tagsüber during the day

In aller Munde: *Fast Food*

Was ist denn eigentlich Fast Food? Bei Fast Food denkt jeder zuerst an das populäre Schichtbrötchen, den Hamburger. Kein Wunder: So werden doch weltweit mehr als 140 Stück in jeder Sekunde über die Tresen geschoben. Aber der Hamburger ist nicht der einzige Vertreter dieser Spezies: Alte Bekannte wie Bockwurst und Frikadelle gehören ebenso dazu wie die „Zugereisten“: Pizza, Gyros, Frühlingsrolle und Croissant. Der Edel-Imbiß mit frischen Austern, Hummer und Champagner sowie der vegetarische im Bioladen oder Reformhaus sind die neueren Varianten.

Auch wenn man's kaum glauben mag: Fast Food ist keine Errungenschaft hektischer Industrienationen. Die erste Imbißbude tauchte schon 1134 als „Brotzeithütte“ in Regensburg auf. Richtig aktuell wurden die Vorläufer von „Quick-Restaurant“ dann zur Zeit der industriellen Revolution gegen Ende des vergangenen Jahrhunderts. Grund: Arbeitsplatz und Wohnung waren weit voneinander entfernt, die Arbeiter mußten außer Haus essen. Und weiter boomte es nach dem Krieg: Mehr Freizeit, Geld und Mobilität und ein riesiger Nachholbedarf bescherten Imbißständen und Würstchenbuden volle Kassen. Seit etwa zehn Jahren gibt's die Hamburger- und Fast-Food-Restaurants, die mit ihrem standardisierten Angebot zum Inbegriff des schnellen Essens wurden.

Inzwischen bedienen etwa 36 400 Fast-Food-Betriebe hastig-hungrige Bundesbürger. Der Umsatz der Branche beträgt pro Jahr etwa 20 Milliarden Mark. Und der Run auf Imbisse und Fast-Food-Lokale nimmt immer noch zu – trotz Gesundheitstrend und Fitneß-Boom. Vielleicht liegt's daran, daß kaum jemand in den handlichen Portionen die Kalorienbomben vermutet, die sie nun mal sind. Besonders gewichtig sind die Zwei- und Dreifach-Burger samt Soße und Garnitur. Andere Fast-Food-Produkte schneiden nicht besser ab: Wer hätte schon gedacht, daß eine Bratwurst mit Brötchen und Senf fast 700 Kalorien hat?

Die klassischen Fast-Food-Betriebe müssen nach einer Umfrage des Sample-Instituts ohnehin bald umdenken. Denn Speisen, die dem Trend nach gesunder Ernährung entsprechen, werden im Jahr 2000 immer beliebter werden. Das heißt: Rohkost, Salate, Vollwertkost, vegetarische Gerichte, aber auch Steaks werden dann vorn in der Gunst des Verbrauchers liegen.

Brigitte

die Schicht layer
der Tresen counter
der Vertreter representative
die Frikadelle rissole
der Zugereiste newcomer
das Gyros doner kebab
der Edel-Imbiß (ironic) quality snack
die Auster oyster
der Hummer lobster
der Bioladen; das Reformhaus health-food shop
auch wenn even if
die Errungenschaft achievement
die Imbißbude snack-bar
auftauchen appear
die Brotzeit snack
aktuell fashionable
der Vorläufer precursor
vergangen last
der Grund reason
der Nachholbedarf need to catch up
bescheren bless with
die Kasse till
das Angebot range
der Inbegriff epitome
bedienen serve
der Umsatz turnover
die Branche industry
betragen amount to
zunehmen increase
die Gesundheit health
handlich handy
vermuten suspect
gewichtig heavy in (calories)
samt together with
die Soße sauce
gut abschneiden do well
der Senf mustard
die Umfrage survey
ohnehin anyway
umdenken rethink
entsprechen correspond
beliebt popular
die Rohkost raw fruit and vegetables
die Vollwertkost high-nutrition food
die Gunst favour

Beantworten Sie folgende Fragen (zu dem Artikel auf der vorhergehenden Seite) auf englisch:

- *What proportion of the average German's expenditure goes on fast food?*
- *What – entirely different – food is also popular?*
- *What are the traditional German fast foods?*
- *What are the modern additions to this list?*
- *Where and when did the first 'snack-bar' appear?*
- *Why did fast food become popular at the end of the nineteenth century?*
- *What gave it a boost after the last war?*
- *How long have modern fast-food restaurants been around in Germany?*
- *What is their annual turnover?*
- *How many calories does a German fried sausage with roll and mustard contain?*
- *What fast foods may be popular in the year 2000?*

Versuchen Sie nun mit Hilfe des Artikels, in nicht mehr als hundert Wörtern die Vergangenheit, die momentane Situation und die vermutliche Zukunft von Fast Food zu beschreiben.

Und nun zu zweit:

A Machen Sie eine Liste der Vorteile der verschiedenen Fast-Food-Gerichte.

B Stellen Sie eine Liste der Nachteile der verschiedenen Fast-Food-Gerichte auf.

- *Welche Liste ist länger?*

Nehmen Sie jetzt die Liste Ihrer Partnerin/Ihres Partners als Vorlage und schreiben Sie einen Absatz über **a)** die Nachteile bzw. **b)** die Vorteile von Fast Food.

* Ausdrücke zum Einprägen

was ist denn eigentlich Fast Food?

bei Fast Food **denkt jeder zuerst an** den Hamburger

auch wenn man's kaum glauben mag: Fast Food ist keine Errungenschaft . . .

vielleicht liegt's daran, daß kaum jemand die Kalorienbomben vermutet

wer hätte schon gedacht, daß eine Bratwurst mit Brötchen und Senf fast 700 Kalorien hat?

4

In den fünf neuen Bundesländern sieht es noch etwas anders aus. Dort gibt es nämlich noch einen Nachhholbedarf für Sachen, die im Westen längst nicht mehr der letzte Schrei sind. Außerdem herrscht Geldmangel. Trotzdem findet man im Osten eine Annäherung an das westliche Niveau – vielleicht ein Schritt auf dem Weg zu einem gesamtdeutschen Essen?

Lesen Sie den Text (unten) und die anschließenden Fragen auf Seite 26 zweimal durch. Versuchen Sie dann, die Fragen zu beantworten, ohne dabei den Text zu Hilfe zu nehmen.

„Früher gab's nur Kohl"

Als die Mauer offen war, erstand Ingeborg Völkel, Hausfrau aus dem Ost-Berliner Stadtteil Mahlsdorf, im Westen erst mal ein Kochbuch.

Seither hat sich im Hause Völkel einiges geändert, berichtet Ehemann Gerhard: „Früher gab's nur Kohl – Weißkohl, Rotkohl, Wirsingkohl und, wenn Se Glück hatten, mal Kohlrabi." Heute kommen auch mal Rouladen auf den Tisch oder Auberginen. Völkel: „Es schmeckt jetzt anders."

Einst lagen Welten zwischen der westlichen Glitzergastronomie und dem küchenkulturellen Steppenland DDR, das mangels Devisen nicht viel mehr als den „Broiler", das Ost-Huhn, oder „Soljanka", die sahnegekrönte russische Restsuppe, auftischen konnte.

Mittlerweile ist die Annäherung unübersehbar: Auf dem Ost-Berliner Alexanderplatz bietet ein „Paulaner-Biergarten" bayerische Brotzeit feil, eine „Crèperie" französische Eierfladen. Die „Mitropa"-Imbißbuden reichen Pizza, und vor dem Neustädter Bahnhof in Dresden gibt's Hamburger Marke „Burger-King" aus einem US-Lieferwagen mit texanischem Nummernschild. Für Schlemmertrips nach Ostdeutschland, wo die Kundschaft mit Niedriglöhnen und Arbeitslosigkeit zu kämpfen hat, ist es allerdings noch zu früh. Denn insgesamt ist die Ost-Kost bisher nur mäßig modernisiert. Weil das Angebot in der früheren DDR stets kümmerlich war, kamen auch die Köche nicht über ein vergleichsweise niedriges Niveau hinaus. DDR-Köche hatten ihre kulinarische Kompetenz vorwiegend hinterm Eisernen Vorhang erworben, bei den böhmischen Knödelköchen in Prag oder den vormals k.u.k. Zuckerbäckern in Budapest – deren Rezepte jetzt wieder westdeutsche Speisekarten bereichern.

Der Spiegel

erstehen purchase
erst mal first of all
seither since then
berichten report
der Ehemann husband
der Wirsingkohl savoy cabbage
die Roulade beef olive
das Steppenland (ironic) steppe; desert
mangels for lack of
die Sahne whipped cream
auftischen serve
die Devisen (pl.) foreign currency
die Annäherung convergence
unübersehbar obvious
feilbieten offer for sale
der Eierfladen pancake
reichen offer
die Marke brand
der Schlemmer gourmet
die Kundschaft clientele
der Niedriglohn low wage
die Arbeitslosigkeit unemployment
insgesamt in general
mäßig moderately
stets always
kümmerlich miserable
vergleichsweise in comparison
das Niveau level
vorwiegend mainly
erwerben acquire
der Knödel dumpling
Prag Prague
vormals formerly
k.u.k. (Austrian = **kaiserlich und königlich**, imperial and royal; Imperial Austrian)
der Zuckerbäcker (Austrian) confectioner
bereichern enrich

* Ausdrücke zum Einprägen

seither hat sich im Hause Völkel **einiges geändert**

wenn Sie Glück hatten, mal Kohlrabi

einst lagen Welten zwischen der westlichen Gastronomie **und** dem Steppenland DDR

mittlerweile ist die Annäherung **unübersehbar**

für Schlemmertrips **ist es allerdings noch zu früh**

die Köche kamen nicht über **ein vergleichsweise niedriges Niveau** hinaus

- *Was kaufte Frau Völkel als erstes im Westen ein?*
- *Was waren die Folgen davon?*
- *Was meinte Herr Völkel dazu?*
- *Welche Unterschiede stellte er fest?*
- *Was waren früher die häufigsten Ost-Gerichte?*
- *Warum war das Essen damals so eintönig?*
- *Welche Fast-Food-Gerichte werden aber nun bereits im Osten angeboten?*
- *Warum kann das Essen dort nur langsam „modernisiert" werden?*
- *Welche Vorteile, die ihre westlichen Kollegen erst jetzt genießen können, hatten DDR-Köche schon immer?*

5

Sind Hamburger und Pizza unbedingt als Fortschritt zu betrachten? Gibt es denn keine einheimische Küche in den fünf neuen Bundesländern? Doch! Dieser Berliner Hausherr und Hobbykoch beschreibt fünf leckere Gerichte aus verschiedenen Teilen der Ex-DDR: Berliner Eisbein, Thüringer Klöße, Leipziger Allerlei, Dresdener Christstollen und, ebenfalls aus Dresden, Eierschecke.

Hören Sie sich die Aufnahme zweimal an und machen Sie sich dabei Notizen. Versuchen Sie dann, auf englisch zu erklären, was es für Gerichte sind, woraus sie bestehen und wie sie zubereitet werden.

der Raum region
das Eisbein knuckle of pork
kräftig (here) nourishing
geräuchert smoked
gepökelt salted
gekocht boiled
das Erbs(en)püree pease pudding
verdauen digest
der Kloß dumpling
der Sauerbraten braised beef marinaded in vinegar
gerieben grated
der Grießbrei semolina
die Beilage (E. German) ingredient
die Kloßmasse dumpling mixture
sanft gently
hervorragend outstanding
die Ergänzung addition
das Allerlei pot-pourri
der Christstollen Christmas loaf
die Zutat ingredient
die Mandel almond
die Rosine raisin
geeignet suited
herrschen reign
die Eierschecke 'dappled eggs'
der Eischnee stiffly beaten egg-white
der Quark curd cheese
der Teig pastry
der Bezirk (GDR) administrative area
verfügen über have at one's disposal
trennen divide

* Ausdrücke zum Einprägen

das **sogenannte** Berliner Eisbein

ein typisches Berliner Essen **– sicher nicht jedermanns Geschmack**

6

Und zum Schluß: Sollten Sie nun glauben, daß man in Deutschland doch ziemlich konservativ ißt, können wir Ihnen in den folgenden Artikeln drei etwas ausgefallenere Gerichte anbieten.

A Lesen Sie den ersten Artikel (*Rekord-Pumpernickel*) Ihrer Partnerin/Ihrem Partner vor. Wenn sie/er nicht alles versteht, wird sie/er Sie unterbrechen und Ihnen Fragen dazu stellen.

B Lesen Sie den Artikel (*Rekord-Pumpernickel*) nicht, sondern hören Sie **A** zu, die/der ihn Ihnen vorliest. Wenn Sie etwas nicht verstehen, unterbrechen Sie sie/ihn und stellen ihr/ihm Fragen. Zum Beispiel folgende:

- *Was ist ein Stinkfritz?*
- *Warum haben diese Bäckermeister so etwas gebacken?*
- *Wie wirkt sich dieses Brot auf die Verdauung aus?*
- *Verkaufen die Bäcker das Brot? Was machen sie mit dem Geld, das sie dafür erhalten?*

Rekord-Pumpernickel

Den größten „Stinkfritzen" der Welt, einen 70 Meter langen, rabenschwarzen Pumpernickellaib aus Roggenmehlteig, haben gestern Bäckermeister aus Löningen im Landkreis Cloppenburg gebacken. Sie wollen mit diesem Riesending in das Guinness-Buch der Rekorde und dabei ein gutes Werk tun. „Stinkfritz" ist nach Darstellung des Historikers Hermann Kaiser die Bezeichnung für „Pumpernickel". Dieses robuste und deftige Brot, das im 18. Jahrhundert vornehmlich in Norddeutschland auf den Tisch kam, habe sich besonders stark auf den Verdauungstrakt seiner Liebhaber ausgewirkt. 500 Kilogramm Teig, eine Woche Arbeits- und eine 12stündige Backzeit bei einer Ofenhitze von maximal 160 Grad habe man in das Unternehmen gesteckt. Der Erlös aus dem Verkauf des superlangen Brotes ist für die „Aktion Sorgenkind" bestimmt.

Der Tagesspiegel

der Stinkfritz (literally) stinker
der Rabe raven
der Laib loaf
der Roggenmehlteig rye-flour dough
Riesen- gigantic
die Darstellung account
die Bezeichnung name
vornehmlich principally
der Verdauungstrakt digestive tract
der Liebhaber (here) fan
auswirken have an effect
das Unternehmen undertaking
der Erlös proceeds
das Sorgenkind problem child
bestimmt intended

B Nun sind Sie dran! Lesen Sie den zweiten und dritten Artikel (Seite 28) Ihrer Partnerin/Ihrem Partner vor. Wenn diese/dieser nicht alles versteht, wird sie/er Ihnen Fragen dazu stellen.

A Lesen Sie den zweiten und den dritten Artikel (Seite 28) nicht, sondern hören nun Sie **B** zu, die/der sie Ihnen vorliest. Wenn Sie etwas nicht verstehen, unterbrechen Sie sie/ihn und stellen ihr/ihm Fragen. Zum Beispiel:

- *Soll man diese Blumen essen oder nur ansehen?*
- *Was für eine Blume ist . . . ? Weißt du, wie sie aussieht?*
- *Woraus besteht dieses Geschirr, das man essen kann? Muß man es essen?*
- *Ist dieses eßbare Geschirr schon in jedem Speisewagen zu haben?*
- *Was für ein Problem besteht noch? Hat man eine Lösung dafür gefunden?*

Rosen im Schlafrock

Essen mit Blüten ist Dernier cri für Gourmets. Zwischen Fleisch und Nudeln blüht und prangt es auf den Tellern: Rosen, in Cognac-Teig getaucht und ausgebacken, Entenbrust mit Wicken, Lammkoteletts mit Lavendelblüten, Feldsalat mit Begonien, Kartoffelsuppe mit Gänseblümchen. Zum Anschauen, aber auch zum Verspeisen – ganz nach Geschmack.

Freundin

die Blüte flower
prangen be resplendent
tauchen dip
ausbacken fry
die Wicke sweet pea
der Feldsalat lamb's lettuce
das Gänseblümchen daisy
anschauen look at
verspeisen eat
der Geschmack taste

Im Zug können wir nun ins Geschirr beißen

Als Dessert können künftig Gäste der Bundesbahn ihr benutztes Geschirr verzehren – kein Härtetest für Zähne, sondern ein delikater Beitrag zur Müllvermeidung. Wie die Bahn mitteilt, laufen derzeit die Testserien. Dabei sollen beispielsweise Suppentassen aus Brotteig beim Löffeln der Gulaschsuppe tatsächlich Biß für Biß mitverzehrt werden. Als Nachspeise werden außerdem Teller und Tassen aus Oblatenteig serviert. Das Problem: Noch haben die Knabber-Muster keinen Geschmack, aber Noten von süß über pikant bis scharf seien bald möglich. Es wird jedoch nicht erwartet, verlautet aus Bahnkreisen, daß der gemeine Fahrgast nun stets zum Telleresser wird.

Berliner Zeitung

künftig in future
die Bundesbahn Federal Railways
benutzt used
das Geschirr crockery
verzehren eat
der Beitrag contribution
die Müllvermeidung avoidance of refuse
mitteilen inform
derzeit at the moment
löffeln spoon up
der Biß bite
die Oblate rice paper
knabbern nibble
das Muster sample
gemein ordinary

Lesen Sie nun beide die drei Artikel noch einmal durch.

Zu zweit: Versuchen Sie, sich etwas noch Außergewöhnlicheres zum Essen auszudenken, und schreiben Sie (höchstens) zehn Zeilen in Form eines Zeitungsartikels darüber.

✻ Ausdrücke zum Einprägen

der Erlös aus dem Verkauf **ist für** die „Aktion Sorgenkind" **bestimmt**

auch zum Verspeisen – **ganz nach Geschmack**

wie die Bahn **mitteilt,** laufen derzeit die Testserien

dabei sollen **beispielsweise** Suppentassen tatsächlich mitverzehrt werden

das Problem: noch haben sie keinen Geschmack

es wird jedoch nicht erwartet, daß der gemeine Fahrgast nun stets zum Telleresser wird

Einheit 3

Sport in Deutschland

1 

Wer in Deutschland Sport sagt, meint sehr oft Fußball damit. Die (west)deutsche Nationalelf, Weltmeister 1990, und immer wieder unter den besten internationalen Fußballmannschaften, ist so etwas wie eine nationale Institution.

Zehntausende begrüßten den Weltmeister

Mehr als 50 000 Fußballfans bereiteten gestern nachmittag in Frankfurt/Main dem frisch gekürten Weltmeister einen begeisterten Empfang. Zwei Stunden hatten sie geduldig gewartet, bis die Mannschaft, die schon verspätet in Rom abgeflogen war, in offenen Autos den dicht gefüllten Römerberg erreichte. Jubel brandete auf, als sich die Spieler auf dem Balkon zeigten und immer wieder den Pokal in die Höhe hielten. „Das war der schönste und größte Empfang, den ich bisher mitgemacht hatte", sagte Teamchef Franz Beckenbauer.

Berliner Zeitung (10.7.1990)

gekürt elected
geduldig patiently
aufbranden burst out
der Pokal cup

die Sportart type of sport
sich beschränken be limited
die Vorherrschaft supremacy
teilweise partly
deutlich clear
herausragend outstanding
das Ergebnis result
die Sicht point of view
hauptsächlich mainly
der Bereich field
die Leichtathletik (track and field) athletics
das Turnen gymnastics
die Einrichtungen (pl.) equipment
die Einstellung attitude
sich erklären can be explained
derart so much
das Ausmaß extent
die Einzelperson individual
abhängig sein von depend on
fördern support; encourage
die Hochleistung outstanding performance
meinetwegen if you like
gut dastehen be in a good position
vorweisen produce
markant distinct
die Sparte area
allgemein generally

Es macht oft den Eindruck, als gewinnen deutsche Sportler immer und in jeder Sportart. Warum eigentlich? Das haben wir einen deutschen Sportjournalisten gefragt. Hier sind die Fragen, die wir ihm während des Gesprächs stellten:

- *Warum gewinnen die Deutschen so oft im Sport?*
- *Wenn man Ostdeutschland und Westdeutschland zusammennimmt, dann ist auch immer ein hervorragendes Ergebnis aus deutscher Sicht dabei . . . ?*
- *Wodurch kommen die guten Ergebnisse der Spieler zustande?*
- *War denn die Konkurrenz zwischen West- und Ostdeutschland früher ein wichtiger Faktor?*
- *Gibt es jetzt markante Sportarten, wo die Deutschen nicht so gut sind?*
- *Kann man das allgemein sagen, oder beschränkt sich das auf Individualsportarten?*

Ihre Lehrerin/Ihr Lehrer wird die Aufnahme zweimal vorspielen. Beim zweiten Mal wird sie/er nach jeder Antwort des Journalisten das Band stoppen. Machen Sie sich in diesen Pausen Notizen über das, was Martin, der Sportjournalist, sagt. Beantworten Sie dann diese zwei Fragen schriftlich:

- *In welchen Sportarten gewinnen die Deutschen häufig, in welchen nicht?*
- *Warum gewinnen sie dort, wo sie gewinnen?*

* Ausdrücke zum Einprägen

aber ansonsten, denke ich, ist die Vorherrschaft eigentlich nicht so groß

die Deutschen sind schon eher **an zweiter Stelle**

und zwar beim Fußball **liegt es daran, daß** hier Fußball Volkssport Nummer eins ist

war denn die Konkurrenz zwischen West- und Ostdeutschland früher **ein wichtiger Faktor?**

der Konkurrenzkampf **spielt nicht die große Rolle**

kann man das **allgemein sagen, oder beschränkt sich das auf** Individualsportarten?

2

Nicht jede Mannschaft kann immer gewinnen. Natürlich gibt es auch in Deutschland Verlierer, sogar Dauerverlierer, und sogar beim Fußball.

Hören Sie sich zuerst die Aufnahme an und versuchen Sie dann, zusammen in der Klasse die folgenden vier Fragen zu beantworten:

- *Was ist diese neue Fifa-Idee?*
- *Warum findet Herr Stützer sie für den 1. FC Köln besonders attraktiv?*

- *Wie, meint er, könnte man sie noch weiter entwickeln?*
- *Wo liegt aber der Haken?*

vor lauter Langeweile from sheer boredom
segensreich a blessing
erweisen prove
zugute kommen benefit; help
die Maßangabe measurement
schlichtwegs simply
falls in the event that
das Maß measure
rütteln an do something about
wenngleich although
elend wretched
die Lauferei running about
das Vorstandsmitglied board member
die Verantwortung responsibility
anlangen reach
sich anschließen (+ dat) endorse
durchsickern leak
sich beschränken auf be confined to

Lesen Sie nun Herrn Stützers ironischen Bericht (unten) und schreiben Sie anschließend die Antworten zu den obigen Fragen nieder.

Kleine Tore, große Tore

Beim Weltfußballverband Fifa hatte dieser Tage einer vor lauter Langeweile eine Idee, die sich zum Beispiel für den 1. FC Köln als segensreich erweisen könnte. Man solle, meinte der Mann aus der Schweiz, beim Fußball doch ganz einfach die Tore „um ein paar Zentimeter" höher machen. Das würde der Attraktivität zugute kommen. Und, wie gesagt, dem 1. FC Köln.

Denn dort wird die Frage nach der Größe eines Tores statt mit einer exakten Maßangabe nur noch mit einer klaren Problem-Beschreibung beantwortet: Es ist schlichtwegs zu klein. Der Ball, falls er denn soweit kommt, fliegt permanent drüber oder vorbei. Das Maß aller Dinge im Fußball ist aus dem Englischen (8 mal 24 feet) übersetzt genau 2,44 m mal 7,32 m (innen gemessen), und wenn daran jetzt die hohen Funktionäre rütteln, dann ist das aus Kölner Sicht doch noch ein kleines Licht am Ende des Tunnels.

Wenngleich, um ehrlich zu bleiben: Mit der Renovierung einer einzigen 115 Jahre alten Regel ist es im Falle Köln nicht getan. Da müßte schon etwas mehr passieren. Ist der Platz nicht eh' viel zu groß (diese elende Lauferei)? Braucht der Ball wirklich so viel Luft (springt ewig vom Fuß)? Warum können Vorstandsmitglieder nicht auch mitspielen (einer muß ja die Verantwortung übernehmen)? Der 1. FC Köln ist tatsächlich an dem Punkt angelangt, wo jedes Mittel recht scheint.

Zum Thema Vergrößerung des Tores ist aber noch zu sagen, daß sich der 1. FC Köln dem Vorschlag der Fifa nun doch nicht anschließen will. Es ist nämlich durchgesickert, daß die Regelung sich nicht auf das Tor des Gegners beschränken soll.

Peter Stützer,
Kölner Stadt-Anzeiger

* Ausdrücke zum Einprägen

und, **wie gesagt,** dem 1. FC Köln

wenngleich, **um ehrlich zu bleiben**

der 1. FC Köln **ist tatsächlich an dem Punkt angelangt, wo** jedes Mittel recht scheint

zum Thema Vergrößerung des Tores **ist aber noch zu sagen, daß** . . .

es ist nämlich **durchgesickert, daß** die Regelung . . .

Nicht immer jubeln die Fans bei einem Fußballspiel, manchmal sind sie recht aggressiv.

A Lesen Sie den ersten Auszug (aus der *Berliner Zeitung*, Seite 32) zu den Krawallen nach einem Fußballspiel des FC Berlin.

B Lesen Sie den zweiten Auszug (aus dem *Spiegel*, Seite 32) zu den Krawallen nach demselben Fußballspiel.

Dann zu zweit: Stellen Sie sich gegenseitig Fragen, um herauszufinden, was beide Zeitungen berichtet haben – und was in der einen steht, aber nicht in der anderen. Folgende Fragen werden Ihnen vielleicht helfen:

- *Wo fand das Spiel statt?*
- *Wie viele Rowdys zählte die Polizei?*
- *Was für Leute waren diese Rowdys?*
- *Was passierte nach dem Spiel?*
- *Was machten die Fußballfans in der Stadtmitte?*

VP-Einsatz gegen Rowdys

Mit entschlossenem Einsatz mußte die Volkspolizei am Sonnabend in Berlin gegen etwa 200 sogenannte Fußballanhänger vorgehen. Wie die VP mitteilte, seien einige davon den Skinheads zuzuordnen. Beim Spiel FC Berlin gegen Energie Cottbus machten sie bereits im Friedrich-Ludwig-Jahn-Sportpark mit aggressivem Verhalten gegenüber Anhängern der Gastmannschaft auf sich aufmerksam. Auf ihrem Weg über Schönhauser Allee, Alexanderplatz und Nikolaiviertel grölten sie faschistische Parolen, belästigten Bürger, zerstörten Schaufensterscheiben und zündeten Feuerwerkskörper. Auf dem Alexanderplatz verbrannten sie eine DDR-Fahne und beschädigten zwei Funkstreifenwagen. Das Eingreifen von Volkspolizisten, von denen drei verletzt wurden, verhütete Schlimmeres.

Berliner Zeitung

der Einsatz deployment
der Anhänger supporter; fan
zuordnen classify as belonging to
das Verhalten behaviour
grölen bawl
belästigen pester; molest
die Scheibe pane
der Feuerwerkskörper firework
beschädigen damage
der Funkstreifenwagen (radio) patrol car
das Eingreifen intervention
verletzt injured
verhüten prevent

Faschos gegen Skinheads

Republikweit berüchtigt sind die Fans des früheren Stasi-Klubs FC Berlin, vormals BFC Dynamo. Wie gut die jugendlichen Schläger organisiert sind, stellten sie bereits Ende der vergangenen Oberliga-Saison zur Schau: Nach einem Heimspiel im Friedrich-Ludwig-Jahn-Sportpark, im Stadtbezirk Prenzlauer Berg, fanden sich rund 200 glatzköpfige Skinheads und straffgescheitelte Faschos auf dem Marx-Engels-Forum im Stadtzentrum ein. Flugs bildete die Truppe dann dort, vis-à-vis der Volkskammer, eine Hakenkreuzformation – im Mittelpunkt wie zum Hohn die Skulptur der beiden kommunistischen Ahnherren [Marx, Engels].

Der Spiegel

der Fascho (= **Faschist**, colloq.) fascist
berüchtigt notorious
die Stasi (= **Staatssicherheit**) State Security (GDR secret police)
vormals formerly
der Schläger (here) thug
die Oberliga First Division
zur Schau stellen display
der Bezirk (GDR) district
glatzköpfig bald-headed
straffgescheitelt with tightly combed hair
flugs swiftly
die Volkskammer (former GDR) parliament
das Hakenkreuz swastika
der Hohn derision
der Ahnherr ancestor

Sie sind Reporter bei der *Bild*-Zeitung. Der Chefredakteur will einen Leitartikel über Fußball-Rowdytum haben. Er soll nicht länger als 150 Wörter sein – mit kurzen Sätzen und einfachen Wörtern – und einen klaren Standpunkt vertreten. Er muß ihn so schnell wie möglich haben. Schreiben Sie ihn!

4

Diese Fußballfans sind keine Sportler. Der Durchschnittsdeutsche scheint es aber zu sein. Vielleicht hält er soviel von Fitneß, weil er manchmal zuviel ißt oder trinkt. Auf jeden Fall ist es ab und zu so weit, daß er ins nächste Fitneß-Center geht . . .

Voll im Trend

Turnvater Jahn würde ganz schön staunen, wenn er sehen könnte, wie fröhlich es heute beim Sport zugehen kann: helle, luftige Räume, heiße Rhythmen von Michael Jackson und an den Fitneßgeräten Sportler in buntem Outfit. Und das alles findet nicht etwa in einem der zahlreichen body-fit-Studios statt, sondern bei der alteingesessenen Hamburger Turnerschaft von 1816. Hier habe ich mich zum Probetraining verabredet.

Annähernd 50 Sportvereine in der Bundesrepublik haben schon einen Freizeit- und Fitneßbereich eingerichtet, weitere folgen im Laufe des Jahres. Kurios, daß ausgerechnet der älteste Turnverein der Welt, die HT 16, die Pionierrolle übernahm: sein Fitneßstudio mit den „Drei S" (Sauna, Solarium, Saftbar) hat dem Verein zu 1100 neuen Mitgliedern verholfen.

Zum selbstverständlichen „Service" der HT 16 gehört, daß für jedes Vereinsmitglied gleich zu Beginn ein individuelles Trainingsprogramm erstellt wird. Je mehr Fortschritte man macht, je „fitter" man sich fühlt, desto höher werden die Anforderungen gesteigert.

„Zwei oder drei Trainingsstunden pro Woche sollte jeder einplanen, um seine körperliche Verfassung auch richtig zu verbessern", sagt Wolfgang Libor, der Studioleiter der HT 16.

Drei Dutzend Trimmgeräte laden zum Muskeltraining. Aber mich zieht „powercise", ein computergesteuerter Riesenapparat aus Amerika, wie magisch an. Auf dem Monitor vor meinen Augen blinkt es unaufhörlich. „Schön, dich zu sehen!" quäkt die elektronische Stimme von Chester. Ich ergreife brav die chromblitzenden Haltegriffe, drücke sie nach oben, ziehe sie zurück, zwanzigmal. „Etwas mehr darfst du dich ruhig anstrengen", quäkt der Computer.

Da kommt man ganz schön ins Schwitzen! Nach dem dritten Durchgang endlich lobt mich der Computer: „Das hast du gut gemacht!" Ich bin angenehm schlapp und spüre ein leichtes Zittern am ganzen Körper. Für heute verzichte ich auf Jazzdance oder Stretching und trinke lieber ein Mango-Ananas-Mix in der Saftbar . . .

Manfred Kunst, Vital

der Turnvater 'father of gymnastics' (title)
fröhlich zugehen be fun
das Gerät machine
alteingesessen old-established
die Probe trial
annähernd roughly
der Bereich area
ausgerechnet of all others
die Saftbar juice bar
selbstverständlich that can be taken for granted
erstellen draw up
der Fortschritt progress
die Anforderung demand
steigern raise
die Verfassung constitution
computergesteuert computer-driven
quäken squawk
der Haltegriff grab handle
sich anstrengen make an effort
schwitzen sweat
schlapp tired out
zittern tremble
verzichten auf do without

* Ausdrücke zum Einprägen

das alles findet nicht etwa in einem Studio **statt, sondern bei** der Hamburger Turnerschaft

weitere folgen **im Laufe des Jahres**

kurios, daß ausgerechnet der älteste Turnverein der Welt die Pionierrolle übernahm

für jedes Vereinsmitglied wird **gleich zu Beginn** ein individuelles Programm erstellt

„Schön, dich zu sehen!" quäkt die Stimme von Chester

endlich lobt er mich: **„Das hast du gut gemacht!"**

- *Was wäre für Sie der Reiz an so einem Fitneß-Center? Die Möglichkeit, mit den komplizierten Geräten zu spielen? Die Gelegenheit, zu entdecken, was man körperlich leisten kann? Die Möglichkeit, andere Sportsfreunde zu treffen? Oder vielleicht bloß der wunderbare Augenblick, wenn alles vorbei ist und man in der Saftbar sitzt, sich endlich ausruhen und etwas trinken kann?*

Zu zweit: Diskutieren Sie diese Fragen und versuchen Sie anschließend, in wenigen Sätzen zu formulieren, was für Sie der Reiz an so einem Center wäre.

5 [o.o]

Aber nicht alle Deutschen schwören auf sportliche Betätigung. Die zwei Berliner Jugendlichen, die Sie jetzt hören werden, vertreten zwei völlig verschiedene Standpunkte. Hören Sie sich die Interviews an und beantworten Sie dann folgende Fragen:

- *Wie oft treibt Lars Sport?*
- *Warum findet er Sport wichtig?*
- *Welche Art von Sport findet er nicht gut? Warum nicht?*
- *Was macht Anja lieber als Sport? Wo sieht sie aber manchmal Sport?*
- *Nach welchem Motto lebt sie?*
- *Warum meint Lars, daß man dieses Motto nicht vertreten kann?*
- *Anja hat das letzte Wort über bestimmte Sportler: Was gefällt ihr nicht an ihnen?*

Wie wichtig finden *Sie* sportliche Betätigung?

regelmäßig regularly
der Bestandteil part
die Lebensführung life-style
fördern (here) improve
der Leistungssport competitive sport
angestrengt strained
mitgenommen put under stress
gestalten (here) take part in
beziehungsweise that is to say
die Erwartung expectation
das Sprichwort saying
der Mord murder; (colloq.) lunacy
höchstens mal once in a while
davon ausgehen take it as a starting point
in Maßen in moderation
übertreiben exaggerate

* Ausdrücke zum Einprägen

ich bin der Meinung, daß Sport ein wichtiger Bestandteil unserer Lebensführung sein sollte

man sollte es aber **nicht übertreiben**

ich beschäftige mich lieber mit anderen Dingen

ich kann jetzt nichts dagegen sagen, **wenn sie der Meinung ist, bitte**

6

Nicht alle Sportler sind gleich, und nicht alle sind unbedingt liebenswürdig. Der Journalist Kester Schlenz hat auf den folgenden drei Seiten (und auf sehr ironische Art!) neun verschiedene Typen von Sportlern beschrieben.

Jedes Klassenmitglied soll einen dieser Sportstypen auswählen, sich dessen Beschreibung genau durchlesen und dann der Klasse diesen Sportler (in seinen eigenen Worten) beschreiben. Anschließend könnten Sie sich alle überlegen, ob sich unter Ihren Bekannten der eine oder andere dieser Sportstypen befindet. Ihre Auswahl:

Die Maulhelden (*boasters*)
Die Experten
Die Steffis
Die Designer
Die Schinder (*slave-drivers*)
Die Pöbler (*loudmouths*)
Die Looser (*losers*)
Die Hauer (*smashers*)
Die Zuschauer (*spectators*)

Vom Großmaul zum Zuschauer

Die erstaunliche Artenvielfalt von Sportstypen

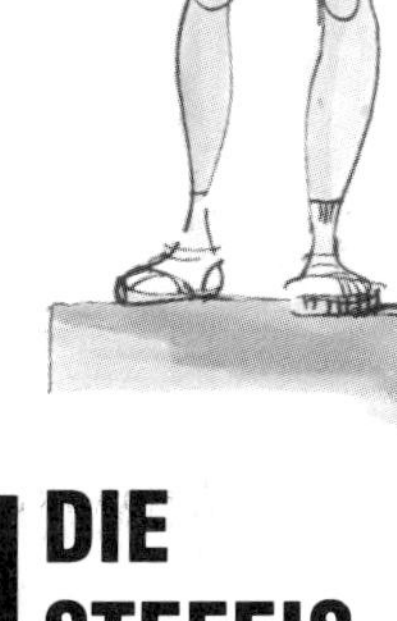

DIE MAULHELDEN

Vornehmer auch Mund-Sportler genannt. Sie kündigen körperliche Aktivitäten zumeist in großen Worten an, sind aber selten dabei anzutreffen. Charakteristische Sätze von Maulhelden: „Ab jetzt wird viermal die Woche voll auf dem Center Court reingeklotzt" oder „Gestern wieder bis zum Abwinken im Fitness-Center geackert". Maulhelden enttarnt man am besten, indem man sich mit ihnen zum Training verabredet. Wenn der Verdächtige dreimal mit fadenscheinigen Begründungen wie „Knöchel verstaucht" oder „Trauerfall" absagt, ist der Verdacht auf Mundsportlertum erhärtet.

vornehm elegantly
ankündigen announce
antreffen catch
reinklotzen (colloq.) graft away
abwinken flag down
ackern (colloq.) slog away
enttarnen unmask; expose
verdächtig suspicious
fadenscheinig threadbare; transparent
verstauchen sprain
der Trauerfall bereavement
erhärten substantiate

DIE EXPERTEN

Als perfekte Kenner komplizierten Regelwerkes verbringen sie die meiste Zeit auf dem Sportplatz damit, überflüssige Nebenregeln zu erklären. Da erfährt beispielsweise ungefragt eine harmlose Hobby-Tennisspielerin, die sich nur mal ein wenig bewegen wollte, daß Ball, Schläger und Netz in der Wartehaltung ein gleichschenkliges Dreieck zu bilden hätten. Gern grapschen sie auch besserwisserisch an ihren Opfern herum, verdrehen Arme, zerren Beine in verschiedene Richtungen. Ätzend!

überflüssig superfluous
der Schläger racket
die Wartehaltung receiving position
das gleichschenklige Dreieck isoceles triangle
herumgrapschen (colloq.) pull about
besserwisserisch in a know-all way
verdrehen twist
zerren tug
ätzend (colloq.) dreadful; appalling

DIE STEFFIS

bringen Normalsportler schier zur Verzweiflung. Ob sie trainieren oder nicht, ob sie krank sind oder nicht – sie gewinnen immer. Sportler mit dem Steffi-Syndrom schießen Tore, schmettern Asse und treffen Zielscheiben, als ob sie ihr Leben lang nichts anderes gemacht hätten. Locker, selbstverständlich, ohne sichtbare Anstrengung. Durchschnittstypen kämpfen verbissen gegen sie an, wollen sie nur ein einziges Mal schlagen – und verlieren doch immer wieder.

schier almost
die Verzweiflung despair
schmettern smash
das As (tennis) ace (service)
die Zielscheibe target
locker relaxed
die Anstrengung effort
Durchschnitts- average
verbissen grimly

DIE DESIGNER

verstehen Sport in erster Linie als Möglichkeit, sich fashionlike zu präsentieren. Es zählen das Lacoste-Kleidchen beim Tennis und die neueste Golf-Hemden-Kreation – nicht die Körperertüchtigung. Designer wollen gesehen und bewundert werden. Bewegung, gar Anstrengung beschmutzen nur das perfekt gestylte Outfit mit ordinärem Schweiß. Anders als Maulhelden sind Designer häufig direkt am Ort des sportlichen Geschehens zu sehen, machen aber stets „gerade ein Päuschen" oder kurieren eine Störung ihres Mineralhaushalts aus.

in erster Linie principally
die Körperertüchtigung physical fitness
bewundern admire
die Anstrengung effort
beschmutzen (make) dirty
ordinär vulgar
der Maulheld boaster
stets always
auskurieren recover from
die Störung disturbance
der Mineralhaushalt mineral balance

DIE SCHINDER

sind extreme Typen mit einem fatalen Hang zum Masochismus. Wenn Schinder Sport treiben, dann immer bis über die Schmerzgrenze. Ohne Not hantieren sie mit übergroßen Gewichten, umlaufen ganze Stadtviertel oder quälen sich auf Fahrrädern unmenschliche Steigungen hinauf. Schinder haben wenig Spaß am Sport. Was zählt, sind literweise Schweiß, Prellungen und Muskelkater bis zur Bewegungsunfähigkeit. Schinder erkennt man sofort am verbissenen Gesicht und am nassen Hemd.

der Hang inclination
die Not trouble
hantieren be busy
sich hinaufquälen struggle up
unmenschlich inhuman
die Steigung gradient
die Prellung bruise
der Muskelkater stiff muscles
die Bewegungsunfähigkeit inability to move
verbissen grim

DIE PÖBLER

machen sensiblen Mitsportlern das Leben schwer. Dieser meist nur in Mannschaftssportarten auftretende, häufig männliche Typ sucht und findet immer einen Grund, sich aufzuregen und herumzuschreien. Hochroten Kopfes läuft der Pöbler über das Spielfeld und schreit „Gib doch endlich mal ab", „Hierher", „Paß doch auf" oder „Idiot". Bei eigenen Fehlern schweigt er. So mancher potentielle Spitzensportler bleibt Zeit seines Lebens eine Null, weil ihm Pöbler schon im Kindesalter die Freude am spielerischen Wettbewerb nahmen.

sensibel sensitive
auftreten appear
sich aufregen get worked up
abgeben pass
Spitzen- top
der Wettbewerb competition

DIE LOOSER

sind das genaue Gegenteil der Steffis. Schon bei Betreten des Spielfeldes verrät ihre Körpersprache den geborenen Verlierer-Typ. Linkisch, verkrampft und unsicher stolpern sie herum, bis ihnen ein Ball ins Gesicht knallt, der Schläger zerbricht oder ein Fuß umknickt. Looser wissen um ihre Defizite, ihr Siegeswille ist nicht meßbar. Sind sie dennoch durch eine Verkettung von extrem glücklichen Zufällen auf der Gewinnerstrecke, sorgt ihr Unbewußtes für die Wende: Es ist ihnen einfach unheimlich zu siegen.

verraten betray
die Körpersprache body language
linkisch clumsy
verkrampft tense
herumstolpern stumble about
knallen slam; hit
den Fuß umknicken twist one's ankle
der Siegeswille will to conquer
dennoch nevertheless
die Verkettung chain
der Zufall chance
auf der Gewinnerstrecke set for victory
das Unbewußte subconscious
es ist ihnen unheimlich (colloq.) it would be against their nature

DIE HAUER

sind am häufigsten in Fußball-, Handball- und Eishockeymannschaften anzutreffen und sind echt gefährlich. Einsatzfreude steigert sich bei ihnen zu blindem Fanatismus. Da wird getreten, geschubst, geschlagen. Ballverlust kommt einer persönlichen Kränkung gleich, die Hauer um jeden Preis zu verhindern suchen. Mit zusammengebissenen Zähnen und stierem Blick preschen die Hauer über das Spielfeld, immer bereit, ihre kräftigen, aber häufig kleinwüchsigen Körper als Waffe einzusetzen. Liegt der Gegner endlich zerstört am Boden, hat der Hauer gelegentlich noch einen lustigen Kommentar parat. Etwa: „Fußball ist schließlich kein Halma, oder?"

die Einsatzfreude enthusiasm
sich steigern escalate
schubsen (colloq.) shove
die Kränkung offence
stier vacant
preschen dash
kleinwüchsig small of stature
die Waffe weapon
parat ready
etwa for example
das Halma halma (board-game like draughts)

DIE ZUSCHAUER

gefallen sich vor dem Wettkampf als lässige Nicht-Aktive. Nach dem Anpfiff werden sie allerdings schnell fanatisch und überkritisch. Selber im Umgang mit dem Ball unbeholfen wie ein Kleinkind, mäkeln sie an den Aufschlägen der Tennis-Profis herum, kritisieren beim Fußball Fehlpässe und beschimpfen Verlierer. Am liebsten sitzen diese oft übergewichtigen, fast ausschließlich männlichen Typen zuhause bei Bier und Schnittchen vor dem Fernseher und grölen „Lauf doch, du fauler Sack!" Einzige aktive Sportart: das „Zwanzig-Meter-Gehen" zum nächsten Zigarettenautomaten.

sich gefallen als fancy oneself as
der Wettkampf competition
lässig casual
der Anpfiff whistle for kick-off
unbeholfen clumsy
herummäkeln an pick holes in
der Aufschlag (tennis) service
der Fehlpaß bad pass
das Schnittchen (open) sandwich
grölen bawl
fauler Sack (colloq.) lazy so-and-so

Brigitte

* Ausdrücke zum Einprägen

Maulhelden enttarnt man **am besten, indem** man . . .

sie verbringen die meiste Zeit auf dem Sportplatz **damit,** überflüssige Regeln zu erklären

ob sie trainieren **oder nicht** – sie gewinnen immer

was zählt sind literweise Schweiß und . . .

die Pöbler **machen** sensiblen Mitsportlern **das Leben schwer**

mancher potentielle Spitzensportler bleibt **Zeit seines Lebens** eine Null

7

Sport findet nicht nur auf dem Sportplatz statt, sondern auch auf der Straße. Eine dieser „Straßen-Sportarten" regte den folgenden Berichterstatter zu philosophischen Gedanken an!

die Beharrlichkeit doggedness
die Bordsteinkante edge of the kerb
der Sinn der Sache the point of it all
die Vorübung training for
darstellen represent
aufregend exciting
stumpfsinnig dreary
unablässig incessant
blöd idiotic
der Verdacht suspicion
die Vorfreude anticipation
losgehen start

Klack, Klack . . .

Sommerzeit – Skateboardzeit: Klack, Klack . . . bis spät in der Nacht üben die Jungs im Schein der Straßenbeleuchtung und hopsen immer mit diesen Dingern, für die es, glaube ich, schon gar kein deutsches Wort gibt, mit diesen Skateboards also, den Surfbrettern des Fußgängers, hopsen die mit einer bewundernswerten Beharrlichkeit immer wieder diese Bordsteinkante hoch und dann gleich noch mal.

Da frage ich mich dann, ob das eigentlich schon der Sinn der Sache ist, immer diesen Bordstein hochzuhopsen, oder ob das nur eine Art Vorübung darstellt – eine Vorübung zu einer anderen Sache, die dann noch viel großartiger und aufregender sein muß als dieses doch irgendwie stumpfsinnige Hochhopsen an dieser Bordsteinkante.

Und je öfter ich die Jungs beobachte, wie sie unablässig diese blöde Bordsteinkante hochhopsen, je mehr kommt mir der Verdacht, daß das doch schon die Sache selber ist und nicht etwa nur die Vorfreude auf eine noch viel schönere Sache, und so kommt mir dann dieses Skateboardgehopse auch vor wie das Leben selbst – oder wie die Jugend –, wie der Sommer: Immer denkt man, da kommt noch was nach, es geht ja erst richtig los, und dann war es das aber schon.

Bernhard Lassahn, Kowalski

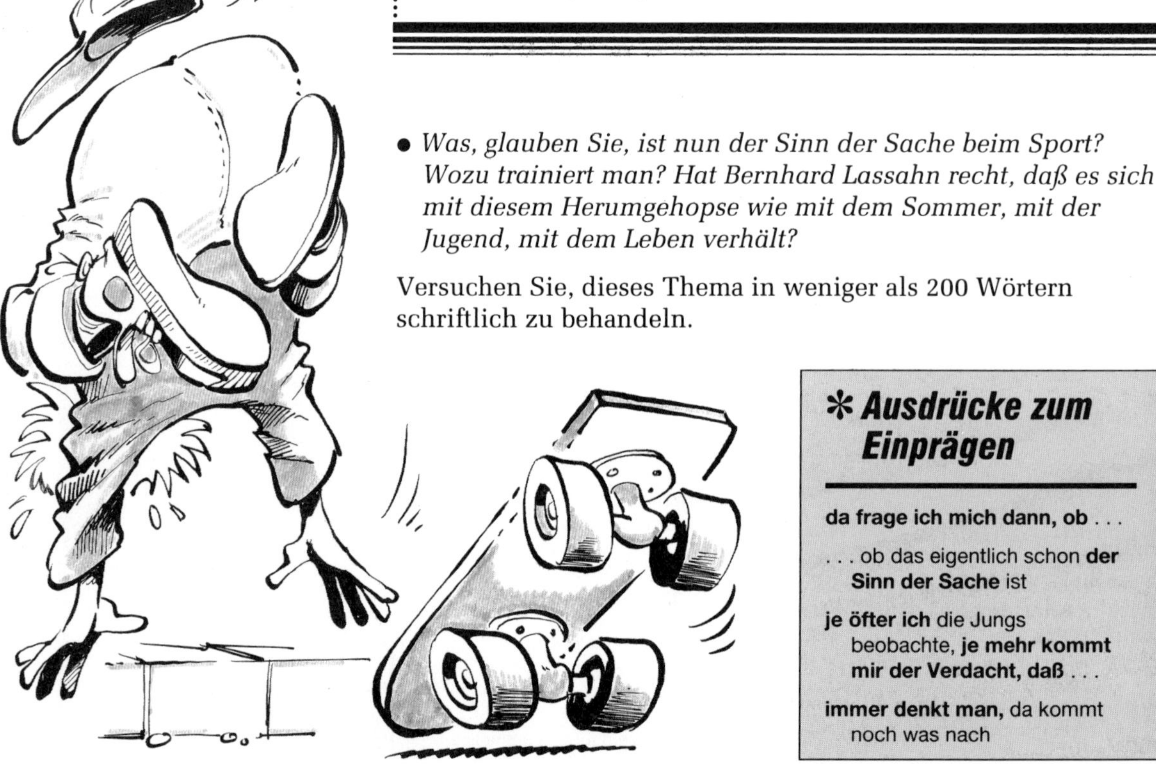

- *Was, glauben Sie, ist nun der Sinn der Sache beim Sport? Wozu trainiert man? Hat Bernhard Lassahn recht, daß es sich mit diesem Herumgehopse wie mit dem Sommer, mit der Jugend, mit dem Leben verhält?*

Versuchen Sie, dieses Thema in weniger als 200 Wörtern schriftlich zu behandeln.

✻ Ausdrücke zum Einprägen

da frage ich mich dann, ob . . .

. . . ob das eigentlich schon **der Sinn der Sache** ist

je öfter ich die Jungs beobachte, **je mehr kommt mir der Verdacht, daß . . .**

immer denkt man, da kommt noch was nach

Einheit 4 Tierisches

1

Die Deutschen zählen zu den eifrigsten Jägern Europas, teilweise deswegen, weil es in Deutschland noch Wild gibt – wie zum Beispiel das Wildschwein –, das bei uns ausgestorben ist. Aber daneben gibt es auch Tierliebhaber, die ihre Haustiere lieben oder sich für gefährdete Tierarten und bedrohte Lebensräume einsetzen. Vor allem die jüngeren Leute sind bereit, sich für Tiere einzusetzen – wie zum Beispiel Silke Ruthenberg.

Das „Öko-Terror-Girl"

„Schaut euch doch nur diese Schandmale an." Silke Ruthenberg deutet auf einen Hochstand einige hundert Meter entfernt. „Hier gibt's beinahe mehr solcher Dinger als Bäume", schimpft das löwenmähnige, blonde Girl drauf los. Für einige Sekunden steigt ihr die Zornesröte ins blasse, magere Gesicht. Und sie redet sich heiß, bezeichnet die 260 000 registrierten und organisierten Jäger in der Bundesrepublik als „Lustmörder", die durch ihr verantwortungsloses Handeln das ökologische Gleichgewicht störten und einfach unfähig seien, Tiere als das zu betrachten, was sie sind: Lebewesen wie der Mensch, mit gleichen, verfassungsmäßig garantierten Rechten.

Ihre Worte wirken wie Kampfansagen, kompromißlos, alles niederwälzend. Doch da gibt's noch die „praktisch" aktive Silke, die sich an sogenannten „autonomen Aktionen" beteiligt oder sie zumindest gutheißt. Aktionen, die oft auf Kriegsfuß stehen mit Gesetz und Ordnung. Aktuelles Beispiel: Der Überfall Autonomer auf eine Nerzfarm im Eifelörtchen Vettweiß (ohne Teilnahme von Silke, *d. Red.*). 6 000 Nerze wurden aus ihren Käfigen befreit. Die Frage kann nur lauten, ob diese Art „Tierbefreiung" allen Ernstes als Mittel zur Durchsetzung des Tierschutzes in Betracht zu ziehen ist?

Dazu Dr. Andreas Grasmüller, Jurist und Präsident des Deutschen Tierschutzbundes: „Wir Tierschützer lehnen solche Aktionen strikt ab. So eine Tierbefreiung bringt gar nichts. Zum einen sterben die meisten Tiere in ihrer neuen Umgebung, in der sogenannten wiedergewonnenen Freiheit, weil sie verlernt haben, in der freien Natur zu leben. Zum anderen geht der Farmer am nächsten Tag hin und holt sich die gleiche Anzahl neuer Tiere. Damit verdoppelt sich die Anzahl der Opfer, verdoppelt sich das Leid der Tiere. Man muß den Gesetzgeber zwingen – doch das gewaltlos –, grundsätzlich solche Farmen zu verbieten. Das Tier darf nicht länger vom Gesetz nur als Sache behandelt und beurteilt werden, sondern als Lebewesen mit dem Recht auf ein artgerechtes Leben. Da sich die Tiere nicht artikulieren können, muß der Mensch ihnen helfen."

Silke sieht das anders: „Für uns Tierrechtler gelten Mensch und Tier als gleichgestellte Lebewesen mit gleichen Rechten. Das beginnt bei der Ameise und hört beim Wal auf. Tierschutz – was heißt das denn eigentlich? Daß der Mensch das Tier schützt. Doch das einzige, vor dem das Tier geschützt werden muß, ist der Mensch selbst, denn er ist einzig und allein sein Peiniger. Verbrechen gibt's genug: Von Zirkus über Zoo bis hin zu Pelztier- und Geflügelfarmen."

Bravo Girl!

das Schandmal blot on the landscape
der Hochstand raised shooting stand
löwenmähnig lion-maned
der Zorn anger
der Jäger hunter; shooter
der Lustmörder sex-killer
verantwortungslos irresponsible
das Gleichgewicht balance
stören disturb
das Lebewesen living creature
verfassungsmäßig constitutionally
die Kampfansage declaration of war
niederwalzen overwhelm
autonom autonomous
gutheißen approve of
der Überfall raid
der Nerz mink
die Teilnahme participation
der Käfig cage
der Tierschutz animal protection
in Betracht ziehen consider
ablehnen reject
die Umgebung surroundings
verlernen forget how to
das Opfer victim
das Leid suffering
der Gesetzgeber law-maker
gewaltlos without violence
grundsätzlich on principle
beurteilen judge
artgerecht appropriate to its species
der Tierrechtler animal rights supporter
gleichgestellt on an equal footing
die Ameise ant
der Wal whale
der Peiniger torturer
das Verbrechen crime
das Pelztier fur-bearing animal
die Geflügelfarm poultry farm

* Ausdrücke zum Einprägen

aktuelles Beispiel: Der Überfall Autonomer . . .

die Frage kann daher nur lauten, ob diese Art „Tierbefreiung" . . .

zum einen sterben die meisten Tiere . . ., **zum anderen** geht der Farmer am nächsten Tag hin . . .

Tierschutz – **was heißt das denn eigentlich?**

er ist **einzig und allein** sein Peiniger

Verbrechen gibt's genug: **Von** Zirkus **über** Zoo **bis hin zu** Pelztierfarmen

A Stellen Sie sich vor, Sie sind Silke. Fassen Sie in Ihren eigenen Worten Ihre Argumente zusammen und rechtfertigen Sie die ungesetzlichen Aktionen Ihrer Freunde.

B Stellen Sie sich vor, Sie sind Dr. Grasmüller. Bestreiten Sie das, was Silke sagt. Geben Sie die Gegenargumente (in Ihren eigenen Worten).

Welcher Meinung sind Sie persönlich?

- *Sollte man beispielsweise die Jagd gesetzlich verbieten?*
- *Sind Jäger überhaupt nicht an der Erhaltung von Leben interessiert?*
- *Kann man es rechtfertigen, gegen ein Gesetz zu verstoßen, wenn dieses offensichtlich ungerecht ist?*
- *Hat es überhaupt Sinn, Tiere zu befreien, die nie in freier Wildbahn gelebt haben?*
- *Hat Silke recht, wenn sie sagt, daß Tierschützer Tiere als Untertanen behandeln?*
- *Finden Sie auch, daß Ameisen dem Menschen gleichgestellt sind? Und Fliegen? Und Mücken? Und Bakterien?*

Schreiben Sie zwei Absätze über Ihre persönliche Meinung zu diesem Thema.

Silke

2

In den folgenden zwei Berichten (Seite 41 und 42) geht es um zwei (nicht nur in Deutschland) gefährdete Tierarten: den Kranich und den Otter.

A Lesen Sie den ersten Artikel (über Kraniche, Seite 41) und beantworten Sie dann die Fragen von **B**.

B Lesen Sie den Artikel (über Kraniche, Seite 41) nicht, sondern stellen Sie anhand folgender Zusammenfassung Fragen an **A**, um zu erfahren, worum es in diesem Bericht geht:

Kraniche *(cranes)* – die größten europäischen Stelzvögel *(long-legged waders)* – wenige Kranich-Paare noch in der Bundesrepublik, in Niedersachsen – Kraniche in Gefahr *(danger)* durch die Öffnung der Grenze *(border)* zur ehemaligen DDR – einige Paare leben noch dort – schon einmal fast ausgestorben *(died out)* – aber Naturschützer kauften Feuchtgebiete *(wetlands)* auf – der Kranich ist für manche ein Symbol des Glücks *(good fortune)*

Der Flug der Kraniche: wie lange noch?

Schatten gleiten heran, setzen in weitem Bogen zur Landung an. Majestätisch schreiten die langbeinigen Vögel über die sumpfige Wiese, recken ihre schlanken, schwarzweißen Hälse gen Himmel, verneigen sich, öffnen ihre 2,20 Meter breiten Schwingen . . .

Nur noch 65 Paare dieser mit 1,30 Meter größten europäischen Stelzvogelart leben heute in der Bundesrepublik. Sie nisten in Sümpfen, Mooren und Feuchtwiesen im östlichen Niedersachsen und in Schleswig-Holstein.

Jetzt aber sind unsere letzten Kraniche in Gefahr: Nach Öffnung der Grenze zur DDR kommen immer mehr Menschen in die Sperr- und Randgebiete. Wo früher die Vögel ungestört brüten konnten, tummeln sich jetzt die Besucher. Auch für die 20 Kranich-Paare im Grenzstreifen der DDR ist die Ruhe vorbei.

Schon einmal waren die Kraniche bei uns fast ausgestorben. Auf einen kümmerlichen Rest von nur 17 Paaren war 1972 ihr Bestand geschrumpft. Der Grund: Wiesen wurden zu Ackerland, Sümpfe trockengelegt, Moore zubetoniert. Zum Glück nicht alle. Naturschützer kauften Feuchtgebiete auf, stellten zerstörte Nistgebiete wieder her. Der Kranich konnte überleben.

Kraniche gelten als Symbol des Glücks für die Menschen. Die größten flugfähigen Vögel – die besonders wachsam sind und schon kleinste Veränderungen aus großer Entfernung wahrnehmen – wurden zum Vorbild für Treue und Klugheit. Noch heute sehen viele Menschen in den Tieren ein Sinnbild für ein langes, gesundes Leben. Wo die fliegenden Weltenbummler sich niederlassen, ist denn auch die Natur noch intakt.

Hörzu

gleiten glide
der Bogen arc
sumpfig marshy
die Wiese meadow
recken stretch
sich verneigen bow down
die Schwinge wing
die Stelzvogelart species of long-legged waders
der Sumpf marsh
das Moor bog
die Feuchtwiese water meadow
das Sperrgebiet, der Grenzstreifen no man's land (formerly prohibited area east of the GDR border)
brüten sit on their eggs
sich tummeln splash about
kümmerlich miserable
der Bestand total numbers
schrumpfen shrink
das Ackerland farmland
zubetonieren concrete over
das Feuchtgebiet wetland
wiederherstellen restore
flugfähig capable of flying
wachsam vigilant
die Veränderung change
wahrnehmen notice; be aware of
das Vorbild model
die Treue loyalty
das Sinnbild symbol
der Weltenbummler globe-trotter

* Ausdrücke zum Einprägen

Grund: Wiesen wurden zu Ackerland

zum Glück nicht alle

sie **wurden zum Vorbild für** Treue

noch heute sehen viele Menschen . . .

Vertauschen Sie die Rollen:

B Nun lesen Sie den folgenden Artikel (über Otter) und beantworten die Fragen von **A**, um ihr/ihm zu erklären, worum es darin geht.

A Nun dürfen Sie den Artikel (unten) noch nicht lesen, sondern stellen anhand folgender Zusammenfassung Fragen an **B**, um soviel wie möglich über den Artikel herauszubekommen:

Otter – nur noch wenige Exemplare in der Bundesrepublik – sehr gefährdet *(threatened)* – Fischotter *(otter)* sind Einzelgänger *(lone animals)* mit großen Revieren *(territories)* – man weiß wenig über das Tier – „Otterzentrum“ in Hankensbüttel – Besuchergelände *(visitor area)* – aber die Otter sind in weitläufigen Gehegen *(spacious enclosures)* – man sieht sie, wie sie wirklich leben – das ist eine Art Umwelterziehung *(environmental education)*

Unternehmen Fischotter

Der Otter, auch „Wassermarder“ genannt, steht mit geschätzten 200 Exemplaren in der Bundesrepublik ganz oben auf der Liste gefährdeter Tierarten. Das Tier braucht Ruhe, reines Wasser und überhaupt jede Menge Platz. Fischotter sind Einzelgänger, die nächtens in ihren Revieren bis zu zwanzig Kilometer zurücklegen.

Weil das aber die Beobachtung erschwert, weiß man über den Otter immer noch relativ wenig. Daran etwas zu ändern, ist ein Ziel des „Otterzentrums“ im niedersächsischen Hankensbüttel. Der Kern dieses Otterkonzerns besteht aus fünfeinhalb Hektar Besuchergelände. Die Leute bezahlen sechs Mark, nur um einen Bruchteil der Tierwelt zu sehen, die jeder Zoo bietet – nämlich alle einheimischen Marder. Aber diese Otter-Verwandtschaft wird nicht auf nacktem Beton, sondern in weitläufigen Gehegen präsentiert.

Der Dachs lebt, wie er es mag, in einem Hügel; quer durch führt ein Tunnel, von wo aus die Besucher Einblick in seine Gänge erhalten. Die Steinmarder wohnen in einer Scheune, die Iltisse im Hühnerstall, die Baummarder in einem Miniwäldchen, um das eine hölzerne Besucherplattform führt – jeder Marder als „Leittier“ für eine bestimmte Umgebung.

Wenn man alles durchlaufen hat, wenn man gesehen hat, wie graziös die Otter im naturnahen Bachlauf schwimmen, wenn man gehört hat, was die Pfleger während der Fütterung über die Tiere erzählen, dann geht man schlauer nach Hause, „umweltgebildet“.

Die Zeit

der Wassermarder 'water marten'
schätzen estimate
gefährdet endangered
der Einzelgänger lone animal
nächtens at night
das Revier territory
erschweren make difficult
der Kern heart
das Gelände area
der Bruchteil fraction
einheimisch native
weitläufig extensive
das Gehege enclosure
der Dachs badger
der Einblick view
der Steinmarder stone marten
die Scheune barn
der Iltis polecat
der Hühnerstall hen-coop
der Baummarder tree marten
das Leittier leading animal
der Bachlauf stretch of a stream
der Pfleger keeper
die Fütterung feeding
schlau clever
umweltgebildet 'environmentally educated'

* Ausdrücke zum Einprägen

das Tier braucht Ruhe und überhaupt **jede Menge** Platz

daran etwas zu ändern, **ist ein Ziel des** „Otterzentrums“

3

Eine auch in Deutschland sehr umstrittene Frage: Tierversuche. Manche Leute sind der Meinung, die Bundesregierung sei nicht so sehr daran interessiert, unter anderem auch der Deutsche Tierschutzbund . . .

Rasche Beendigung von Tierversuchen gefordert

Anläßlich des „Internationalen Tages des Versuchstiers" hat der Deutsche Tierschutzbund (DTB) die Situation der Versuchstiere in der Bundesrepublik als „unerträglich und beschämend für einen zivilisierten Staat" bezeichnet.

Längst ausgereifte, alternative Methoden an „schmerzloser Materie" würden nach wie vor nicht eingesetzt, so daß in der Bundesrepublik alljährlich sieben bis 14 Millionen Versuchstiere sterben müßten, erklärte DTB-Bundesgeschäftsführer Wolfgang Apel. Zwar habe die Bundesregierung versprochen, Tierversuche einzuschränken, doch schreibe sie statt dessen „ständig neue Prüfungen am Tier" vor.

Berliner Zeitung

der Versuch experiment
anläßlich on the occasion of
unerträglich intolerable
ausgereift fully proven
einsetzen use
alljährlich each year
der Geschäftsführer manager
zwar admittedly
einschränken reduce
vorschreiben stipulate; demand

* Ausdrücke zum Einprägen

anläßlich des „Internationalen Tages des Versuchstiers"

alternative Methoden würden **nach wie vor** nicht eingesetzt

zwar habe die Bundesregierung versprochen, Tierversuche einzuschränken, **doch schreibe** sie . . .

. . . **statt dessen** „ständig neue Prüfungen am Tier" vor

„Neue Medikamente müssen zuerst an Tieren ausprobiert werden. Sonst könnten Menschen daran sterben. Man kann nicht Patienten als Versuchskaninchen gebrauchen. Ohne Tierversuche würde man in der Medizin überhaupt keine Fortschritte machen."

Zur Diskussion:

Dieses Argument hört man vor allem von Forschern. Lesen Sie den Artikel auf der nächsten Seite, in dem Alternativen für Tierversuche erwähnt werden, und diskutieren Sie mit Ihrer Partnerin/Ihrem Partner darüber. Jedes Paar sollte versuchen, einen gemeinsamen Standpunkt zu finden und diesen vor der Klasse gemeinsam zu vertreten.

Tierversuche

Sind sie endlich überflüssig?

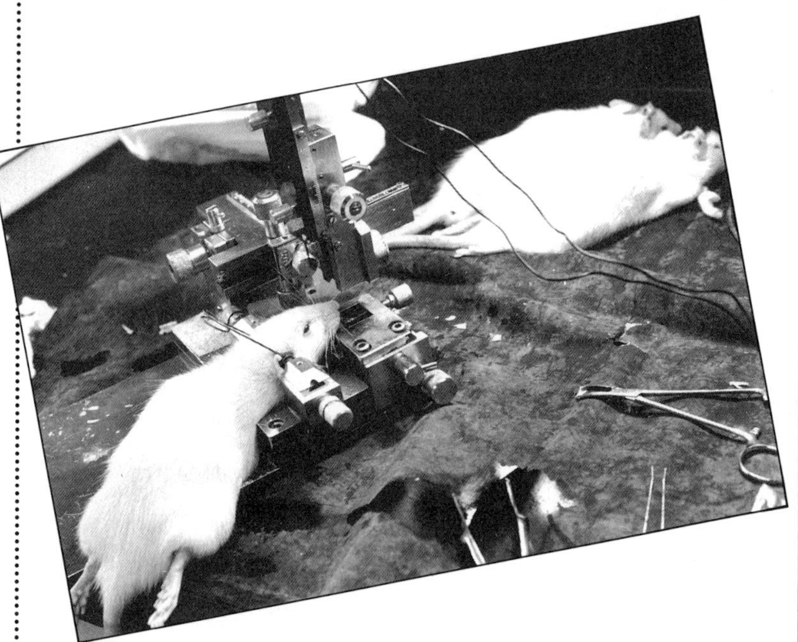

Chemische Substanzen müssen, bevor sie mit Haut oder Haar in Berührung kommen dürfen, zunächst einmal geprüft werden – millionenfach, im Tierversuch. So steht's bisher in den Vorschriften.

Sind nicht alle chemische Stoffe irgendwann einmal an Tieren getestet worden? Das Oberlandesgericht Frankfurt hat Werbeslogans wie „Kosmetik ohne Tierversuch“ und „Schönheit ohne Grausamkeit“ als irreführend untersagt.

Biologin Brigitte Rusche vom Deutschen Tierschutzbund: „Leider haben sich nach unseren Erfahrungen Bekundungen dieser Art immer wieder als haltlos erwiesen.“ Denn die Aussage „Wir führen keine Tierversuche aus“ bedeutet nicht, daß die Firmen keine Versuche mehr in Auftrag geben. Und die Aussage „Wir geben keine Tierversuche in Auftrag“ läßt immer noch die Frage nach den Rohstoffen offen. Der Deutsche Tierschutzbund führt deshalb eine „Positivliste“ von Firmen, die keine Rohstoffe verwenden, die durch Tierquälerei gewonnen oder nach 1979 im Tierversuch getestet wurden.

Glücklicherweise wird inzwischen auch nach Alternativen für Tierversuche geforscht. Manche Tests können am Computer simuliert oder im Reagenzglas mit Zellkulturen ausgeführt werden. Dietrich Bäßler, Vorsitzender der „Vereinigung Ärzte gegen Tierversuche“: „Es gibt intelligente, wissenschaftlich fundierte Methoden, die als gleichwertiger Ersatz schon jetzt an die Stelle von Versuchen mit leidensfähigen Tieren treten könnten.“

Brigitte

die Berührung contact
die Vorschrift regulation
der Stoff substance
das Oberlandesgericht Higher Regional Court
der Werbeslogan advertizing slogan
die Grausamkeit cruelty
irreführend misleading
untersagen prohibit; forbid
die Bekundung statement
erweisen prove
die Aussage statement
in Auftrag geben commission
der Rohstoff raw material
die Quälerei torment
forschen research
das Reagenzglas test-tube
der Vorsitzende chairman
die Vereinigung organisation; union
fundiert sound
gleichwertig of equal value
leidensfähig capable of suffering

✻ Ausdrücke zum Einprägen

leider haben sich **nach unseren Erfahrungen** . . .

die Aussage **läßt** immer noch **die Frage nach** den Rohstoffen **offen**

Tierschutz heißt unter anderem, Tiere aufzunehmen, die entlaufen sind oder aus irgendwelchen Gründen von ihren Besitzern nicht mehr betreut werden können. Die Arbeit eines Tierheims wird wenig publik gemacht, ist aber unerläßlich, wenn Tiere tatsächlich geschützt werden sollen. Herr Balsam arbeitet in einem Kölner Tierheim und erzählte uns etwas über dieses Heim.

Hören Sie, was er sagt, und beantworten Sie dann folgende Fragen:

- *Wie lange besteht das Kölner Tierheim schon?*
- *Was passiert zuerst, wenn ein Tier eingeliefert wird?*
- *Wenn es zunächst in die Quarantäne kommt, was wird als erstes getan?*
- *Was versucht man, nach der Quarantäne zu tun?*
- *Welche Rechte hat der alte Besitzer, falls er wieder auftaucht?*
- *Werden Tiere getötet? Warum (nicht)?*

Ihre Lehrerin/Ihr Lehrer versteht kein Deutsch! Sie/er möchte aber wissen, was Herr Balsam über die Arbeit im Kölner Tierheim gesagt hat. Erzählen Sie es ihr/ihm auf englisch.

* Ausdruck zum Einprägen

für uns ist das eigentlich Prinzip: Hier wird grundsätzlich kein Tier getötet

der Tierschutzverein animal protection society
ansässig resident
am Ort in this town
grundsätzlich in principle
notleidend suffering
entlaufen run away
der Halter keeper
der Vermieter landlord
einverstanden sein mit agree to
der Sterbefall case of death
einliefern hand in
der Tiernachweis animal certification
erfassen record
kennzeichnen (here) name as
das Fundtier animal found
das Abgabetier animal handed in
schutzimpfen vaccinate
einsetzen (here) take
auffällig conspicuous
die Untersuchung examination
der Käfig cage
vermitteln pass on
der Besitzer owner
die Erstattung reimbursement
bemüht sein try
in der Zwischenzeit in the meantime
sich melden put in an appearance
abschaffen abolish
das Tierschutzgesetz law for the protection of animals
in Kraft treten come into force
ohne vernünftigen Grund without reasonable cause

5

Viele Deutsche behandeln ihre Haustiere wie Familienmitglieder. Und das Lieblingshaustier ist der Hund.

Jürgen Hellge, Vital

Auch nach seinem Tod wird der Hund nicht vergessen. Und wenn man dadurch noch etwas für eine gute Sache tun kann . . .

Requiem für einen Hund

„Ich wollte meinem Hund ein Denkmal setzen", sagt Johannes Köhler, Teppichhändler aus Bad Kissingen. „Außerdem war die Musik der einzige Weg, den plötzlichen Tod des Tieres zu verarbeiten." Mittlerweile hat Köhler bereits 20 000 LPs (Titel: Gefühle mit sanfter Instrumentalmusik) an Hundeliebhaber verkauft. Der Erlös, bisher 110 000 Mark, geht an den Deutschen Tierschutzbund.

Brigitte

das Denkmal monument
verarbeiten come to terms with
mittlerweile meanwhile
der Liebhaber lover
der Erlös profit

Die Klasse teilt sich in zwei Gruppen: in die Hundeliebhaber und die Hundegegner. Jede Gruppe versucht nun zuerst, möglichst viele Argumente für ihren Standpunkt zu finden. Dann werden die Argumente beider Seiten vor der Klasse vorgetragen, und Ihre Lehrerin/Ihr Lehrer wird entscheiden, welche Gruppe ihren Fall am überzeugendsten dargelegt hat.

6

Sammelort für Haustiere und ihre Besitzer ist oft das Wartezimmer des Tierarztes. Dort erfährt man vielleicht das meiste über die Einstellung des Durchschnittsbürgers zu seinen Haustieren. Elke Heidenreich hat sich zu ihnen gesetzt . . .

Oh, was hatter denn?

Kaum irgendwo wachsen wildfremde Menschen so rasch zu einer verschworenen Gemeinde zusammen wie im Wartezimmer des Tierarztes. Der Aufnahmesatz in den Club der Tierfreunde lautet: „Oh, was hatter denn?" Es folgen langwierige Lebensgeschichten von Herr und Hund, reich kommentiert mit Sätzen wie „Das hatte meiner auch" oder „Wenn der mal nicht mehr ist, dann will ich auch nicht mehr".

An der Tür mahnt ein Schild zu sofortiger Barzahlung, und diese Tür öffnet sich und hereintritt ein umfangreicher Herr, an der Leine den, wie er versichert, „besten Deckrüden von Südbaden". Es handelt sich um einen apathischen Kloß mit schwarzbraunem Quadratschädel, und die Dame mit der Perserkatze in der Plastiktasche rutscht ein klein wenig weiter ab, fragt aber doch mitleidig: „Was hatter denn?" Der Umfangreiche weiß nicht, daß das die Frau ist, die täglich Leserbriefe gegen Hundehäufchen schreibt und deren Herz nur hier im Wartezimmer weich wird.

Zwei Kinder umklammern einen Karton mit Meerschweinchen Carmen. „Was hatter denn?" fragt die Dame. „Sie", sagen die Kinder, „es ist Carmen." Carmen ist also weiblich und hat ein schlimmes Ekzem. „Da muß man täglich einen Löffel Olivenöl beigeben, das hatte meiner auch mal. Olivenöl ist immer gut," weiß prompt die Dame. Die Hunde legen die Nasen flach auf den scharf riechenden Boden und wären am liebsten tot.

Hier ist ein Ort der ungestörten Harmonie, man ist sich mit allen einig darüber, wie schlecht die Welt und wie herzensgut Bello ist. Bello starrt trübe vor sich hin und träumt vom Stadtpark. Aber er opfert sich, er geht einmal im Monat mit hierher – wegen irgendwas, Pfotensalbe, Augentropfen, Vitaminpillen, Impfung. Frauchen sitzt hier halt gar zu gern unter Gleichgesinnten und schwatzt ein bißchen herum.

Elke Heidenreich, Brigitte

was hatter (= **was hat er**) what's wrong with him
wildfremde Menschen complete strangers
die verschworene Gemeinde band of blood brothers
der Aufnahmesatz password
langwierig protracted
mahnen zu remind
die Barzahlung payment in cash
umfangreich (here) enormous
die Leine lead
versichern assure
der Deckrüde stud-dog
der Kloß dumpling
der Quadratschädel (colloq.) dirty great head
abrutschen ease oneself away
mitleidig sympathetically
das Hundehäufchen dog droppings
umklammern clutch
das Meerschweinchen guinea pig
das Ekzem eczema
ungestört undisturbed
herzensgut good-hearted
trübe gloomily
sich opfern sacrifice oneself
die Pfotensalbe paw ointment
die Impfung vaccination
das Frauchen mistress
die Gleichgesinnten like-minded people
herumschwatzen have a chat

* Ausdrücke zum Einprägen

es handelt sich um einen apathischen Kloß

man ist sich mit allen **einig darüber,** wie schlecht die Welt ist

Frauchen sitzt hier halt **gar zu gern** unter Gleichgesinnten

Zu zweit: Schreiben Sie zusammen einen Dialog im Wartezimmer eines Tierarztes zwischen einer großen Dame mit einer sehr großen, Mäuse hassenden Katze und einem kleinen Mädchen mit einer weißen Maus.

Einheit 5

Aus Nord und Süd

der Einwanderer immigrant
schlicht simply
Saupreiß (= **Saupreuße**) 'bloody Prussian'

Der Eindruck, den Ossis von Wessis haben (Arroganz, Besserwisserei und so weiter), ist ganz genau der, den wir „Südis" von vielen unserer so geliebten norddeutschen Einwanderer auch haben: Bei uns heißt so einer schlicht „Saupreiß".

Wolfgang Jaroš, Feldolling (Bayern)
Der Spiegel (Leserbrief)

1 

Die Grenze, die jahrzehntelang West- von Ostdeutschland teilte, verhüllte die unmarkierte, aber trotzdem existierende Grenze zwischen Nord- und Süddeutschland – die sogenannte „Weißwurstgrenze". In Norddeutschland sind die Bratwürste rosa, in Süddeutschland weiß, in Norddeutschland ißt man „Brötchen" zum Frühstück, in Süddeutschland „Semmeln" oder „Wecken". Südlich dieser Grenze, die irgendwo in der Nähe von Frankfurt am Main liegt, wird Rotkohl zu „Blaukraut". Die Bremer sprechen „sp" oder „st" wie im Englischen aus; oder sie sprechen (noch schlimmer!) Plattdeutsch. Die Bayern sprechen (und noch öfter singen) tief im Bauch vom „Bua auf der Alm". Auch tragen sie aus keinem ersichtlichen Grund zweiteilige Socken, die sogenannten Wadelstrümpfe.

Links unten: Volkstracht aus Hamburg/Vierlande
Rechts unten: Volkstracht aus Bayern

Es ist aber nicht nur eine Frage des Essens, der Sprache oder der Tracht. Wie beurteilt ein Norddeutscher den Charakter eines Süddeutschen, und wie sieht ein Süddeutscher die Norddeutschen? Wir haben einem Nord- und einem Süddeutschen genau diese Frage gestellt. Andreas Ellmaier redet zuerst über seine Landsleute, die Bayern, dann über die Leute im Norden – wie er sie sieht.

- *Wie, meint er, werden die Bayern von anderen gesehen?*
- *Wie sind sie in Wirklichkeit?*
- *Findet er im Norddeutschen den Gegensatz zum Bayern, oder sollte man diesen anderswo suchen?*
- *Wie beschreibt er den Rheinländer?*

in Ruhe in peace
jeweilig particular
der Landstrich area
prägen shape
die Kulturlandschaft (here) man-made landscape
die Auswirkung consequence
auslegen interpret
zurückhaltend reserved
muffig stuffy
die rauhe Schale (here) rough exterior
der Kern kernel; heart
sich verlassen auf rely on
der Küstenmensch coast dweller
spröd aloof
die Ähnlichkeit similarity
der Menschenschlag breed of people
eine Zeitlang for some time
verlassen (here) deserted; let down
die Begeisterung enthusiasm
an der Oberfläche superficial
die Gemeinsamkeit common feature
im Vergleich zu compared with

✻ Ausdrücke zum Einprägen

wer aber uns echt kennenlernen will, **der** merkt schnell, daß . . .

die Unterschiede sind natürlich **mehr oder weniger groß**

da seh' ich eigentlich **gewisse Ähnlichkeiten mit** uns Bayern

aber es ist, **wenn ich so sagen darf,** . . .

Gode Japs stammt aus Lübeck. Wir haben auch ihn gefragt, ob er große Unterschiede zwischen einem Norddeutschen und einem Süddeutschen sieht.

- *Welchen der beiden findet er zurückhaltender? Was hat das mit der Religion zu tun?*
- *Welchen findet er oberflächlicher? Sagt er, warum?*
- *Wer ist seiner Meinung nach toleranter? Und warum?*
- *Stimmen die Meinungen von Herrn Ellmaier und Herrn Japs an irgendeinem Punkt überein?*
- *Welcher von den beiden bringt dem anderen mehr Sympathie entgegen?*

wesentlich considerable
die Lebensart way of life
zugehen auf approach
sich anvertrauen (+ dat) confide in
aufgelöst sein let down one's hair
locker relaxed
stärker mit der Natur verbunden closer to nature
die Andersdenkenden people who think differently
zum Ausdruck kommen show itself

✻ Ausdrücke zum Einprägen

es gibt wesentliche Unterschiede zwischen Norddeutschen und Süddeutschen

das mag auch was mit der Landschaft **zu tun haben**

2

Bernhard Lassahn ging furchtlos zum entlegensten Norden des Landes, nach Hamburg . . .

Lesen Sie zuerst Herrn Lassahns Bericht und machen Sie dann eine Liste von den für den Norden charakteristischen Merkmalen, die ihm aufgefallen sind. Es wird oft gesagt, daß die Einwohner der Freien Hansestädte in Norddeutschland sehr „englisch" sind. Sehen Sie Ihre Liste noch einmal an – wie viele der Merkmale könnten auch auf Engländer zutreffen?

Im Tintenfischgarten

Natürlich weiß ich selbst, daß dieses HH einfach nur Hansestadt Hamburg heißt, dennoch hat so ein doppeltes H ein bißchen was von New York, New York. Jedenfalls wundert man sich nicht, wenn man in dieser Stadt ein Tandem vorbeiradeln sieht – ein großes Tandem, versteht sich. Die Große Hafenrundfahrt, die Große Freiheit. Das Musical „Evita" wird hier nicht etwa wegen Nachfrage verlängert, sondern wegen der „riesigen Nachfrage". Schon wenn der Intercity Hölderlin einläuft, führt er die Besucher erst mal am Blumengroßmarkt vorbei.

Es regnet. Natürlich. Unter der Markise sitzt eisern eine Blondine im Tigerkostüm und bestellt sich von der Getränkekarte von oben nach unten einen Drink nach dem andern und streicht mit ihrem Lippenstift durch, was sie schon hatte . . .

Es gibt hier das Chile-Haus und die Budapester Straße, und nicht nur die Reutlinger Straße und das Schweizerhaus. So hat man als träumerisch veranlagter Mensch das Gefühl, daß die große Welt gleich nebenan wartet. Wenn dann die Sparkasse noch damit wirbt, daß man „Ausländisches Geld bei uns sofort" kriegen kann – sofort! –, wirkt es sogar, als warte die große Welt schon ungeduldig, und als wäre die nächste Straßenecke gleich das Tor der Welt. Entsprechend fallen hier die Wegbeschreibungen aus: gehste am besten immer geradeaus Richtung Kopenhagen bis zum Griechen, dann hart steuerbord Richtung St. Petersburg und . . . da sieht man's dann schon.

Es gibt viele Schuhgeschäfte, so viele, daß ich schon mal den Verdacht hatte, die Schuhe, die sie hier verkaufen, wären so schlecht, daß man es damit gerade von einem Schuhgeschäft zum anderen schafft, vielleicht vom „Alligator" bis zum „Schuh-Paradies", wobei ich mir unter einem Paradies auch eher eine Gegend vorstelle, wo man getrost auch mal barfuß laufen kann. Aber schön hier. Doch. Ein Paradies am anderen – selbst ein „Preis-Paradies" gibt es . . .

Und erst der Hafen! Die Container erinnern noch an große Bauklötze aus Kinderträumen. Und ruhig und gelassen schieben sich die Schiffe dem Meer entgegen. Manchmal sehen sie schon gar nicht mehr aus wie Schiffe, eher wie riesige Schuhkartons, und doch möchte man stehen bleiben und staunen, wenn die dann noch ihr DUUUU DUUUU in den Nebel tuten.

Und ein bißchen Hafen ist überall in der Stadt. Ein Aufkleber wie BABY AN BORD auf einem Mittelklassewagen wirkt hier ganz anders. Auch eine Parkbucht klingt irgendwie verlockender als nur ein Parkplatz. Im Supermarkt sagt die Frau an der Kasse, wenn die Kundin den Wagen am Förderband vorbeischiebt und ihren Kasten Bier nicht hochliften will, „Tja", sagt sie, „dann wollen wir mal einen Blick über Bord werfen".

Manchmal hat man von den vielen Auslagen auf gehacktem Eis und von den Plakaten an den Glastüren, auf ▶

der Tintenfisch octopus
die Hansestadt Hanseatic town
die Hafenrundfahrt trip round the harbour
die Nachfrage demand
verlängern extend
der Großmarkt wholesale market
die Markise awning
träumerisch veranlagt of a dreamy disposition
nebenan next door
die Sparkasse savings bank
ungeduldig impatiently
entsprechend similarly
bis zum Griechen to the Greek restaurant
hart steuerbord hard a-starboard
der Verdacht suspicion
schaffen (here) manage to get to
getrost safely
der Bauklotz building brick
gelassen calmly
der Nebel fog
der Aufkleber sticker
die Parkbucht parking bay
verlockend enticing
das Förderband conveyor belt
die Auslagen items on display
gehackt chopped

▶ denen die Großhaie abgebildet sind – hat man das Gefühl, selber schon unter Wasser zu sein, und auf merkwürdige Art tragen auch die Tauben dazu bei, die hier gar nicht fliegen, sondern langsam über das Kopfsteinpflaster watscheln, vorbei an wasserdichten Kinderwagen. An der Wand gesprayt steht CHRONISCH KALTE FÜSSE. Hm, eine seltsam kämpferische Parole, denke ich noch und summe leise vor mich hin: I'd like to be, under the sea, in an octopus's garden. Naja . . . solange man noch keinen Hering in der Mausefalle hat. Unbeirrt klingelt der italienische Eisverkäufer, jeden Abend, bis ihm eines Tages seine Glocke einrostet.

Wenn es dann aber mal eine halbe Stunde lang nicht geregnet hat, quillt sofort ein donnerndes Leben hervor, Gartenmöbel stehen auf dem Balkon, wirken schon richtig ungeduldig, als wollten sie sofort für Erholung sorgen, überall werden Klapptische auf die Radwege gestellt und schon werden die ersten Vorgärten gesprengt.

Bernhard Lassahn, Kowalski

der Großhai giant shark
beitragen contribute
die Taube pigeon
das Kopfsteinpflaster cobblestones
watscheln waddle
wasserdicht waterproof
kämpferisch belligerent
summen hum
die Mausefalle mousetrap
unbeirrt without wavering
die Glocke bell
einrosten rust up
hervorquellen pour out
donnernd thunderous
für Erholung sorgen start relaxing someone
der Klapptisch folding table
der Radweg cycle path
sprengen (here) water

Hamburg: Straßencafé in der Innenstadt

Hamburg: der Hafen

✻ Ausdrücke zum Einprägen

es wirkt sogar, **als warte** die große Welt schon ungeduldig

ich hatte schon mal den Verdacht, die Schuhe wären . . .

ich stelle mir unter einem Paradies auch **eher** eine Gegend **vor,** wo . . .

sie sehen schon gar nicht mehr aus wie Schiffe, **eher wie** riesige Schuhkartons

3 👥

In der norddeutschen Tiefebene ist es – wie der Name schon sagt – sehr flach. Wasser, Windmühlen, Deiche – man wird an Holland erinnert. Typisch für diese Küstenlandschaft ist das Wattenmeer, wo recht unklar ist, wo das Meer aufhört und das Land beginnt, oder auch die schleswig-holsteinischen „Storchendörfer", wo die glücksbringenden Vögel jedes Jahr mit Ungeduld erwartet werden.

Störche im Nest. Häufig bauen diese großen Vögel ihre Nester auf den Schornsteinen von Häusern.

A Lesen Sie sich den ersten Artikel (über den sanften Tourismus in Schleswig-Holstein, auf der rechten Seite) gut durch und beantworten Sie dann in Ihren eigenen Worten die Fragen, die Ihnen **B** stellen wird.

B Lesen Sie den Artikel auf Seite 53 noch nicht, sondern stellen Sie anhand folgender Zusammenfassung Fragen an **A**, um herauszufinden, worum es in diesem Bericht geht:

Berghusen Ein kleines Dorf, wo man sehr viele Storchennester *(storks' nests)* sehen kann – und auch viele Touristen;

Heiligenhafen Vogelschutzgebiet *(bird sanctuary)*, wo man Störche und andere Vogelarten sehen kann – Eier darf man hier anfassen *(take hold of)* – Naturschützer *(conservationists)* und Touristikfachleute *(tourism experts)* arbeiten zusammen.

Sanfter Tourismus

Naturnahe Ferien in Schleswig-Holstein

Großes Hallo beim Blick in Adebars Kinderstube – die große Attraktion in Berghusen. Ganze Busladungen von Urlaubern spazieren durch den kleinen Ort, bleiben fast an jedem zweiten Haus stehen und richten ihr Fernglas ein wenig indiskret nach oben, wenn im Nest auf dem Kirchendach ein Jungstorch den Kopf reckt. Etwa zehn Paare des selten gewordenen Langbeins brüten noch in Schleswig-Holsteins „Storchendorf" bei Husum. Von der Menschen-Invasion lassen sie sich nicht stören.

Szenenwechsel. Vorsichtig geht es auf Trampelpfaden in das Vogelschutzgebiet Graswarder bei Heiligenhafen (Ostsee) hinein. Der Blick ist starr auf den Grund gerichtet. Wir möchten ja nicht auf das Gelege eines der gefiederten Bewohner treten. In Wassernähe erscheinen Gänsesäger und Rotschenkel im Feldstecher – und sogar die äußerst scheuen Brandseeschwalben. Dann darf jeder ein Ei einer Silbermöwe anfassen. Handwarm, lebendig fühlt es sich an.

Wer sich sorgt, wird vom begleitenden Ornithologen des DBV (Deutscher Bund für Vogelschutz) beruhigt: Silbermöwen lassen ihr Gelege nicht im Stich. Das wäre auch kaum im Sinne der Aktion „Natururlaub in Schleswig-Holstein". Im nördlichsten Bundesland haben sich Naturschützer und Touristikfachleute im wahrsten Sinne des Wortes „zusammengerauft". Überall in Vogel- und Naturschutzgebieten sowie im Nationalpark Wattenmeer wurden Info-Tafeln errichtet, Schutzhütten gebaut, Naturlehrpfade angelegt. Das beugt weiterer Umweltzerstörung vor.

Vital

der Adebar (N. German) stork
die Kinderstube nursery
die Busladung bus-load
das Fernglas binoculars
den Kopf recken crane one's neck
der Trampelpfad beaten path
starr fixedly
das Gelege (clutch of) eggs
gefiedert feathered
der Gänsesäger goosander
der Rotschenkel redshank
der Feldstecher field-glasses
äußerst extremely
scheu shy
die Brandseeschwalbe sandwich tern
die Silbermöwe herring gull
begleiten accompany
beruhigen reassure
im Stich lassen abandon
zusammenraufen pull together
die Info-Tafel information board
vorbeugen (+ dat) prevent

* Ausdrücke zum Einprägen

wer sich sorgt, **wird** vom begleitenden Ornithologen beruhigt

sie haben sich **im wahrsten Sinne des Wortes** „zusammengerauft"

B Lesen Sie sich zuerst den zweiten Artikel (über den Nationalpark Niedersächsisches Wattenmeer, auf der nächsten Seite) gut durch und beantworten Sie dann in Ihren eigenen Worten die Fragen, die Ihnen **A** stellen wird.

A Nun dürfen Sie den Artikel (Seite 54) nicht lesen, sondern Sie stellen anhand folgender Zusammenfassung Fragen an **B**, um herauszufinden, was in diesem Bericht steht:

Der Nationalpark Niedersächsisches Wattenmeer *(tidal shallows)* ist sehr groß – viele verschiedene Tierarten dort – das Wattenmeer, ein kleiner, aber wichtiger Bestandteil *(part)* der Nordsee – das Watt *(mud-flats)* wird bei Ebbe *(low tide)* trocken und bei Flut *(high tide)* wieder überflutet *(flooded)* – die kleinen, einzelligen Algen *(single-celled algae)* sind die Grundnahrung der Tiere dort – rund 200 Tierarten leben dort – der Nationalpark ist in drei Zonen gegliedert *(divided)*.

Im Wattenmeer leben rund 200 Tierarten

Seehunde aus nächster Entfernung beobachten, den Meeresstrandläufer in greifbarer Nähe erleben, all das ist im Nationalpark Niedersächsisches Wattenmeer noch möglich. Den sich von Emden bis Cuxhaven erstreckenden 240 000 Hektar großen Nationalpark gibt es seit dem 1. Januar 1986.

Als Bestandteil der Nordsee hat das Wattenmeer an der Gesamtfläche zwar nur einen Anteil von 1,5 Prozent, ist aber für die Nordsee als Ganzes von herausragender Bedeutung. Der Seehund findet hier sein Zuhause, zahlreiche Tierarten haben im Wattenmeer ihre „Kinderstube". Das Watt ist der Bestandteil des Wattenmeeres, der im Gezeitenwechsel trockenfällt und wieder überflutet wird. Ein Quadratmeter Wattboden erzeugt im Jahr mehr pflanzliches Material als ein Quadratmeter Ackerboden. Die pflanzliche Biomasse wird zu 60 Prozent im Watt selbst erzeugt, rund 40 Prozent werden durch die Gezeiten hereingespült. Haupterzeuger der pflanzlichen Biomasse sind kleine, einzellige Algen, die im Sommer weite Flächen des Watts mit einem braunen Belag überziehen und Nahrungsgrundlage für viele Tierarten sind.

Die Salzwiesen auf den ostfriesischen Inseln sind der Lebensraum für rund 200 Tierarten, überwiegend Insekten. Der Nationalpark Wattenmeer ist in drei Zonen gegliedert: Ruhe-, Zwischen- und Erholungszone. In der Ruhezone gelten die strengsten Bestimmungen. Hier ist alles das verboten, was den Nationalpark verändern, zerstören oder beschädigen würde. Auch in der Zwischenzone gelten ähnliche Bestimmungen. Die Erholungszone dagegen ist frei für den Kur- und Ferienbetrieb, so daß Natur und Urlauber einträchtig nebeneinander existieren können.

Berliner Zeitung

das Wattenmeer tidal shallows
die Tierart species
der Seehund seal
aus nächster Entfernung at close quarters
der Meeresstrandläufer sandpiper
in greifbarer Nähe within easy reach
der Bestandteil part
die Gesamtfläche total area
herausragend outstanding
die Kinderstube nursery
der Gezeitenwechsel change of tide
erzeugen create
der Ackerboden farmland
hereinspülen wash in
der Belag coating
die Nahrungsgrundlage basic food
überwiegend mainly
gliedern divide
gelten be in force
die Bestimmung regulation
beschädigen damage
ähnlich similar
der Kurbetrieb resort traffic
einträchtig harmoniously

* Ausdrücke zum Einprägen

es ist aber für die Nordsee **als Ganzes von herausragender Bedeutung**

die Biomasse wird **zu 60 Prozent** im Watt selbst erzeugt

. . . der Lebensraum für **rund** 200 Tierarten, **überwiegend** Insekten

4 

Man sagt, die Ostfriesen seien still, ernst und stur; der Volksmund sagt, das kommt vom vielen Teetrinken.

Zu zweit: Lesen Sie den Artikel auf Seite 55 und versuchen Sie dann (zu zweit), das Wichtigste in nicht mehr als 200 Wörtern zusammenzufassen. (Bei jedem Paar schreibt nur einer!)

Abwarten und Tee trinken

Als der preußische Prediger Freiherr von Seld in den 60er Jahren des letzten Jahrhunderts Ostfriesland bereiste, kam er sich sehr fremd vor. „Ich habe nie ein in sich gekehrteres schweigsameres Volk gefunden als in Ostfriesland. Stundenlang sitzen oft die Männer mit der Mütze auf dem Kopfe und der Pfeife im Mund um den Herd, ohne ein Wort zu sprechen . . . und selbst die Kinder sitzen still und ernst auf dem Lehnstühlchen im Kreise der Alten ohne Spiel und ohne Gespräch."

Den heutigen Leser des Reiseberichtes von 1864 werden diese Entdeckungen nicht sonderlich überraschen. Schließlich ist er wohltrainiert durch eine Kategorie von Witzen, die die Ostfriesen als die tumben Sonderlinge der Nation vorführen: langsam von Begriff und Reaktion. Gar so einfach ist die Geschichte mit den trägen Ostfriesen und ihrer Leidenschaft für Tee aber nicht.

Die Geschichte begann vor gut 450 Jahren. Wie überall in Europa frönten auch die Friesen dem Alkohol. Biersuppe am Morgen, Bier und Wein den Tag über – reichlich benebelt erlebten Männer wie Frauen den Anbruch der Neuzeit. Die Reformatoren hatten ein gehöriges Stück Arbeit vor sich, den leichtlebigen Zechern Abstinenz beizubringen. Besonders streng beim großen Feldzug gegen den Alkohol waren die Anhänger der Lehre Calvins und Zwinglis. Kein Zecher, so ihre Drohung, kann in den Himmel kommen.

In Emden sind die Calvinisten eine starke Fraktion: Emden wird Wirtschaftszentrum, zieht an Bedeutung mit Amsterdam und Hamburg gleich. Und so bekommt die neue Nüchternheit einen praktischen Sinn – schließlich kann wohl kaum erfolgreicher Geschäftsmann sein, wer alkoholverklärt durch den Tag tappt. Daß Alkohol nun gar kein Thema ist, versteht sich – Graf und Kirche sprechen reguläre Alkoholverbote aus. Kein Wunder, daß der um Mäßigung bemühte Christ dankbar zu jener Droge greift, die aus dem fernen Osten kommt, zum Muntermacher Tee.

1610 haben zum ersten Mal holländische Schiffe eine Ladung Tee nach Amsterdam gebracht. Doch erst um 1700 kommt – pünktlich mit dem Aufsteigen des Pietismus – der Tee so richtig in Mode. Die renommierten calvinistischen Mediziner Stephan Blancaard und Cornelius Bontekoe empfahlen den Tee mit wissenschaftlichem Nachdruck. Der Tee erweist sich für sie als wahres Allheilmittel. Er reinigt Mund, Zunge, Magen und Darm, und das Blut, hilft gegen Gicht, Nerven und Blasensteine. Kirche und Medizintheoretiker sprechen da mit einer Stimme – das Teetrinken wird in Ostfriesland moralische und soziale Vorschrift.

Der Rest ist schnell erzählt. Als nach dem Tod des letzten Grafen 1744 der preußische König Herr der Ostfriesen wurde, machten ihnen die aufgeklärten neuen Herren den Tee mies und führten wieder das Bier und den Wein als Alltagsgetränke ein. Die Ostfriesen gerieten plötzlich in die Rolle der altmodischen Tölpel. Die aufgeklärten Mediziner wiesen nach, daß das Teetrinken ausgesprochen gesundheitsschädlich und gefährlich sei.

Die ostfriesischen Teetrinker machen diese von oben diktierte Wende nicht mit. Seit alters sind sie schließlich auf Eigenständigkeit bedacht, nun bekommen die Preußen den calvinistisch-friesischen Dickschädel zu spüren: Ihr Tee-Verbot wird nicht befolgt, die Friesen setzten sich durch.

Der Tagesspiegel

„abwarten und Tee trinken" = wait and see what happens
der Prediger preacher
sich fremd vorkommen feel oneself very much a stranger
in sich gekehrt inward-looking
schweigsam silent
das Lehnstühlchen (here) child's chair
das Gespräch conversation
sonderlich specially
tumb naive
der Sonderling oddity
langsam von Begriff slow on the uptake
träge lethargic
die Leidenschaft passion
frönen indulge in
benebelt befuddled
der Anbruch dawn
ein gehöriges Stück a good deal of
leichtlebig happy-go-lucky
der Zecher tippler
der Feldzug campaign
die Lehre teachings
die Drohung threat
die Fraktion party; group
gleichziehen draw level
die Nüchternheit sobriety
alkoholverklärt in a state of alcoholic bliss
tappen grope
um Mäßigung bemüht striving for moderation
der Muntermacher enlivener
das Aufsteigen rise
der Nachdruck emphasis
das Allheilmittel universal remedy
der Darm intestines
die Gicht gout
der Blasenstein bladder stone
die Vorschrift prescription
der Graf count
aufgeklärt enlightened
etwas miesmachen run something down
altmodisch old-fashioned
der Tölpel fool
nachweisen prove
ausgesprochen downright
gesundheitsschädlich damaging to one's health
seit alters from time immemorial
die Eigenständigkeit independence
der Dickschädel (colloq.) stubbornness
sich durchsetzen assert oneself

✱ Ausdrücke zum Einprägen

als er **in den 60er Jahren** des letzten Jahrhunderts Ostfriesland bereiste

gar so einfach ist die Geschichte mit den trägen Ostfriesen **aber nicht**

daß Alkohol nun **gar kein Thema ist, versteht sich**

kein Wunder, daß der Christ dankbar zu jener Droge greift

der Rest ist schnell erzählt

Schreiben Sie einen kurzen Artikel für eine bayerische Touristenzeitschrift, in dem Sie die Reize Norddeutschlands beschreiben und es als ideales Ferienziel preisen. Benutzen Sie dazu alle bisherigen Artikel dieser Einheit.

5

Das Lieblingsziel der Bundesbürger, wenn es um Urlaub im eigenen Land geht, ist Bayern – stolze 47 Prozent der Deutschen, die im Inland reisen, zieht es in die Gegend zwischen Rhön und Alpenvorland. Doch trotz des Touristenverkehrs ist der Großteil der Bevölkerung Bayerns erzkonservativ, streng katholisch und oft auch sehr in sich gekehrt geblieben. Vielleicht liegt auch daran sein Reiz. Viel typischer für Bayern als München, Hauptstadt und beliebtes Reiseziel für Ausländer, sind die bayerischen Kleinstädte und Dörfer, wie zum Beispiel Straubing.

Hören Sie sich den Bericht über Straubing und das Gäubodenfest an (aber lesen Sie den Text auf der rechten Seite noch nicht) und versuchen Sie dann, folgende Fragen zu beantworten:

- *Wofür ist Straubing im niederbayerischen Volksmund berühmt?*
- *Wie wirkt Straubing auf den ersten Blick?*
- *Was trägt zu diesem ersten Eindruck bei?*
- *Wann wurde die Stadt gegründet?*
- *Wie haben die Straubinger im Mittelalter ihr Geld verdient?*
- *Wie sieht das Stadthaus aus?*
- *Wie viele Einwohner hat Straubing?*
- *Wodurch wurden die Bauern der Umgebung so reich?*
- *Wann findet das Gäubodenfest statt?*
- *Warum ist dieses Volksfest dem Münchener Oktoberfest vorzuziehen?*

Zu zweit: Prüfen Sie nun zusammen mit Ihrer Partnerin/Ihrem Partner Ihre jeweiligen Antworten. Stimmen Sie überein?

Lesen Sie nun den Artikel (Seite 57) und beantworten Sie die Fragen, die Sie vorher eventuell nicht beantworten konnten.

lohnen be worth
der Gäuboden (Lower Bavarian dialect) rich soil
regieren rule
beten pray
der Volksmund popular tradition
übertrieben exaggerated
üppig sumptuous
die Ausstattung provision
schwarzbigott conservative and over-devout
der Muff mustiness
einnisten settle down
bodenhaft earthy
heiter cheerful
beitragen contribute
wesentlich considerably
gründen found
die Häuserzeile row of houses
erweitern extend
der Straßenzug street (of houses)
der Speicherraum attic
steil steep
die Schlankheit slenderness
krönen crown
der Zeuge witness
das Selbstbewußtsein self-confidence
stolz proud
das Selbstverständnis conception of oneself
die Kornkammer granary
der Wohlstand prosperity
beziehen obtain; draw
das Schafkopf Bavarian card game
das Stammhotel regular hotel
überdauern survive
vertreten represent
bajuwarisch-erdverbunden tied to their good Bavarian earth
die Gestalt figure
die (also: **das**) **Allerweltsgaudi** (colloq.) knees-up

Das Fest der dicken Bauern

Straubing lohnt einen Besuch nicht nur zum Gäubodenfest

Regiert wird in Landshut, gebetet in Passau und gefeiert in Straubing, sagt der niederbayerische Volksmund. Das mag übertrieben sein; zumindest gearbeitet wird hier auch. Dennoch ist trotz der üppigen Ausstattung an Kirchen und Klöstern nichts von dem schwarzbigotten Muff zu spüren, der sich in Provinzstädten ähnlicher Provenienz einzunisten pflegt. Straubing wirkt auf seine niederbayerisch-bodenhafte Art heiter, fast fröhlich. Zu diesem Eindruck trägt die Architektur der Altstadt wesentlich bei.

Die Nibelungenstraße, über die schon Kriemhild, Gunther und Hagen vom Rhein gen Osten gezogen waren, führt mitten durch die 1218 gegründete Stadt. Auf beiden Seiten eine Häuserzeile, dazwischen der zum Markt erweiterte Straßenzug, auf dem die durchreisenden Händler ihre Waren anboten. An diesem Handel haben die Straubinger offensichtlich nicht schlecht verdient, ihre Häuser wurden größer und schöner, die Dächer mit den Speicherräumen höher und steiler. In der Mitte wächst das Stadthaus auf, ein hoher und bei aller Schlankheit stabiler, von fünf Spitzentürmchen gekrönter Wachtturm, aber auch Zeuge stadtbürgerlichen Selbstbewußtseins.

Nach dem stolzen Selbstverständnis seiner (42 000) Einwohner ist Straubing eine Metropole. Der fette, fruchtbare Boden in der Umgebung wurde schon vor Jahrhunderten die Kornkammer Bayerns genannt. Konsequenterweise saßen auf ihm auch die reichsten Bauern des Landes. Aus diesem Gäuboden hat Straubing einen großen Teil seines Wohlstands und seiner überregionalen Bedeutung bezogen, und das bis zum heutigen Tag.

Die Zeiten freilich, da die reichen Bauern beim Schafkopfen am Samstagnachmittag im Nebenzimmer ihres Stammhotels Röhrl die Champagnerkorken knallen ließen, haben den Ausbruch des ersten Weltkrieges nicht überdauert. Aber bei dem Gäubodenfest im August, dem kalendarischen Höhepunkt des Straubinger Jahres, ist das rustikale Lokalkolorit immer noch in kräftigen Farben vertreten. Auf dem zweitgrößten Volksfest Bayerns mit sechs Festbierhallen kann man bajuwarisch-erdverbundenen Gestalten und Charakteren begegnen, wie sie auf dem Münchner Oktoberfest – der „Allerweltsgaudi für Japaner und Australier" – kaum noch anzutreffen sind.

Frankfurter Rundschau

Stadtplatz mit Dreifaltigkeitssäule und Stadtturm in Straubing

✻ Ausdrücke zum Einprägen

das mag übertrieben sein;
zumindest gearbeitet wird hier auch

zu diesem Eindruck trägt die Architektur der Altstadt **wesentlich bei**

6

Typisch für die oberbayerische Landschaft ist der Chiemgau im Alpenvorland – grüne Hügel, klare Flüsse, flaches Land und in der Ferne die schroffen Alpengipfel. Die Zeitschrift Brigitte *schickte Berichterstatterin Petra Oelker mit einem Kollegen ins Chiemgau – mit dem Fahrrad. Sie haben geschwitzt, aber sehr geschwärmt!*

Petra Oelker hat Ihre Erlebnisse (Seite 58 - 59) beinahe in Notizformat geschrieben. Sehr schön, aber was ihr Redakteur wollte, war ein erzählender Bericht. Sie, neueingestellt als Reporterin/Reporter, bekommen nun den Auftrag, diesen Bericht entsprechend umzuschreiben – aber in höchstens 200 Wörtern!

Chiemgau: **Bayern in jeder Gangart**

Grüne Hügel, klare Flüsse, flaches Land vor steilen Gipfeln, alte Gastwirtschaften und Kirchen – im Chiemgau wird's für Radler nie langweilig.

1 Blühende Wiesen vor bewaldeten Bergen, kleine Höfe mit geschindelten Dächern: So habe ich mir den Chiemgau als Norddeutsche vorgestellt. Die nächsten Tage werden zeigen, ob ich recht behalte. Auf geht's!

in jeder Gangart at any pace
der Hof farm
geschindelt with shingle roofs
sich vorstellen imagine

2 Lust auf Ludwig? Park und Schloß von Herrenchiemsee, dem „kleinen Versailles" des bayerischen Märchenkönigs, stehen ganz oben auf der Hitliste der Chiemgau-Touristen. Für uns ist die Herreninsel nur ein kurzer Abstecher.

Märchen- fairy-tale
der Abstecher detour

3 Zwiebeltürme, wohin man blickt. Diese gehören zur Kirche des Klosters Seeon, jahrhundertelang wissenschaftliches und kulturelles Zentrum des Chiemgau.

der Zwiebelturm onion-shaped spire

4 Rast am Brunnen. In Trostberg an der Alz, mitten zwischen bunten Häusern, scheint die Zeit stehengeblieben zu sein. Wie unsere Räder. Mit einer Leberkäs-Semmel stärken wir uns für die nächsten Kilometer durch lichte Auwälder.

der Brunnen fountain
die Leberkäs-Semmel (S. German) roll with Bavarian meat loaf in it
sich stärken gather strength
licht (here) thinly planted
der Auwald (S. German) riverside forest

5 Wer kennt schon Tittmoning? An dem Städtchen in der Salzach-Au fahren viele vorbei. Ihr Pech. Nicht nur wegen der alten Stadtmauern und der Burg. Wo sonst wacht ein Kirchenmann mit goldenem Hut über eine so prächtige Sparkasse?

die Au (S. German) water meadow
das Pech bad luck
der Kirchenmann churchman

6 Wallfahrtskirche mit Bilderbibel. Kirchenkunst hat überall in Bayern Tradition. Für uns der Höhepunkt im Chiemgau: die frühgotischen Heiligen-Fresken in St. Leonhard am Wonneberg – das Leben Jesu an Decken und Wänden.

die Wallfahrt pilgrimage
die Bilderbibel picture bible
das Heiligen-Fresko fresco of saints

7 Zunftiges Rathaus. Ruhpolding zeigt sich städtisch aufgeklärt mit ganz weltlichen Handwerk-Motiven. Sonst sind es meist Heilige, die Häuser und Ställe im Chiemgau beschützen – Volkskunst in Bayern-Manier.

städtisch municipally
aufklären enlighten
weltlich worldly
beschützen protect
die Volkskunst popular art

8 Endspurt. Die topfebene Landschaft um den Chiemsee hat uns wieder. Hinter uns liegen Hügel und Wiesen, gemeine Steigungen und Super-Schußfahrten – eben ein richtig schöner Radlerurlaub durch ein stilles Stück Bayern.

topfeben flat as a pancake
gemein infuriating
die Schußfahrt headlong downhill stretch

Brigitte

Chiemsee und Umgebung

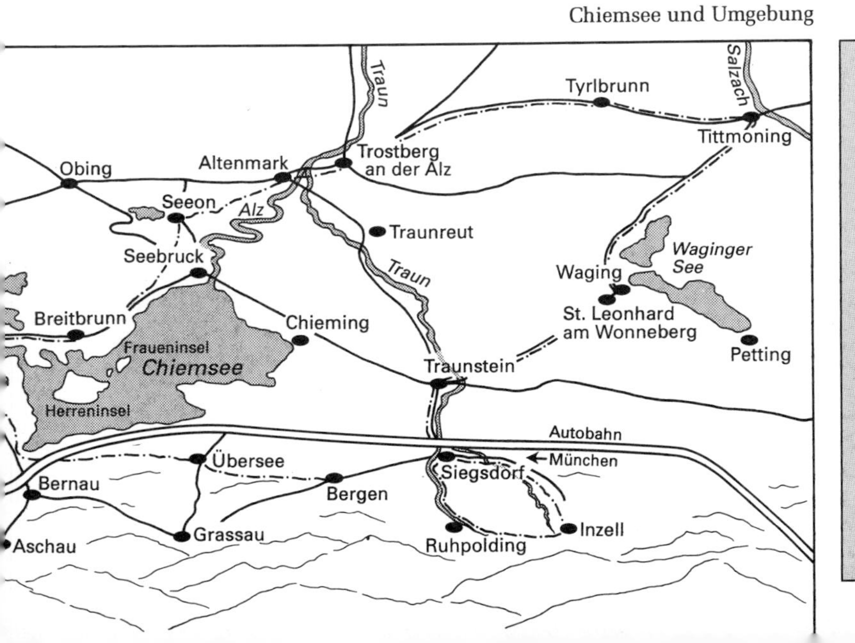

* Ausdrücke zum Einprägen

so habe ich mir den Chiemgau als Norddeutsche **vorgestellt**

Park und Schloß **stehen ganz oben auf der Hitliste** der Chiemgau-Touristen

Zwiebeltürme, **wohin man blickt**

nicht nur wegen der alten Stadtmauern und der Burg

für uns der Höhepunkt im Chiemgau: die frühgotischen Heiligen-Fresken

Einheit 6

Musik, Musiker – und Fans

1

Auch deutsche Pop- und Rockfans gehen gerne auf Open-Air-Festivals. Eine romantische Kulisse, viel Adrenalin, internationale Stars. So muß es sein, und so ist es auch ab und zu, wie zum Beispiel bei David Bowies angeblich letztem Live-Konzert.

David spielte zum letzten Mal seine Hits

Das Super-Festival von Ulm

Vor rund 40 000 Fans stieg in Ulm am 2. September zwar nicht das größte, aber mit Sicherheit das schönste Open-Air-Festival in diesem Sommer. Die Riesenbühne und das Gelände für die Zuschauer lagen wildromantisch eingebettet in einer Parkanlage, umgeben vom Wasser der blauen Donau. *Spy vs. Spy* legten pünktlich um 11.30 los. Die englischen Gitarrenrocker heizten kräftig und brachten die Leute reihenweise zum Tanzen.

Den Nachmittag bestritten *Dan Reed* und *New Model Army,* bei deren Show es dann erstmals zu richtig heißem Gedränge vor der Bühne kam. *Midnight Oil,* die nächsten, sorgten dafür, daß der Adrenalinpegel bei den Fans kräftig anstieg. Davids „Sound & Vision"-Hitprogramm lief danach wie am Schnürchen über die Bühne. Alte Bowie-Fans hatten sogar Tränen in den Augen, als Klassiker wie „Heroes" und „Space Oddity" aus den Lautsprecherwänden dröhnten. Ein historischer Augenblick, denn angeblich will David in Zukunft nie wieder live spielen.

Bravo

die Sicherheit certainty
die Riesenbühne giant stage
das Gelände area
der Zuschauer spectator
eingebettet in nestling in
loslegen let rip
heizen (here) hot things up
bestreiten carry
das Gedränge pushing and shoving
der Adrenalinpegel adrenalin-level
wie am Schnürchen like clockwork
dröhnen roar
angeblich allegedly

✻ Ausdrücke zum Einprägen

die nächsten **sorgten dafür, daß** der Adrenalinpegel kräftig anstieg

angeblich will David **in Zukunft nie wieder** live spielen

Leider sind nicht alle Open-Air-Festivals wie dieses. Bei vielen orientieren sich die Veranstalter lediglich daran, wieviel Profit sie machen können. Diesen Eindruck hatte zumindest der Kölner Michael Sgoninas bei einem Open-Air-Festival im benachbarten Holland.

Schlammschlachten in Holland

Pfingstmontag. Mein seit Jahren erster Besuch eines Open-Air-Festivals begann erwartungsgemäß verheerend. Seit Stunden prasselte ein ergiebiger Regen auf die Pferderennbahn von Landgraaf, und bald gab es kein Fleckchen mehr, an dem man nicht sofort bis zu den Knöcheln in einer ekligen Mixtur aus aufgeweichten Pappbechern, Frittenmatsch, Schlamm und Pfützen einer gelben Brühe versank.

Open-Air-Festivals gelten immer noch als die letzten Bastionen des Mythos von Peace, Freedom und free Love, doch tatsächlich sind sie von wenigen Ausnahmen abgesehen nichts weiter als lukrative Inkasso-Wirtschaftsunternehmen mit einer notdürftig aufgetragenen Love & Peace-Glasur und deftiger Gewinnspanne für den Veranstalter. So schlug der Besuch des diesjährigen PINK POP allein mit 50 Gulden (DM 44.–) zu Buche, mit den Kosten für Camping, Bier, Haschisch (vor allem deutsche Besucher umringten die mobilen Dope-Händler in dichten Trauben) und der in Fett abgesoffenen Fritten kam man leicht auf 80 – 100 Gulden für den ganzen Tag. Dafür war man dem Wetter schutzlos ausgeliefert – außer dem Pressebereich gab es auf dem ganzen Gelände keine überdachte Stelle – und durfte mit einem bißchen Glück gelegentlich ein paar Töne des konturlos zusammengewürfelten Programms erhaschen. Sobald nämlich der Ostwind ein wenig auffrischte, war vom rechten PA-Turm nichts mehr zu hören, und alle, die noch stehen konnten, schwenkten kollektiv zum linken Turm und ließen die übelsten Träume eines jeden Platzangstgeplagten Realität werden . . .

Michael Sgoninas,
Kölner Illustrierte

die Schlammschlacht mud wrestling
erwartungsgemäß as expected
verheerend disatrously
prasseln pelt down
ergiebig rich
die Pferderennbahn race-track
eklig disgusting
der Pappbecher paper cup
der Frittenmatsch mush of chips
die Pfütze puddle
die Brühe sludge
von wenigen Ausnahmen abgesehen apart from a few exceptions
das Inkasso-Wirtschaftsunternehmen money-collection operation
notdürftig in a makeshift way
aufgetragen stuck on
die Glasur icing
die Gewinnspanne profit margin
zu Buche schlagen show up in the budget
umringen surround
die Traube (here) bunch
abgesoffen (colloq.) drowned
dem Wetter schutzlos ausgeliefert at the total mercy of the weather
konturlos without shape
zusammenwürfeln throw together
erhaschen catch
schwenken swivel
der Platzangstgeplagte claustrophobia-sufferer

Welcher dieser zwei Berichte kommt Ihren eigenen Erfahrungen von Open-Air-Konzerten am nächsten? Oder waren Ihre Erfahrungen völlig anders?

Erzählen Sie der Klasse von Ihren Erfahrungen (oder Vorstellungen) eines typischen Open-Air-Festivals anhand dieser Aspekte:

Das Wetter
Das Gelände (romantisch – nüchtern; sanitäre Einrichtungen)
Die Verpflegung (Essen und Trinken)
Die Kosten
Die Programmgestaltung
Die Musik (Qualität; Tonwiedergabe)
Der Blick auf die Bühne (nahe dort – weit entfernt)
Die Atmosphäre

* Ausdrücke zum Einprägen

mein seit Jahren erster Besuch **begann erwartungsgemäß verheerend**

tatsächlich sind sie **von wenigen Ausnahmen abgesehen nichts weiter als** Inkasso-Wirtschaftsunternehmen

dafür war man **dem Wetter schutzlos ausgeliefert**

Oder liegt es vielleicht am Berichterstatter? Versuchen Sie, den ersten Artikel so umzuschreiben, wie Michael Sgoninas ihn geschrieben hätte (wenn es auch bei diesem Festival geregnet hätte!).

Die Tradition der Hausmusik ist auch heute in Deutschland noch sehr lebendig. Da sie aber bei vielen Jugendlichen weniger beliebt ist, ist der Beschluß, eine eigene Rockgruppe zu gründen, weder ungewöhnlich noch abwegig. Zu diesen Jugendlichen gehört auch der siebzehnjährige Tassilo.

Wir gründen eine Band

Tassilo, 17, Drummer von „Insanity", beschreibt, wie es zur Gründung der Band kam.

Was soll man als Jugendlicher in seiner nahezu unbegrenzten Freiheit machen? Vor dieser berühmten Frage stand auch ich einmal. Also habe ich mir ein Beispiel an meinem jüngeren Bruder Max genommen, der schon seit fünf Jahren ein Instrument spielte, und zwar Klavier. Ich habe mir Gedanken gemacht, was ich spielen könnte, und mich nach langem Hin und Her fürs Schlagzeug entschieden. Mein Bruder gab mir schließlich die Anregung, mal mit ihm zusammen zu spielen, und so kamen wir auf die Idee, eine Band zu gründen.

Da unser Musikgeschmack mehr in Richtung Rock, Punk und Metal geht, habe ich einen Freund von mir angesprochen, ob er nicht Lust hätte, als Bassist bei uns mitzuspielen. Unsere erste Probe war noch sehr konzeptionslos, allerdings ist uns klargeworden, daß es eigentlich viel geiler ist, selbst Musik zu machen, als andauernd nur zuzuhören. Das größte Problem war bloß noch der Sänger. Aber nach ein paar Wochen war auch dieses Problem gemeistert: Ein Freund meines Bruders hatte sich dazu bereit erklärt, mal bei uns zu singen . . .

Nach etwa einem halben Jahr hatten wir ein festes Programm drinnen: 12 Stücke, die wir mittlerweile im Schlaf spielen können. Zwei haben wir selbst komponiert. Ein paar Kumpel von Lothar, dem Bassisten, die eines Tages bei den Proben zugehört haben, waren völlig begeistert von uns. Deshalb haben sie uns gefragt, ob wir nicht Lust hätten, in einer Musikkneipe bei ihrem Gemeinschaftsfest zu spielen – vor etwa 200 Leuten.

Nach ein paar Wochen war es dann auch endlich so weit. Der Raum, beziehungsweise der Saal, in dem wir spielen sollten, war voll. Wir haben gleich als erste Gruppe gespielt. Als wir gemerkt haben, daß alle begeistert waren, war das anfängliche Lampenfieber sofort verschwunden. Zum Schluß unseres Programms haben wir noch ein paar Zugaben gespielt. Nach unserem ersten Auftritt war ein echtes Erfolgsgefühl da. Wenn man sich richtig für etwas einsetzt, kann man es auch erreichen.

Postbox

unbegrenzt unlimited
berühmt famous
das Hin und Her to-ing and fro-ing
das Schlagzeug drums
die Anregung stimulus
Lust haben feel like
der Bassist bass guitarist
die Probe rehearsal
konzeptionslos haphazard
geil (colloq.) great; super
andauernd all the time
drinnen haben (colloq.) have got together
der Kumpel (colloq.) mate
begeistert enthusiastic
das Gemeinschaftsfest community party
beziehungsweise or rather
der Saal hall
das Lampenfieber stage fright
die Zugabe encore
der Auftritt performance; appearance
sich einsetzen für involve oneself in

* Ausdrücke zum Einprägen

also habe ich mir ein Beispiel an meinem jüngeren Bruder **genommen**

er spielte schon seit fünf Jahren ein Instrument, **und zwar** Klavier

ich habe mich **nach langem Hin und Her** fürs Schlagzeug entschieden

so kamen wir auf die Idee, eine Band zu gründen

allerdings ist uns klargeworden, daß es eigentlich viel geiler ist . . .

das größte Problem war bloß noch der Sänger

der Raum, **beziehungsweise** der Saal, in dem wir spielen sollten . . .

Zu zweit: Würden Sie ähnlich vorgehen, wenn Sie eine Band gründen wollten? Besprechen Sie folgende Fragen zuerst mit Ihrer Partnerin/Ihrem Partner; beantworten Sie sie dann schriftlich.

- *Hätten Sie sich auch für das Schlagzeug als Instrument entschieden? Oder würden Sie lieber etwas anderes spielen?*
- *Würde Ihre Band aus mehr als drei Leuten bestehen?*
- *Würden Sie sich für andere (oder noch zusätzliche) Instrumente als Klavier, Schlagzeug und Baßgitarre entscheiden?*
- *Würden Sie einen Sänger für unentbehrlich halten?*
- *Hätten Sie mehr oder weniger als zwölf Stücke in Ihrem Repertoire gehabt?*
- *Würden Sie sich trauen, bei Ihrem ersten Auftritt als erste Gruppe aufzutreten?*

3

Tassilos Band hatte also den ersten Erfolg – eine befriedigende musikalische Leistung. Erfolg kann man aber heutzutage auch ohne musikalische Begabung haben – noch dazu einen viel größeren! David Fascher ist nur drei Jahre älter als Tassilo, ist aber bereits ein Star der Popwelt – ohne ein Instrument zu spielen!

Scratchen, bis die Nadel kracht

Die Kids der Neunziger haben neue Lustobjekte. Für sie ist David Fascher ein Popstar. Der 20jährige aus Hamburg wurde in London zum Weltmeister der Diskjockeys gekürt.

Die Cap San Diego hat längst ausgedient. Der alte Frachter ist als schwimmendes Museum an der Überseebrücke vertäut, auf der Postkartenseite des Hamburger Hafens. Nur ab und zu mietet jemand den Laderaum für eine Party – des Ambientes wegen. Heute abend zum Beispiel . . .

Erst gegen Mitternacht kommt Leben an Bord. Diskjockey-Weltmeister David Fascher steht im Lichtkegel des Spotlights, vor dem Weltmeister ein Klapptisch mit seinem Handwerkszeug: zwei Plattenspieler, ein Mischpult und vielleicht ein Dutzend geheimnisvoll mit Klebestreifen markierte Maxi-Singles. David legt zwei davon auf die Plattenteller, knipst die Anlage an, und die Boxen schmettern eine Fanfare durch den Raum. Dann ein paar Umdrehungen von Heavy D & The Boyz, „You Ain't Heard Nuttin Yet". Die Boyz kommen allerdings nicht weit, denn mit der linken Hand reißt David den Plattenteller vorwärts und rückwärts, mit der rechten fummelt er gleichzeitig am Mischpult. Augenblicke läuft die Platte weiter, dann setzt David an, seine „Instrumente" abwechselnd mit Stirn, Nase, Zunge und Ellbogen zu bearbeiten. Er macht eine halbe Körperdrehung, beugt sich über die Anlage und rotiert die Teller mit den Schulterblättern hin ▶

die Nadel stylus
krachen break
bis es kracht with a vengeance
küren choose
ausgedient haben (colloq.) be clapped out
der Frachter freighter
schwimmen float
die Brücke landing pier
vertäut moored
die Postkartenseite the touristy parts
der Laderaum hold
das Ambiente ambience
der Lichtkegel beam
das Handwerkszeug tools of the trade
das Mischpult mixing desk; console
geheimnisvoll mysteriously
der Klebestreifen sticky tape
die Anlage equipment
schmettern blare out
die Umdrehung revolution
fummeln an fiddle with
abwechselnd in turn
die Stirn forehead
sich beugen bend down
rotieren rotate
das Schulterblatt shoulder blade

und her. Schließlich steigt er auf einen Stuhl und stupst das Vinyl als Höhepunkt der Darbietung mit nacktem Fuß gegen die Laufrichtung. Ha!

So eine Kür vom Weltmeister David Fascher dauert um die acht Minuten, während der er immer neue bizarre Geräusche aus den Lautsprechern rupft. Die geladenen Gäste jubeln, die Journalisten applaudieren. David wurde, als erster Nichtamerikaner und Nichtengländer, zum Weltchampion gekürt: 13 000 in der Londoner Wembley-Arena feierten den Außenseiter in Sprechchören. Seither rollt der Rubel. Früher hätte einer wie David eine Band gegründet, heute lernen die Kids Scratching am Plattenteller. Davids Titelverteidigung wird schwierig werden. Sein Nachfolger übt schon. In irgendeinem Kinderzimmer.

Alf Burchardt, Zeitmagazin

stupsen push
die Darbietung act
die Laufrichtung direction of movement
die Kür special performance
rupfen pluck
geladen specially invited
in Sprechchören in chorus
der Rubel rollt (colloq.) the money's rolling in
die Titelverteidigung defence of one's title
der Nachfolger successor
üben practise

* Ausdrücke zum Einprägen

nur **ab und zu** mietet jemand den Laderaum

so eine Kür dauert **um die** acht **Minuten**

Sie waren zufälligerweise auf beiden Veranstaltungen, dem ersten Auftritt von „Insanity" (Tassilos Band) und dem Party-Abend mit David Fascher. Schreiben Sie einen Brief an eine gute Freundin/einen guten Freund, in dem Sie beide Abende vergleichen und die musikalischen Darbietungen bewerten.

Wir haben mit einer jungen Deutschen gesprochen, die regelmäßig mit einer Kölner Gruppe singt. Wir wollten wissen, wie schwer (oder wie leicht) es ist, als professioneller Rockmusiker in Deutschland zu Anerkennung und Erfolg zu kommen.

Hören Sie sich das Interview mit Gabi an und beantworten Sie dann folgende Fragen:

- *Wie, meint Gabi, könnte man vorgehen, um eine Band zu gründen?*
- *Findet sie, man sollte gleich von Anfang an seine eigenen Kompositionen spielen?*
- *Was versteht Gabi unter einem „Demo"?*
- *„Meistens landen diese Bänder in der Schublade" – warum?*
- *Mit welchen Schwierigkeiten muß man als unbekannte Gruppe rechnen?*

* Ausdrücke zum Einprägen

ja, **es ist eigentlich sehr schwierig, weil** . . .

wenn man Glück hat, sind die dann wohlbesonnen

also **ich schätze, so an die** dreitausend werden es bestimmt sein

sich bezeichnen als call oneself
der Proberaum practice room
die Matratze mattress
dicht (colloq.) soundproof
nachspielen copy
was weiß ich wen noch (colloq.) and lots of others; and whoever
auf die Beine stellen put together
der Auftritt appearance; spot
sich 'ranschaffen (colloq.) get oneself
die Substanz reserves
komponieren compose
„sauber" mit eigenen Sachen with only their own compositions
das Band tape
einspielen record
in Plattenform in disc format
vorstellen present
wohlbesonnen (for **wohlgesinnt**) well-disposed
die Schublade drawer
die Dunkelziffer number of unrecorded cases
schätzen guess
vor sich hinbrasseln (colloq.) beaver away by oneself
zustande kriegen get together
das Mitglied member
passen (+ dat) suit
aussteigen leave
einarbeiten (here) get (them) used to the band
die Lebensaufgabe life's work

5

Wie wichtig sind die Texte bei Pop- und Rockmusik? Kann man an die Spitze der Charts klettern durch das, was die Texte aussagen wollen, oder sind die Melodie und der Rhythmus doch das Ausschlaggebende? In Deutschland hat Herbert Grönemeyer die Spitze auch aufgrund seiner Texte geschafft.

Die Diva aus Bochum

Die Erfolgsstory des Herbert Grönemeyer

Erfolg hat Herbert Grönemeyer mit fast schon beängstigender Regelmäßigkeit. In der Branche gilt er als „Selbstläufer", als einer, der auch ohne viel Werbung an die Spitze der Charts klettert. Daran hat sich bis heute nichts geändert. Die neue LP „Luxus" ist bereits vergoldet, die 50-Städte-Tour im Herbst ausverkauft, und daß er die Titelseiten der unterschiedlichsten Magazine schmückt – auch daran hat man sich gewöhnt.

Die Deutschen scheinen verrückt nach ihm zu sein. Doch die Euphorie um den 34jährigen Bochumer hat wohl weniger mit Verrücktheit als mit blindem Vertrauen zu tun. Bei Grönemeyer glauben die Fans nur eines zu finden: Qualität.

Sind seine Texte denn überhaupt noch so eigenwillig wie früher? Brav geworden ist er mit Sicherheit nicht. Auch in den neuen Songs attackiert er, wettert er gegen die Vermarktung von Frauen in Pop-Videos, greift er das Thema Inzucht auf und kritisiert er den „Einkauf" der DDR. Selbst in den Liebesliedern wirkt er eckig und kantig, rückt er Lust und Frust mit ungewöhnlichen Bildern zu Leibe.

Ob die Sprachakrobatik mit Tiefgang von seiner großen Anhängerschar verstanden wird, ist ihm selbst nicht ganz klar. „Es besteht schon die Gefahr, daß die Leute weghören, aber man sollte nicht unterstellen, daß sie blöd sind", meint er. „Ich versuche, in meinen Texten Reibungsflächen zu bieten, aber ich bin nicht der Erzieher der Nation . . ."

Martin Scholz, Süddeutsche Zeitung

die Diva star
beängstigend worrying
die Regelmäßigkeit regularity
die Branche industry
der Selbstläufer lone runner; loner
die Werbung advertizing
die Spitze top
unterschiedlich different
schmücken embellish
sich gewöhnen an get used to
verrückt nach mad about
das Vertrauen trust
eigenwillig individual
wettern gegen denounce
die Vermarktung commercial exploitation
die Inzucht incest
eckig jerky
kantig awkward
rücken move; convert
die Lust desire
der Frust frustration
ungewöhnlich unusual
der Tiefgang depths; profundity
die Anhängerschar crowd of fans
weghören not listen
unterstellen assume
blöd stupid
die Reibungsfläche source of friction
der Erzieher educator

* Ausdrücke zum Einprägen

Erfolg hat Grönemeyer **mit fast beängstigender Regelmäßigkeit**

in der Branche gilt er als Selbstläufer

die Euphorie **hat weniger mit** Verrücktheit **als mit** blindem Vertrauen **zu tun**

ob die Sprachakrobatik verstanden wird, **ist ihm selbst nicht klar**

es besteht schon die Gefahr, daß die Leute weghören

- *Glauben Sie, daß es auch bei uns einen „Grönemeyer" an der Spitze der Charts geben könnte? Daß jemand hauptsächlich wegen seiner Texte Erfolg hat?*
- *Wie wichtig sind für Sie die Texte bei Pop- und Rockmusik?*
- *Sollte sich populäre Musik mit sozialen Problemen und Politik befassen?*
- *Ist das Thema Inzucht wirklich für einen Musiktext geeignet?*
- *Gibt es in Ihren Augen Themen, die absolut tabu sind für diese Musik? Welche?*

Was entgegnen Sie Leuten, die sagen, bei Rockmusik höre man sowieso nicht, was gesungen wird?

6

Prinzen aus der neuen Welt

Also jetzt neigt er sich dem Ende zu, der Open-Air-Sommer. Alle waren sie da – die alten Herren, die sich „die rollenden Steine" nennen, und das putzige Fräulein Madonna und der kleine Prinz, und wir haben sechzig Mark (jeweils) bezahlt und ganz klein ganz hinten unter 70 000 Menschen im Stadion gestanden und gejubelt und gestaunt. Wir durften dabeisein. Wir durften dieselbe Luft atmen. Und nun sind sie alle wieder abgefahren, und wir sind zurückgeblieben und reiben uns verwundert die Augen: Da war doch was . . . Was war denn da gleich noch mal? Mit 65 Sattelschleppern waren unsere Rolling Stones gekommen, weiß der Himmel, was fünf ältere reisende Herren alles so brauchen, damit sie auf der Bühne gut rüberkommen, und 2,4 Millionen Watt brauchten sie, damit wir sie auch wirklich gut hören und sehen konnten. 2,4 Millionen Watt? 3200 PS starke Generatoren mußten eigens zugeschaltet werden. Aber haben wir denn nicht mal irgendwann beharrlich gegen AKW's gestreikt? ▶

sich dem Ende zuneigen draw to a close
putzig cute
jubeln cheer
dabeisein be there
der Sattelschlepper articulated lorry
PS (= Pferdestärke) horsepower
eigens specially
zuschalten connect (additionally)
beharrlich persistently
AKW (= Atomkraftwerk) atomic power-station

▶ Sind wir nicht gegen Energieverschwendung? Und hier werden in zwei Stunden Energien verpulvert, mit denen unsere Stadt eine Woche auskäme, alle Waschmaschinen und Bügeleisen eingeschlossen . . .

Nicht darüber nachdenken. Nicht nachdenken über die Müllberge im Stadion, auch nicht über die Extrawünsche der Stars, die klaglos erfüllt werden, aber wehe, wir bitten unsere kleine Stadt mal um eine Bank in den Anlagen oder einen Radweg oder auch nur überdachte Haltestellen an den Busstationen. Die Stones kommen überhaupt nicht, wenn sie nicht neumöblierte Garderoben mit neuverlegten Teppichböden bekommen. Vier Armsessel müssen es mindestens sein pro Mann und zwei Dreisitzer-Sofas, und natürlich muß es ganz bestimmte Wein- und Bier- und Wodka- und Wasser-Sorten geben, englischen Tee, französisches Tafelwasser, irisches Bier, karibische Früchtekörbchen . . .

Bin ich neidisch? Bewahre! Ich staune einfach nur immer wieder gern über Extravaganzen und Anflüge von Größenwahn, denn wir leben in vergleichsweise nüchternen Zeiten, und da kommen unsere Prinzen und Popfürsten aus der Neuen Welt gerade recht mit ihren Extrawünschen: Das Besondere, das Exklusive, das Ausgefallene, es ist noch möglich, und nicht bei einem japanischen Nadelstreifenmilliardär, sondern bei Jeansträgern wie du und ich. Sie fordern und bekommen alles, stellvertretend für uns, und dafür stellen sie sich für Millionengage auch vor uns hin und schreien: „I can't get no satisfaction!" Zu, zu schön.

Elke Heidenreich, Brigitte

die Energieverschwendung waste of energy
verpulvern (colloq.) blow; squander
das Bügeleisen iron
eingeschlossen included
der Müllberg mountain of rubbish
klaglos without complaining
die Anlage park
überdacht covered
neumöbliert newly furnished
die Garderobe dressing room
karibisch Caribbean
neidisch envious
der Anflug fit
der Größenwahn megalomania
vergleichsweise comparatively
nüchtern sober
ausgefallen unusual
der Nadelstreifenmilliardär pin-striped billionaire
fordern demand
die Gage fee

* Ausdrücke zum Einprägen

weiß der Himmel, was fünf ältere reisende Herren alles so brauchen

wehe, wir bitten unsere kleine Stadt um eine Bank

Bin ich neidisch? **Bewahre!**

sie fordern und bekommen alles, **stellvertretend für** uns

Sammeln Sie Argumente aus diesem Bericht von Elke Heidenreich und auch aus anderen Berichten in dieser Einheit; ergänzen Sie sie mit Ihren eigenen Argumenten/Ideen, um folgendes zu beweisen:

Die As: Daß Rockstars viel zu gut bezahlt werden und daß das Publikum reingelegt wird.

Die Bs: Daß wir Pop-Prinzen brauchen, die zu uns und stellvertretend für uns sprechen können.

Mit Ihrer Lehrerin/Ihrem Lehrer als „Richter": Die **As** tragen zuerst ihre Argumente vor. Dann bringen die **Bs** ihre Gegenargumente an. Die Lehrerin/der Lehrer entscheidet schließlich, welche Gruppe ihren Fall überzeugender dargelegt hat.

Einheit 7 Verbrechen und Verbrecher

1

Wir fangen mit einer spannenden Geschichte an. Lesen Sie den Artikel unten noch nicht, sondern hören Sie sich den Anfang der Geschichte an. Versuchen Sie dann, folgende Fragen zu beantworten:

Was glauben Sie:

- *Wer waren diese Leute?*
- *Waren es wirklich Einbrecher?*
- *Warum waren sie vermummt?*
- *Warum knackten sie das Schloß?*
- *Warum waren es so viele?*
- *Wieso hatten sie einen Hund dabei?*

Lesen Sie nun den ganzen Artikel und beantworten Sie die Fragen oben noch einmal. Hatten Sie erraten, was das für Leute waren?

Vermummte Einbrecher

Zwölf Uhr mittags am Kölner Gereonswall: Acht Gestalten, die Gesichter hinter Tüchern und Wollmützen versteckt, schlendern langsam zum Haus Nummer 128. Dann ein Krachen! Die Eingangstür splittert, mit einem Brecheisen knacken die Vermummten das Schloß. Für die Nachbarn ein klarer Fall: Hier sind Einbrecher am Werk.

Die Polizei, die Minuten später am Tatort erscheint, denkt ähnlich. Großräumig werden die umliegenden Straßen gesichert, die übrigen Beamten observieren das Haus. Das Ziel der Aktion: Die vermutlich dreiste Verbrecher-Bande soll auf frischer Tat ertappt und mitsamt ihrer Beute festgenommen werden. Für die Beamten besonders erfreulich: Nach und nach marschieren immer mehr Männer in das leerstehende Haus am Gereonswall, einige haben sogar ihren Hund dabei.

Als plötzlich ein riesiges Transparent aus einem Fenster im oberen Stockwerk flattert, ist es bereits zu spät. „Wohnungsnot muß nicht sein, zieht in leere Häuser ein", steht da zu lesen. Und was die Polizei anfangs für Einbrecher hielt, entpuppt sich als Hausbesetzer-Gruppe, die unter den Augen der Beamten in den Altbau „einzog".

Den letzten Beweis liefern Flugblätter, die aus dem Fenster auf die Straße fliegen: „Wir sind rund 20 wohnungslose Menschen. Dieses Haus steht bereits seit Oktober leer. Wir fordern den Eigentümer auf, sofort mit uns über Mietverträge zu verhandeln!"

Um 13 Uhr bricht die Polizei ihre Zelte am Gereonswall ab und fährt – die Flugblätter als Beweisstück im Streifenwagen – zurück zur Wache. „Außer der Hausbesetzung lag keine Straftat vor", heißt es offiziell. „Jetzt müssen wir auf eine Strafanzeige des Eigentümers warten."

Express

vermummt masked
verstecken hide
schlendern stroll
das Krachen crashing
das Brecheisen crowbar
knacken break
der Tatort scene of the crime
großräumig over a wide area
sichern make secure
der Beamte officer
vermutlich presumably
dreist bold; audacious
auf frischer Tat red-handed
ertappen catch
die Beute loot
erfreulich pleasing
nach und nach gradually
das Transparent banner
die Wohnungsnot housing shortage
einziehen move in
der Hausbesetzer squatter
der Beweis proof
das Flugblatt leaflet
der Eigentümer owner
der Mietvertrag tenancy agreement
verhandeln negotiate
die Zelte abbrechen decamp
das Beweisstück evidence
die Wache police station
die Straftat criminal offence
die Strafanzeige reporting of an offence

Zur Diskussion: Sind Sie der Meinung, daß das, was die Hausbesetzer machten, ungesetzlich ist? Oder sind Sie der Meinung, daß die Wohnungsnot ihre Aktion rechtfertigt?

✻ *Ausdrücke zum Einprägen*

für die Nachbarn **ein klarer Fall:** Hier sind Einbrecher am Werk

nach und nach marschieren immer mehr Männer in das Haus

als ein Transparent aus einem Fenster flattert, **ist es bereits zu spät**

Nachher, auf der Polizeidirektion . . .

A Sie sind der Polizeichef, und Sie sind wütend. Wie kann man so dumm sein! Ein Großeinsatz war nun wirklich nicht nötig!

B Sie Sind der Polizeibeamte, der für die Operation verantwortlich war. Wie hätten Sie wissen sollen, daß es nur Hausbesetzer waren? Verteidigen Sie sich!

2

Einbrecher können manchmal also nur Hausbesetzer sein. Schlimmer ist es, wenn Fußballfans zu Fußball-Verbrechern werden.

Am vorletzten Wochenende starb ein Fußballfan im Kugelhagel der Leipziger Polizei . . .

Michael Heinisch, 26, wußte sehr wohl, daß die Tour nicht ungefährlich sein würde. Aber die 150 hartgesottenen Fans des ehemaligen Stasi-Fußballvereins FC Berlin wären am Samstag vorletzter Woche auch ohne den Ost-Berliner Sozialarbeiter zum Punktspiel nach Leipzig gefahren. Also reiste Streetworker Heinisch mit – sicherheitshalber. Vielleicht, so das Kalkül des Jugendbetreuers, werde seine Anwesenheit Schlimmeres verhüten. Doch Heinischs Hoffnung trog: Es kam schlimmer als je zuvor.

Kaum waren die Berliner vor dem Leipziger Stadion angelangt, da trieb ein Polizeitrupp, bewehrt mit Schlagstöcken, Helmen und Schilden, die Fans zurück. „Wir haben denen unsere Eintrittskarten hingehalten“, berichtet Heinisch, „aber die haben sofort angefangen zu knüppeln und mit Tränengas zu schießen.“ Daraufhin, so der Sozialarbeiter, seien auch seine Leute außer Kontrolle geraten. Einsatzfahrzeuge der Polizei gingen in Flammen auf, schließlich seien etwa hundert Leute „mit Holzstangen auf die Polizei zugelaufen“. ▶

der Kugelhagel hail of bullets
hartgesotten tough; hard-bitten
das Punktspiel league game
sicherheitshalber for safety's sake
der Jugendbetreuer youth worker
die Anwesenheit presence
verhüten prevent
trügen be mistaken
zurücktreiben drive back
bewehrt armed
der Helm helmet
das Schild shield
der Schlagstock truncheon
knüppeln use their truncheons
daraufhin as a result
das Einsatzfahrzeug police vehicle
die Holzstange wooden pole

Heinisch: „Sekunden später wurde geschossen." Eines der Opfer, der 18jährige Mike Polley aus Berlin, starb noch am Tatort. Vier weitere Fußballfans wurden mit schweren Verletzungen ins Krankenhaus eingeliefert.

Heinischs Version von der Schlacht vor dem Stadion wird von der Leipziger Polizei zwar nicht ausdrücklich bestritten, aber in wesentlichen Punkten ergänzt. Beim letzten und entscheidenden Angriff der Jugendlichen, erklärt Einsatzleiter Karl-Heinz Krompholz, hätten sich die Polizisten in einer ausweglosen Situation befunden – eingekesselt von einer Horde, die Pflastersteine schleuderte und Leuchtspurmunition verschoß. Da erst habe er den Schießbefehl gegeben. Was folgte, so Krompholz, „waren keine Warnschüsse mehr, es waren ungezielte Schüsse" – aus insgesamt elf Polizeipistolen.

Der Spiegel

am Tatort at the scene (of crime)
die Verletzung injury
die Schlacht battle
ausdrücklich explicitly
bestreiten dispute
wesentlich fundamental
ergänzen amplify
der Angriff attack
der Einsatzleiter head of operations
eingekesselt surrounded
der Pflasterstein cobblestone
schleudern hurl
die Leuchtspurmunition tracer ammunition
der Schießbefehl order to shoot
ungezielt random

Wer war an den schweren Auseinandersetzungen schuld? Die Fans oder die Polizei? Versuchen Sie, diese Frage zu beantworten, indem Sie folgende Fragen diskutieren:

- *Waren die Fans am Anfang nicht unschuldig? (Sie zeigten doch ihre Eintrittskarten . . .)*
- *War die Reaktion der Polizei nicht übertrieben? (Sie knüppelten sogleich auf die Fans los . . .)*
- *Hatten die Fans nicht sowieso mit einer Schlägerei gerechnet? (Woher kamen zum Beispiel Holzstangen und Leuchtspurmunition?)*
- *Tatsache: brennende Polizeiautos, hundertfünfzig Fans, die Pflastersteine warfen, Panik bei der eingekesselten (aber bewaffneten) Polizei – sind die Schüsse deshalb verständlich?*
- *Kommt es bei solchen Veranstaltungen nur deshalb zu Gewalttätigkeiten, weil beide Seiten von vornherein damit rechnen?*
- *Können Sozialarbeiter (zum Beispiel) in solchen Fällen nützlich sein?*

Was kann man tun? Schreiben Sie nun Ihre eigenen Vorschläge auf, wie man solche Gewalttätigkeiten verhindern könnte.

* Ausdrücke zum Einprägen

Heinisch reiste mit – **sicherheitshalber**

es kam **schlimmer als je zuvor**

Heinischs Version **wird** von der Leipziger Polizei **nicht ausdrücklich bestritten**

die Polizisten hätten sich **in einer ausweglosen Situation** befunden

3

Das Verbrechen findet immer neue Formen: Die modernen Bankräuber, zum Beispiel, arbeiten mit Computer anstatt Pistole. Aber echte Profis scheinen sie noch nicht zu sein . . .

Tatwaffe Computer

Lautlos und ohne Spuren raubten Wolfgang B. und Gerd S. eine Frankfurter Bank aus. Die EDV-Fachleute funktionierten an ihrem Arbeitsplatz den Computer zur Tatwaffe um: Mit einem erschlichenen geheimen Paßwort und wenigen elektronischen Befehlen bedienten sie sich im Daten-System, das täglich 30 Millionen Mark bargeldlos verarbeitet. Unbemerkt von Kollegen überwiesen sie 5,5 Millionen Mark auf zuvor eröffnete Konten in Hongkong. Bei der Ankunft konnten die Täter sofort über Millionen verfügen . . .

Der Frankfurter Coup ist kein Einzelfall. Seit Elektronengehirne und Zentralrechner Banken, Firmen und Behörden beherrschen, stieg die Computer-Kriminalität rasant an. Allein 5 000 Fälle gab es 1989, doppelt soviel wie 1988. Tendenz steigend.

Geschädigte Banken verzichten in 90 Prozent aller Fälle auf Anzeigen. Sie schweigen, damit ihre Kunden das Vertrauen nicht verlieren. Außerdem hoffen sie, mit Hilfe von Detektiven wieder an ihr Geld zu kommen. Im Notfall werden die Verluste abgeschrieben.

Auch in Frankfurt erstattete erst die geschädigte Düsseldorfer Firma Anzeige. Trotzdem hätte die Kripo keine Chance gehabt, wenn die beiden nach dem Blitz-Coup „professionell" vorgegangen wären. Aber alles lief unter den echten Namen. Sie hoben in Hongkong nur 500 000 DM in bar ab, flogen damit nach Kuala Lumpur (Malaysia) und gaben das Geld mit vollen Händen aus: „Wir waren blauäugig. Das Geld zerrann schnell", sagte Gerd S. später. Als er in Hongkong zur Bank wollte, wurde er am Flughafen verhaftet. Sein Komplice stellte sich danach. Urteile: Jeweils 3 ½ Jahre.

Kripo-Beamte Manfred Fablunke: „Hochqualifizierte Computer-Räuber überlisten zwar schnell die Technik. Aber sie denken nicht an die Zukunft, weil die kriminelle Energie fehlt. Es läuft ab wie ein harmloses Computerspiel. Während echte Bankräuber mögliche Hemmschwellen haben – der Kassierer könnte einen Herzinfarkt leiden –, hat der elektronische Täter kein Unrechtsgefühl. Das Entdeckungsrisiko ist gering, denn Arbeitgeber vertrauen langjährigen Mitarbeitern, die unbegrenzte Zugangsmöglichkeiten haben, blind."

Express

die Tatwaffe weapon used
EDV (= **elektronische Datenverarbeitung**) electronic data-processing
erschlichen dubiously acquired
überweisen transfer
das Konto account
verfügen über have at one's disposal
der Einzelfall isolated case
das Elektronengehirn electronic brain
der Zentralrechner mainframe computer
beherrschen control
rasant tremendously fast
auf Anzeigen verzichten refrain from reporting it
im Notfall if need be
abschreiben write off
Anzeige erstatten report to the police
die Kripo (= **Kriminalpolizei**) the CID
blauäugig naive
zerrinnen (here) disappear
verhaften arrest
sich stellen give oneself up
jeweils each
überlisten outwit
die Hemmschwelle threshold of inhibition
der Kassierer cashier
der Herzinfarkt heart attack
das Entdeckungsrisiko risk of discovery
gering low
der Mitarbeiter colleague
unbegrenzt unlimited
die Zugangsmöglichkeit possibility of access

Lesen Sie den Artikel (oben) und beantworten Sie folgende Fragen:

- *Warum steigt die Computer-Kriminalität?*
- *Warum verzichten die Banken so oft auf Anzeigen?*

* Ausdrücke zum Einprägen

der Frankfurter Coup **ist kein Einzelfall**

allein 5 000 Fälle gab es 1989, **doppelt soviel wie** 1988

geschädigte Banken verzichten **in 90 Prozent aller Fälle** auf Anzeigen

im Notfall werden die Verluste abgeschrieben

- *Wie unterscheidet sich der Computer-Räuber vom normalen Verbrecher?*
- *Warum hat er kein Unrechtsgefühl?*
- *Warum ist das Entdeckungsrisiko so gering?*

Lesen Sie nun den Artikel noch einmal durch; erzählen Sie dann schriftlich die Geschichte dieser zwei Computer-Räuber nach. Folgende Gliederung könnte Ihnen dabei helfen:

geheimes Paßwort – ins Daten-System einbrechen – 5,5 Millionen D-Mark auf zuvor eröffnete Konten in Hongkong – nach Hongkong geflogen – „unprofessionell" (Konten unter den echten Namen) – eine halbe Million in Hongkong bar abgehoben – sehr viel Geld in Kuala Lumpur freigebig ausgegeben – zurück nach Hongkong, um mehr Geld zu holen – am Flughafen verhaftet – 3 ½ Jahre Haft

Diese Artikel sind zwei Berichte über dasselbe Verbrechen aus zwei verschiedenen Zeitungen.

Zu zweit: Lesen Sie nur Ihren eigenen Artikel! Stellen Sie sich dann gegenseitig Fragen, um herauszufinden, wo die Unterschiede in den beiden Berichten liegen (wenn es welche gibt). Fragen Sie zum Beispiel:

- *Wo ist das Verbrechen passiert? Wann? Was für Leute waren die Täter? Wie viele waren es? Wie alt waren sie?* usw.

Lesen Sie jetzt beide Artikel. Welcher, finden Sie, ist besser/sachlicher/ausführlicher/neutraler?

Ⓐ

Lederjacke des Bestohlenen verriet fünf Einbrecher

Nach einem Einbruch in eine Spandauer Gaststätte sind am Sonnabend früh drei Männer und zwei Frauen aus Polen festgenommen worden. Die Täter im Alter zwischen 19 und 25 Jahren waren in ein Lokal an der Bürgerablage eingestiegen, um Spirituosen zu stehlen. Als der Wirt, der 44jährige Klaus E., das Quintett überraschte, mußten die Polen flüchten. Die Polizei stellte sie in ihrem Opel Kadett auf der Niederneuendorfer Allee.

Bei einer Gegenüberstellung erkannte der Wirt dann zwar nicht die Täter, dafür aber seine Lederjacke wieder: Einer der Polen hatte sie am Leib.

Berliner Morgenpost

die Lederjacke leather jacket
verraten betray
die Gaststätte; das Lokal pub; restaurant
der Wirt landlord
überraschen surprise
flüchten flee
stellen apprehend
die Gegenüberstellung confrontation; identity parade
der Leib body

Wirt überraschte Einbrecher in Spandauer Gaststätte

Fünf Polen wurden gestern früh von der Polizei festgenommen, nachdem sie versucht hatten, in eine Gaststätte in der Spandauer Bürgerablage einzubrechen. Die Täter hatten nach Auskunft der Polizei bereits mehrere Paletten mit Spirituosen zum Abtransport bereitgestellt, als der im gleichen Haus wohnende Wirt den Einbruch bemerkte.

Die Einbrecher seien daraufhin geflüchtet, wurden aber wenig später gegen 3 Uhr von einem Funkwagen in der Niederneuendorfer Allee gestellt. Bei einer Gegenüberstellung habe der Wirt die drei Männer und zwei Frauen wiedererkannt, einer der Männer habe sogar noch eine Lederjacke des Gastwirts getragen.

Der Tagesspiegel

überraschen surprise
die Gaststätte pub
die Auskunft information
die Palette pallet
bereitstellen get ready
der (Gast)wirt landlord
flüchten flee
stellen apprehend
die Gegenüberstellung confrontation; identity parade
die Lederjacke leather jacket

die **Gewalttat** crime of violence
tagsüber during the day
die Ecke spot
meiden avoid
zustoßen (+ dat) happen to
angreifen attack

> **✻ Ausdruck zum Einprägen**
>
> **dann auf jeden Fall** fühlt man sich gar nicht so unsicher

5

Sind die Straßen in deutschen Städten gefährlich? Und vor allem nachts – und für Frauen? Wir haben Pia, eine junge Großstadtbewohnerin, gefragt. Hören Sie sich die Aufnahme an und beantworten Sie dann folgende Fragen:

- *Zu welcher Tageszeit hat Pia Angst vor Gewalttaten?*
- *Ist es sicherer, in einer Gruppe zu sein?*
- *Wie fühlt sie sich in der U-Bahn?*
- *Ist ihr persönlich schon etwas zugestoßen?*
- *Werden, laut Pia, eher Jungen oder eher Mädchen angegriffen?*

Hören Sie sich das Interview mit Pia noch einmal an. Stellen Sie sich vor, der Interviewer hätte Sie gefragt, ob Sie vor Gewalttaten in Ihrer Stadt/Ihrem Dorf Angst haben. Antworten Sie ihm – auch die Jungen! Wie unterscheiden sich Ihre Antworten von denen, die Pia gab? Wie erklären Sie sich den Unterschied?

6

Laut Statistik sind die meisten Kriminellen Männer – auch in Deutschland. 78,6 Prozent der Straftaten im Bundesgebiet wurden 1988 von Männern begangen. Insgesamt 42 500 Häftlinge saßen 1988 in den 169 bundesdeutschen Vollzugsanstalten, darunter 1480 Frauen – ein Anteil von knapp 3,5%. Was steckt wirklich hinter dieser Verbrecher-Statistik? Die Zeitschrift Hörzu *hat acht Experten gefragt:*

Jeder in der Klasse bekommt eine Nummer von 1 - 8 zugeteilt und sollte sich den entsprechenden Text gründlich durchlesen. Danach erklärt sie/er der ganzen Klasse in eigenen Worten, um welche Art von Verbrechen es sich handelt, und warum sie von so vielen Männern und nur selten von Frauen begangen wird.

Lesen Sie anschließend den ganzen Artikel. Sind Sie von den verschiedenen Erklärungen (warum Männer so viel öfter zum Verbrecher werden als Frauen) überzeugt?

Ist der Mann die schlechtere Sorte Mensch?

1 Männer werden von der Polizei stärker überwacht, kontrolliert und damit kriminalisiert als Frauen. In den Köpfen der Polizisten ist die Erwartung verankert, Männer werden häufiger straffällig als Frauen. Vermutlich bleiben dadurch viele von Frauen begangene Straftaten unentdeckt. In der Praxis wird eine Frau, die nachts unter einem weiten Mantel ein gestohlenes Kofferradio versteckt, der Polizei nicht annähernd so verdächtig sein wie ein Mann in der gleichen Situation.

verankert fixed
straffällig werden commit a criminal offence
vermutlich presumably
begehen commit
die Straftat criminal offence
nicht annähernd nowhere near
verdächtig suspicious

2 Männer sind auch in der Öffentlichkeit gewalttätig. Sie haben die Körperkraft, andere schwer zu verletzen und erhebliche Sachschäden anzurichten. Auch Frauen sind aggressiv, aber ihre Aggressivität spielt sich meist in der Abgeschlossenheit ihrer Wohnung und unter Ausschluß der Öffentlichkeit ab. 1988 wurden 91,1 Prozent aller entdeckten Sachbeschädigungen und 88,1 Prozent aller Fälle von Mord und Totschlag von Männern begangen.

in der Öffentlichkeit in public
gewalttätig violent
verletzen injure
erheblich considerable
der Sachschaden damage to property
die Abgeschlossenheit seclusion
unter Ausschluß der Öffentlichkeit in private
der Totschlag manslaughter

3 Männer sind technisch begabter als Frauen. Sie wissen, wie man ein Auto knackt oder kurzschließt, einen Geldschrank aufbricht oder eine fremde Wohnungstür öffnet. Auch Geldfälschungen großen Stils werden nur von Männern begangen. Von Frauen ist bekannt, daß sie allenfalls mit Münzen betrügen oder Ladendiebstähle begehen. Beim einfachen Diebstahl, beim Klau im Kaufhaus, beträgt ihr Anteil 35,5 Prozent. Es ist der höchste in der Kriminalstatistik. Die schweren Diebstähle hingegen werden zu 92,2 Prozent von Männern begangen.

begabt talented
knacken (colloq.) break into
kurzschließen short-circuit (the ignition)
der Geldschrank safe
die Fälschung forgery
allenfalls at most
der Klau (colloq.) nicking

4 Männer sind manchmal gefühlsarm. Daher schrecken sie auch vor einer Geiselnahme oder vor dem Kidnapping nicht zurück. Vor Delikten, für die Frauen kaum in Frage kommen, weil das Mitleid mit dem Opfer überwiegt. 91 Prozent aller Straftaten gegen die persönliche Freiheit werden von Männern begangen.

gefühlsarm lacking in feeling
die Geiselnahme taking of hostages
das Mitleid mit sympathy for
überwiegen prevail

5 Männer sind heute stark leistungsbewußt. Diese „karrieristische Leistungsorientierung", bei der der Zweck alle Mittel heiligt, ist bei Männern ausgeprägter als bei Frauen. Wenn Männer ihren Status legal nicht aufpolieren können, schrecken viele nicht davor zurück, sich das fehlende Geld – und Ansehen – illegal zu beschaffen. 92,2 Prozent der Straftaten im Amt werden von Männern begangen.

leistungsbewußt achievement-oriented
der Zweck heiligt die Mittel the end justifies the means
ausgeprägt pronounced
aufpolieren polish up
das Ansehen respect
im Amt (here) at work

6 Männer flüchten bei Konflikten nicht wie Frauen in Krankheit und Sucht, sondern häufig in die Kriminalität. Manchmal sogar, um ihre Familie zu versorgen. Schaffen sie das nämlich nicht, wachsen die Schulden über den Kopf, schrecken sie auch vor einem Überfall, vor Raub oder räuberischer Erpressung nicht zurück. 91,7 Prozent dieser Straftaten werden von Männern begangen.

die Sucht addiction
versorgen provide for
die Schuld debt
der Überfall hold-up
die räuberische Erpressung extortion with threat of force

▶

7 Männer werden häufiger festgenommen als Frauen. Sie werden in der Regel von Polizei und Gerichten auch strenger behandelt. Frauen gegenüber gibt es den männlichen Beschützerinstinkt. Männer werden bei Gruppendelikten von Komplicen und Zeugen eher belastet als Frauen, die von den Mittätern geschont werden.

festnehmen arrest
der Beschützerinstinkt protective instinct
der Komplice accomplice
der Zeuge witness
belasten incriminate
schonen protect

8 Männer haben das Strafgesetz für Männer gemacht. Kriminalität gilt als männlich. Beschäftigen sich Kriminalisten mit Jugendbanden, haben sie immer Jungen im Kopf. Mädchenbanden finden in ihrer Vorstellungswelt keinen Platz. Weil Männer im Strafrecht vor allem Männer so kritisch betrachten, ist es ihnen auch selbst zuzuschreiben, daß so viele Männer bei einer Straftat entdeckt werden.

das Strafgesetz criminal law
sich bechäftigen mit study
die Vorstellungswelt conceptual framework; mind
das Strafrecht criminal law
es ist ihnen zuzuschreiben they are to blame

Hörzu

✻ Ausdrücke zum Einprägen

in der Praxis wird eine Frau der Polizei nicht so verdächtig sein wie ein Mann **in der gleichen Situation**

beim einfachen Diebstahl **beträgt ihr Anteil** 35,5 Prozent

vor Delikten, für die Frauen **kaum in Frage kommen, weil** das Mitleid mit dem Opfer überwiegt

Mädchenbanden **finden** in ihrer Vorstellungswelt **keinen Platz**

7

Die Verkehrsverbrecher gibt und gab es überall – unter anderem auch in der ehemaligen DDR. Auch mit einem Trabant kann man einen ganz schönen Schaden anrichten!

Ein Auto im Schaufenster

Am 9.2.90 fuhr ein Bürger aus dem Kreis Altenburg mit seinem Pkw Trabant zu einer Disko-Veranstaltung nach Mockzig. Er wollte zu Beginn ein oder zwei Glas Bier trinken, es wurde jedoch mehr an Bier und Schnaps. Bekannte hätten ihn zum Weitertrinken verleitet, und der Pkw sollte stehenbleiben. Jedoch wollte er nach Schluß der Veranstaltung nicht nach Hause laufen. „Außerdem fühlte ich mich fahrtüchtig und war der Meinung, daß es schon gut gehen würde."

Doch 1,7 mg/g führten nicht nur zur Selbstüberschätzung. In der Ortslage Ehrenberg kam der so sichere Fahrer von der Straße ab, rammte eine Gartensäule und drehte sich mit seinem Trabi um die eigene Achse. Doch mit hoher Geschwindigkeit ging es weiter in Richtung Altenburg. In der Engertstraße ging die Fahrertür auf, die bei dem vorherigen Anprall beschädigt worden war, und er behinderte einen Bürger mit dessen Moped. Glücklicherweise hatte dieser sein Fahrzeug im Griff und kam um einen Sturz herum. Aber die Fahrt des Geisterfahrers war erst gegenüber dem VPKA, welche Ironie des Schicksals, im Schaufenster des An- und Verkaufs der HO zu Ende.

Wegen Verkehrsgefährdung durch Trunkenheit sprach das Gericht eine Geldstrafe in Höhe von 2000 Mark aus.

Altenburger Wochenblatt

der Kreis district
Pkw (= Personenkraftwagen) car
die Veranstaltung event
verleiten tempt
laufen walk
fahrtüchtig fit to drive
die Selbstüberschätzung overestimation of one's abilities
die Ortslage (E. German) village
die Gartensäule (E. German) fence post
die Achse axis
der Anprall impact
im Griff under control
herumkommen um avoid
der Sturz fall
der Geisterfahrer dangerous law-breaking motorist
VPKA (= Volkspolizeikaserne) (GDR) police barracks
das Schicksal fate
der An- und Verkauf der HO (=Handelsorganisation) (GDR) car sale and purchase centre
die Verkehrsgefährdung constituting a hazard to traffic
die Geldstrafe fine

Und nachher – vor Gericht . . .

A Sie sind der Trabi-Fahrer. Sie stehen vor Gericht und versuchen, eine Erklärung – oder zumindest eine Ausrede – für jede Anschuldigung zu finden (der Mopedfahrer, zum Beispiel, war bestimmt betrunken). Was sagen Sie?

B Sie sind der Richter. Schon wieder ein betrunkener Fahrer! In diesem Fall sind Sie sehr streng. Sie zählen die Anschuldigungen eine nach der anderen auf. Für den Trabi-Fahrer sieht es schlimm aus . . .

Einheit 8

Gesundheitsfragen: Sucht – Streß – Fitneß

Was bringt den Doktor um sein Brot?
a) die Gesundheit, b) der Tod.
Drum hält der Arzt, auf daß er lebe,
Uns zwischen beiden in der Schwebe.

Eugen Roth

bringen um rob of
in der Schwebe halten hold in balance

Heutzutage ist es hauptsächlich der Streß – und oft der am Arbeitsplatz -, durch den die Gesundheit am meisten gefährdet ist. Das ist auch in Deutschland nicht anders. Der Deutsche arbeitet zuviel – und macht sich dann Sorgen darum, daß er zuviel arbeitet. Aber das, worüber er sich am meisten Sorgen zu machen scheint, ist die Abhängigkeit von Drogen. Und das nicht zu unrecht, so scheint es, wenn man den Artikel aus dem Spiegel *(auf der rechten Seite) liest.*

Buxtehude

der Stoff (colloq.) drugs
versauen (colloq.) louse up
das Reetdachhaus thatched cottage
knorrig gnarled
verziert decorated
der Leuchtturm lighthouse
buntbemalt brightly painted
frisch angestrichen newly painted
der Wackerstein boulder; rock
prahlen boast
der Drogenfahnder drugs investigator
durchwühlen burrow about in
umkippen overturn
der Bewässerungsgraben irrigation ditch
randvoll jam-packed
aufgeflogen (colloq.) busted
das Rauschgift drug(s)
das Versteck hiding-place
der Umschlagplatz trading centre
überziehen cover
bundesweit throughout the country
der/die Süchtige addict

* Ausdrücke zum Einprägen

seit kurzem ist es aus mit dem Frieden

der Drogenhandel scheint **die Branche der unbegrenzten Möglichkeiten** zu sein

nie gab es soviel Ware, **so viele** Kunden . . .

„Der Stoff versaut das Land"

Das alte Land bei Buxtehude an der Elbe ist eine nette Gegend. Kleine Straßen führen zwischen Reetdachhäusern und knorrigen Obstbäumen hindurch. Kleine Vorgärten sind verziert mit kleinen Leuchttürmen und buntbemalten Wagenrädern.

Alles ist frisch angestrichen, sogar die Wackersteine am Wegesrand. Die Bauern verdienen gut mit ihren Apfelbäumen und mit dem Apfelkuchen, den sie für die Hamburger backen. „Bei uns", prahlte vor einiger Zeit der Polizeisprecher des Kopfsteinpflaster-Städtchens Stade, „gibt es kein Drogenproblem."

Seit kurzem ist es aus mit dem Frieden. Drogenfahnder wühlen unter Apfelbäumen die Erde durch, kippen Obstkisten um. Eltern bewachen den Schulweg ihrer Kinder. In einem Bewässerungsgraben hatten Arbeiter Mitte März einen Kanister gefunden, randvoll mit einem hellbraunen Pulver: Heroin. Das Erddepot eines Dealerrings war aufgeflogen.

Der Stoff ist überall. Riesige Mengen Rauschgift lagern in unterirdischen Verstecken. Dealer haben das ganze Land zu einem Lager und Umschlagplatz für Drogen gemacht. Viele haben die Bahnhofsgegenden und die Hafenviertel der Großstädte verlassen, jedes Dorf mit ihrem Gift überzogen.

„Der Stoff", ist das Resümee eines Hamburger Kripo-Fahnders, „versaut das Land." Der Drogenhandel scheint die Branche der unbegrenzten Möglichkeiten zu sein. Nie gab es soviel Ware, so viele Kunden und so viele Dealer. Mehr als 20 Tonnen harte Drogen pro Jahr werden bundesweit an Süchtige verteilt. Jährlicher Gewinn im Geschäft mit dem Tod: rund fünf Milliarden Mark.

Der Spiegel

Was kann man tun? Manche plädieren dafür, daß man alle Drogen legalisiert – denn nur so könne man sie wirklich kontrollieren. Ganz im Gegenteil, sagen andere: Dann hätte man überhaupt keine Kontrolle mehr! In den folgenden zwei Leserbriefen aus dem Spiegel *werden diese gegensätzlichen Standpunkte vertreten.*

Ich bin süchtig und werde es wohl auch bleiben. Meine Schwäche wird in dieser Gesellschaft kriminalisiert. Eine kontrollierte Ausgabe von Heroin und Kokain gäbe mir und anderen die Chance, meine Würde wiederzuerlangen. Ich bin nicht kriminell veranlagt, ich bin süchtig.

Gertrude W., z. Zt.
Frauengefängnis Preungesheim

die Ausgabe distribution
die Würde dignity
wiedererlangen get back

Wer durch Legalisierung dem Rauschgifthandel die Basis nehmen will, müßte konsequenterweise bereit sein, jedem, der Heroin und Kokain will, diese Rauschgifte auch zu geben. Das heißt auch Bundeswehrangehörigen, Flugzeugmechanikern, Busfahrern und Krankenpflegern, Jugendlichen und Kindern. Welcher Verantwortliche wird so weit gehen wollen? Wenn es aber zu Abgabebeschränkungen kommt, behält der illegale Rauschgifthandel weiterhin seine Triebfeder.

Dr. Ralf Krüger;
Klaus Mellenthin, Stuttgart

der Bundeswehrangehörige member of the armed forces
verantwortlich responsible
die Abgabebeschränkung restricted distribution
weiterhin still
die Triebfeder motivating force

Zu zweit: Was sollte man Ihrer Meinung nach tun? Diskutieren Sie die folgenden Fragen mit Ihrer Partnerin/Ihrem Partner und teilen Sie dann Ihre Meinung zu diesem Thema der ganzen Klasse mit.

- *Sollte man strengere Gesetze haben – zum Beispiel die Drogenhändler auf längere Zeit ins Gefängnis schicken? Oder die Drogen und den Drogenhandel entkriminalisieren? Sollte man vor allem Jugendliche aufklären, um zu vermeiden, daß sie süchtig werden? Oder vielleicht sogar schon Kinder? Oder sollte man in erster Linie versuchen, daß bereits Süchtige von ihrer Sucht wegkommen?*

Am schlimmsten ist es dann für Drogensüchtige, wenn sie aufhören wollen. Sie brauchen Hilfe – am besten, meinen manche, von solchen Leuten, die früher selbst einmal drogenabhängig waren und von ihrer Sucht loskamen. Diese Hilfe erhält man zum Beispiel in „Synanon" in (West-)Berlin.

sich zusammenschließen join together
der Vorsatz intention
gemeinnützig charitable; non-profit making
der Verein association
der Ökohof organic farm
die Gelegenheit opportunity
der Entzug withdrawal
die Tätigkeit activity
die Töpferei pottery
erwirtschaften obtain (by selling their products)
abweisen turn away

A Lesen Sie den folgenden Artikel über Synanon und beantworten Sie anschließend die Fragen von **B**.

B Erfahren Sie soviel wie möglich über Synanon, indem Sie Ihre Partnerin/Ihren Partner fragen, worum es in dem Artikel geht.

Fragen Sie zum Beispiel, *was es ist, wo es ist, wo die Leute dort herkommen, was sie dort wollen, was sie jeden Tag tun müssen . . .* Lesen Sie anschließend den Artikel.

Synanon – offene Türen für Süchtige

Eine kleine Gruppe Fixer schloß sich 1971 mit dem Vorsatz zusammen, keine Drogen mehr zu nehmen, und gründete Synanon. Dieser gemeinnützige Verein bietet mittlerweile etwa 280 Süchtigen in vier Häusern Westberlins und auf einem Ökohof in Hessen Unterkunft und Arbeit sowie Zeit und Gelegenheit, von der Droge – egal ob von Heroin oder Alkohol – wegzukommen.

Wenn der körperliche Entzug überstanden ist, werden alle Synanon-Bewohner in die Arbeit integriert. Mit Tätigkeiten im Haus (Küche, Wäsche, Hausreinigung) und Garten beginnt es. In einem kleinen Transportunternehmen, einer modernen Offsetdruckerei, einer Töpferei, auf dem Bauernhof und zukünftig in einem Café und in einer Bäckerei erwirtschaften die Synanon-Bewohner das nötige Geld für den Verein.

Sie erhalten die Gelegenheit, einen Beruf zu erlernen oder aufzufrischen und Fortbildungskurse zu belegen, um den Start ins selbständige Leben so gut wie möglich vorzubereiten. Keiner wird abgewiesen, jeder kann gehen, wenn er möchte, bleiben, solange er es für richtig hält.

Junge Welt

✻ Ausdrücke zum Einprägen

von der Droge – **egal ob** von Heroin oder Alkohol – wegzukommen

sie erhalten die Gelegenheit, einen Beruf zu erlernen

um den Start ins selbständige Leben **so gut wie möglich vorzubereiten**

solange er **es für richtig hält**

3

Doch nicht nur die Süchtigen selbst leiden unter ihrer Abhängigkeit von der Droge. Häufig sind gestörte Eltern-Kind-Beziehungen sowohl die Ursache als auch die Folge davon. Wie zum Beispiel bei der 37jährigen Irene M.:

Nur noch Zuschauer in dieser Welt

Keine Aussteigerin. Ein Elternhaus, wie es Millionen gibt. In einer renommierten Bank in Flensburg arbeitete sie als stellvertretende Abteilungsleiterin. Gutes Einkommen.

Aber mit 25 setzte sie den ersten Schuß Heroin. „Ein halbes Jahr später war ich meine Wohnung und meine Ersparnisse los", erzählte sie. „Meine Tochter aus erster Ehe wurde mir vom Jugendamt weggenommen."

Regelmäßige Arbeit hielt sie nur wenige Wochen durch. Sie brach in eine Apotheke ein. Die Eltern lösten alle Verbindungen zu ihr. Für das soziale Aus der Tochter hatten sie kein Verständnis. „Meine Eltern erzogen mich so, daß ich in allem perfekt sein sollte. Hübsch, schlank, intelligent. In der Schule war ich Klassenbeste. Ständig fühlte ich mich unter Leistungsdruck. Was ich wollte, wußte ich nicht."

Die erste Ehe ging schief. Mit einem ebenfalls süchtigen Mann versuchte sie eine neue Partnerschaft. Ihre beiden Kinder, Bianca und Kevin, inzwischen vier und zwei Jahre alt, bekamen alles mit: die Depressionen der Mutter, die Prügel des Vaters, die Unordnung in der Wohnung. „Ich hatte nicht die Kraft, mit den Kindern zu spielen, setzte sie jeden Tag vor den Fernseher. Sie erlebten nichts, entwickelten kaum Phantasie. Sie waren nur Zuschauer in dieser Welt, wie ich."

Es war wegen der Kinder, daß Irene M. schließlich dem Rat ihres Drogenberaters folgte und um Aufnahme bei Synanon bat . . .

10 Tage dauerte der körperliche Drogenentzug. Dann begann sie wie alle Bewohner bei Synanon zu arbeiten, zuerst im Reinigungstrupp, dann in der Wäscherei, jetzt im Garten. Mit den abendlichen Gesprächsrunden, die zur Entziehung gehören, versucht sie, sich über sich selbst klar zu werden und sich anzunehmen.

Noch wagt sie den Schritt ins eigene Leben nicht. Aber sie hat Zeit. Und sollte es Jahre dauern. Über die Hälfte der Synanon-Bewohner schafft es, wieder selbständig Fuß zu fassen. Was sich in den wenigen Monaten am spürbarsten für sie verändert hat? „Meine Kinder und ich, wir können wieder lachen."

Junge Welt

der/die Aussteiger(in) drop-out
die Abteilung department
die Ersparnisse (pl.) savings
die Ehe marriage
das Jugendamt youth welfare department
regelmäßig regular
die Verbindung connection
das soziale Aus ihrer Tochter (colloq.) their daughter being a social drop-out
das Verständnis understanding
ständig continually
schiefgehen go wrong
ebenfalls also; likewise
die Prügel (pl.) beating; thrashing
der Reinigungstrupp cleaning gang
die Gesprächsrunde discussion group
sich annehmen accept oneself
Fuß fassen stand on one's own feet

* Ausdrücke zum Einprägen

ein Elternhaus, **wie es Millionen gibt**

für das soziale Aus der Tochter **hatten sie kein Verständnis**

die erste Ehe **ging schief**

Wie würden Sie sich an Irenes Stelle fühlen?

Versuchen Sie, die ganze Geschichte von Irenes Standpunkt aus zu erzählen. Kürzen Sie etwas – schreiben Sie nur ungefähr 150 Wörter.

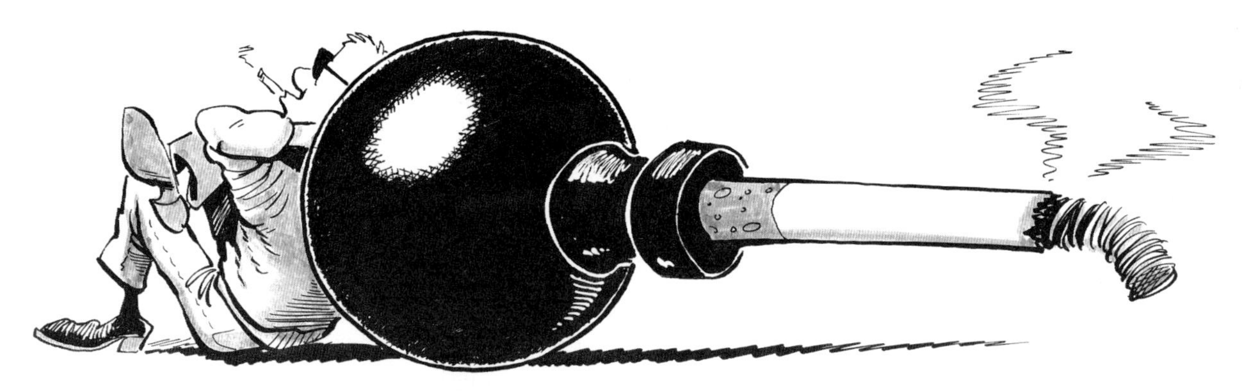

4 [cassette]

„Heroin, nein!" sagen Sie. „Keine Gefahr, daß ich süchtig werde!" Mag sein, aber bei jedem Päckchen Zigaretten besteht doch auch die Gefahr, (nikotin)süchtig zu werden. Wir haben eine junge Nichtraucherin und ihre Mutter, die schon lange und gerne raucht, gefragt, warum sie rauchen bzw. nicht mehr rauchen, und wie man in Deutschland im allgemeinen zu dieser Sucht steht.

es fällt mir schwer I find it difficult
das Suchtverhalten addictive behaviour
an die Nerven gehen be wearing on the nerves
zunehmen (here) put on weight
die Kneipe (colloq.) pub
aushalten bear; stand
spüren be sensitive to
stören trouble
der Mitmensch fellow human being
sich beschweren complain
das Bewußtsein awareness
schädlich harmful
der Krebs cancer
sich absetzen distance oneself
einsehen realize
die Beschwerden (pl.) trouble
die Gewohnheit habit
circa about
entspannen relax
gemütlich cosy; sociable
anbieten offer
die Absicht intention
lehrerhaft schoolmarmish

Hören Sie sich die Interviews an und teilen Sie sich dann in eine Gruppe Nichtraucher und eine Gruppe Raucher auf:

Die Raucher in der Klasse: Beantworten Sie folgende Fragen über die Tochter:

- *Seit wann raucht sie nicht mehr?*
- *Warum hat sie das Rauchen aufgegeben?*
- *War es schwer für sie, es aufzugeben?*
- *Was hat dabei geholfen?*
- *Was hat ihr dabei nicht geholfen?*
- *Sind die meisten jungen Deutschen ihrer Meinung nach gegen das Rauchen? Und die älteren?*

Die Nichtraucher in der Klasse: Beantworten Sie folgende Fragen über die Mutter:

- *Seit wann raucht sie?*
- *Hat sie es je aufgegeben? Wann?*
- *Hat es ihr geschmeckt, als sie danach wieder anfing?*
- *Warum raucht sie? (Sie nennt insgesamt drei Gründe.)*
- *Wer ist ihrer Meinung nach toleranter – die Raucher oder die Nichtraucher? Wieso?*

Die Nichtraucher: Rauchen Sie aus ähnlichen Gründen nicht, bzw. haben Sie aus ähnlichen Gründen aufgegeben? Finden Sie, daß Sie, die Nichtraucher, die Toleranteren sind?

Die Raucher: Warum rauchen Sie? Rauchen Sie aus ähnlichen Gründen wie die Mutter, die wir interviewten? Finden Sie auch, daß die Raucher im allgemeinen toleranter sind als die Nichtraucher?

* Ausdrücke zum Einprägen

ich hab' es dann **hauptsächlich aus** gesundheitlichen Gründen aufgegeben

es ist mir ziemlich schwergefallen, weil es doch . . .

bei den Älteren, glaub' ich, **ist es etwas besser geworden**

es ist vielleicht auch **gute Absicht dabei, aber** es ist auch . . .

5

Die gefährlichste Sucht ist aber der Alkohol. In Deutschland wird sehr, sehr viel Bier getrunken – und es sterben viel mehr Menschen durch Alkohol als durch harte Drogen.

B Lesen Sie folgenden Artikel über Alkoholopfer und beantworten Sie anschließend die Fragen von A.

A Erfahren Sie soviel wie möglich über die Folgen von zuviel Alkohol – dem „legalen" Suchtmittel –, indem Sie Ihre Partnerin/Ihren Partner fragen, worum genau es in diesem Artikel geht.

Fragen Sie zum Beispiel, was der deutsche Staat durch die Alkoholsteuer verdient, wie viele Leute wegen Alkoholabhängigkeit sterben im Vergleich zu wie vielen Drogenabhängigen, welche andere Auswirkungen Alkoholabhängigkeit hat . . .

Lesen Sie anschließend den Artikel.

Vor „legalen" Suchtmitteln gewarnt!

Rund 21 Milliarden Mark nimmt der Staat durch den Verkauf von Alkohol und Medikamenten ein. Angesichts stetig steigender Zahlen von Suchtkranken, die dem Konsum sogenannter legaler Drogen zum Opfer fallen, haben sich jetzt die Abstinenz- und Selbsthilfe-Vereinigungen für Initiativen der Bundesregierung stark gemacht. Die Gesundheitspolitik sei viel zu einseitig auf den Kampf gegen das Rauschgift konzentriert.

Den rund 1000 Drogentoten, die derzeit pro Jahr in der Bundesrepublik zu beklagen sind, stehen 20 000 Bürger gegenüber, die jährlich an den Folgen ihrer Alkohol- oder Medikamentensucht sterben. Hinzu kommen die 1 000 Toten pro Jahr, die als Opfer eines alkoholbedingten Unfalls gezählt werden. Bis zu 1,8 Millionen alkoholabhängige und bis zu 800 000 medikamentenabhängige Bürger müsse die Gesellschaft „tragen".

„Die Abhängigkeit von Suchtmitteln, insbesondere von Alkohol, hat eine ganze Reihe gravierender persönlicher und gesellschaftlicher Auswirkungen – durch Suchtkrankheiten zerrüttete Ehen, zerstörte Familien und verschuldete Haushalte", heißt es in einer Erklärung der Verbände. Besondere Sorgen bereitet den Experten, daß immer mehr junge Bürger als alkohol- und medikamentenabhängig erkannt werden und daß die Zahl der erkrankten Frauen ständig wächst.

Kölner Stadt-Anzeiger

angesichts in the face of
stetig continually
sogenannt so-called
sich stark machen für throw one's weight behind
beklagen mourn
alkoholbedingt alcohol-related
der Unfall accident
abhängig dependent; addicted
gravierend grave
die Auswirkung effect
zerrüttet wrecked
der Verband association
die Sorge worry

* Ausdrücke zum Einprägen

angesichts stetig steigender Zahlen von Suchtkranken

die Abhängigkeit von Suchtmitteln hat **eine ganze Reihe gravierender Auswirkungen**

besondere Sorgen bereitet den Experten, daß immer mehr junge Bürger . . .

Zur Diskussion: *Sollte Alkohol mit anderen süchtig machenden Drogen gleichgestellt werden? Oder ist Alkohol im Vergleich zu harten Drogen wie Kokain oder Heroin doch relativ ungefährlich?*

6

Kein Wunder, daß manche Deutsche an Streß leiden . . .

Kein Wunder auch, daß man in Deutschland ab und zu beschließt, man müßte etwas tun, um mal wieder richtig fit zu werden und gesünder zu leben. Fitneß-Programme scheinen in Deutschland zur Zeit sehr beliebt zu sein – bei denen, die Geld haben. Denn Geld brauchen sie – und vor allem dann, wenn sie, wie Peter Völkner, einen „Long-Evity"-Kurs machen wollen.

Wieder fit werden: Training für ein gesünderes Leben

Isolde kneift mich in die Hüfte. Mit einem Zentimetermaß und einer Umrechnungstabelle bestimmt sie den Fettanteil des Unterhautgewebes. „28,2 Prozent", kommentiert sie, „20 Prozent wären bei Ihrem Gewicht ideal." Daß sie dabei lächelt, erleichtert mich ein wenig.

Isolde ist Ernährungsberaterin und gehört zum „Long-Evity-Team" des Kurhotels „Josefinenhof" im Warmbad Villach in Kärnten. „Long-Evity" bedeutet soviel wie Langlebigkeit und steht für ein Fitneßprogramm und eine Ernährungsweise, die einen Beitrag für ein gesundes und damit vielleicht auch längeres Leben leisten soll.

Das Programm beginnt mit einer medizinischen Grunduntersuchung. Nach der Basisuntersuchung erhalten die Fitneßgäste ein individuelles Trainingsprogramm. Beratung und Betreuung leisten ein Sportlehrer, ein Sportwissenschaftler, ein Psychologe und die Ernährungsberaterin.

Der „Long-Evity-Tag" beginnt um acht Uhr mit dem „bewußten Erwachen". Dem noch verschlafenen Gast soll mit leichtem Gehen, mit Gymnastik und Atemübungen geholfen werden, sich schneller von der Nachtruhe auf die sportlichen Aktivitäten des Tages einzustellen. Nach dem Frühstück beginnt um neun Uhr das „Muskeltoning" im Kraftstudio, bei dem die wichtigsten Muskelgruppen durch ein dosiertes Gewichtstraining gestärkt werden. Nach kurzer Pause schließt sich das Ausdauertraining „Cardio fit" am Standfahrrad an. Höhepunkt und Abschluß des Vormittagstrainings ist „Aqua Gym", eine Wassergymnastik, im dreißig Grad Celsius warmen Thermalbad.

Ein bißchen Ruhe und ein kalorienbewußtes „Schlankmenü" zum Mittagessen leiten zu den Nachmittagsaktivitäten über, die vorzugsweise in freier Natur stattfinden. Die sanftgrüne Kärntner Frühjahrslandschaft animiert uns zu einem Fahrradausflug rund um den Faaker See, zu einem langen Spaziergang auf alten Römerpfaden und am letzten Tag zu einer Bergwanderung.

Zweimal wöchentlich steht in der Bibliothek „Long-Evity-Know-How" auf dem Programm. „Long-Evity ist nicht die abgehobene Lebensphilosophie eines Gurus", erfahren die

kneifen pinch
die Hüfte hip
das Zentimetermaß tape measure
bestimmen determine
der Fettanteil proportion of fat
das Unterhautgewebe subcutaneous tissue
erleichtern make one feel relieved
die Ernährungsberaterin (female) nutritionist
Kur- spa
einen Beitrag leisten make a contribution
die Grunduntersuchung basic examination
bewußt conscious
das Erwachen awakening
verschlafen half-asleep
die Atemübung breathing exercise
die Nachtruhe night's sleep
sich einstellen auf adjust to
dosiert carefully measured
die Ausdauer stamina
schlank slim
vorzugsweise preferably
der Römerpfad Roman trackway
abgehoben (colloq.) out-of-touch

▶

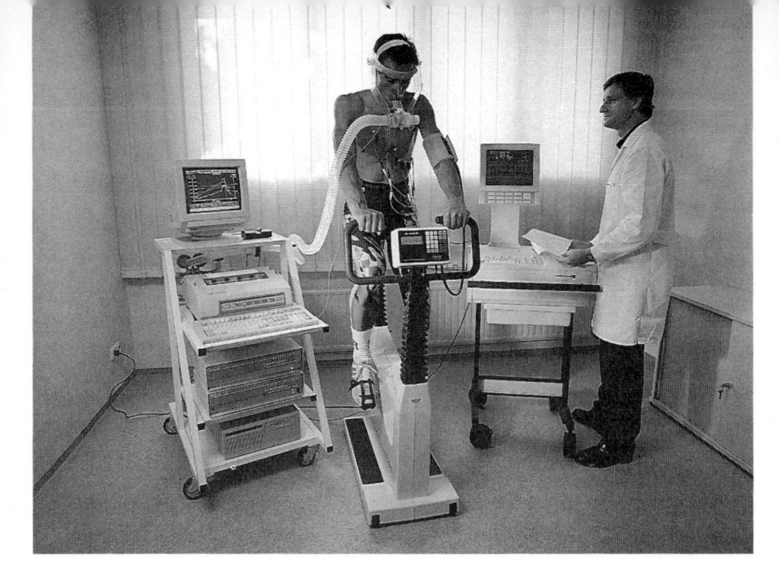

Zuhörer, „es steht für ein Konzept, in dem neueste sportmedizinische und trainingsmethodische Erkenntnisse in ein effektives Fitneßprogramm umgesetzt werden.“ Daß es sich tatsächlich so verhält, erfahren wir bei der Abschlußuntersuchung. Der Blutdruck hat sich normalisiert, der Ruhepuls gesenkt, das Gewicht ist leicht reduziert. Auch der Fettgehalt des Unterhautgewebes, penibel vermessen, liegt leicht verringert bei 27,2 Prozent.
Der Koffer ist gepackt, der Trainingsanzug verstaut. Mit guten Vorsätzen und der Gewißheit, unserem Körper auch in Zukunft etwas schuldig zu sein, ziehen wir Bilanz. Ich fühle mich fit und frage mich, ob ich es schaffen werde, regelmäßig weiterzumachen. Sportlehrer Gernot lächelt, als habe er meine Gedanken erraten: „Hier ist Ihr individuelles Trainingsprogramm, damit Sie wissen, wie es weitergeht.“ Von Zeit zu Zeit will er mich anrufen und fragen, wann ich zuletzt gelaufen sei . . .

Peter Völkner, Die Zeit

die Erkenntnis finding
umsetzen realize
sich verhalten behave; work
der Ruhepuls pulse at rest
penibel meticulously
verringert reduced
verstauen stow away
etwas schuldig sein owe something
Bilanz ziehen take stock
erraten guess

- *Meinen Sie, daß so ein Long-Evity-Kurs wirklich hilft, einen fit zu machen?*
- *Würden Sie gerne jeden Tag mit Gymnastik und Atemübungen beginnen?*
- *Glauben Sie, so ein Morgentraining würde Sie eher beleben oder eher erschöpfen?*
- *Finden Sie auch, daß solche Kurse mehr für das Gewissen als für den Körper tun?*
- *Kehren nicht die meisten in ihr normales Alltagsleben zurück – und leben dann wieder ungesund?*
- *Oder glauben Sie, daß so ein Fitneß-Kurs durchaus ein Wendepunkt im Leben sein könnte?*

Besprechen Sie diese Fragen oben zuerst in der Klasse. Schreiben Sie dann (ausführlich), was Sie von so einer Art Fitneßprogramm halten.

Lesen Sie nun Peter Völkners Bericht noch einmal. Haben Sie den Eindruck, als hätte er seinen Long-Evity-Kurs nicht ganz ernst genommen? Kann man das folgende Konzept dieser Long-Evity Idee eigentlich ernst nehmen: „Es steht für ein Konzept, in dem neueste sportmedizinische und trainingsmethodische Erkenntnisse in ein effektives Fitneßprogramm umgesetzt werden.“

* Ausdrücke zum Einprägen

sie soll **einen Beitrag für** ein gesundes Leben **leisten**

sie finden **vorzugsweise in freier Natur** statt

mit guten Vorsätzen **ziehen wir Bilanz**

von Zeit zu Zeit will er mich anrufen

Einheit 9 Die neuen Bundesländer

Die Frage wurde in Deutschland (Ost und West) lange diskutiert: Wie sollte man den östlichen Teil des neuen Deutschlands bezeichnen? Am Anfang sprach man von der „Ex-DDR", von der „ehemaligen DDR", von Ost- oder sogar noch Mitteldeutschland. Schließlich wurde die alte DDR zu den „neuen Bundesländern". Vorher aber hatten Spiegel*-Leser andere Vorschläge . . .*

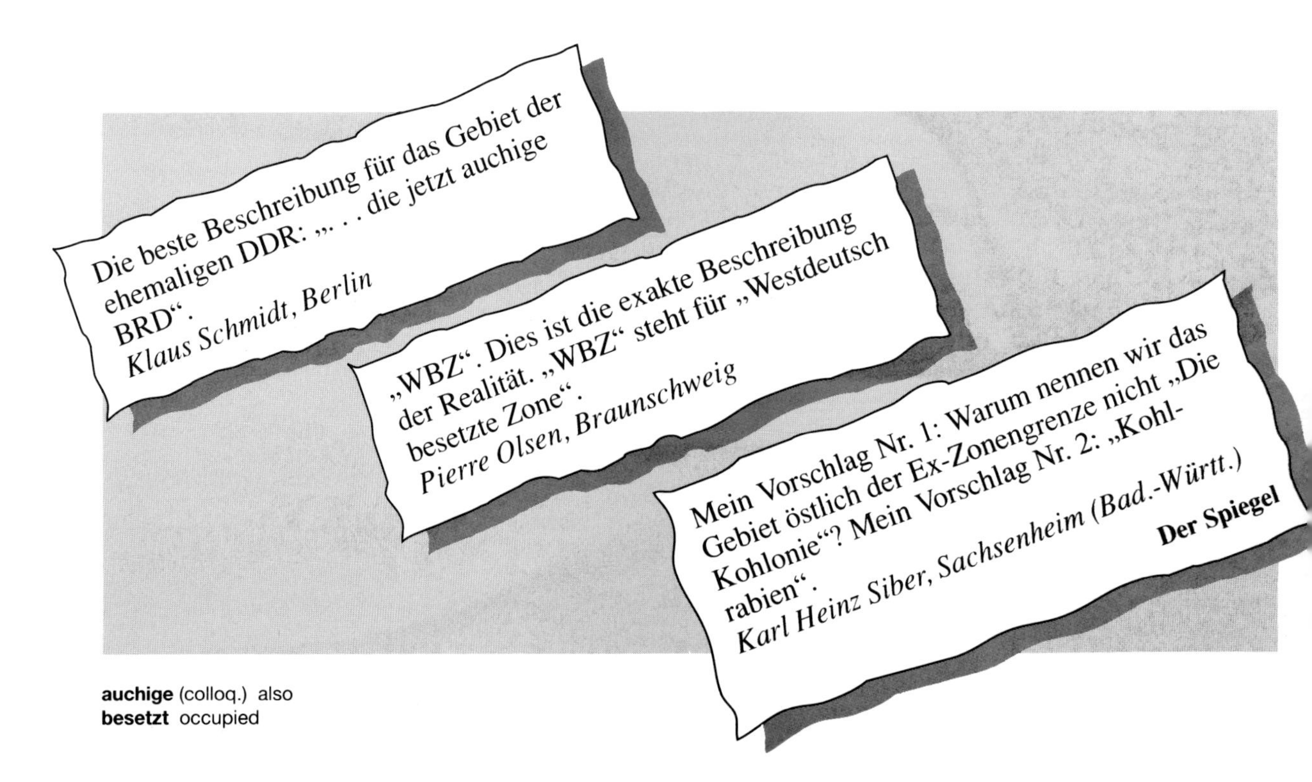
Die beste Beschreibung für das Gebiet der ehemaligen DDR: „. . . die jetzt auchige BRD".
Klaus Schmidt, Berlin

„WBZ". Dies ist die exakte Beschreibung der Realität. „WBZ" steht für „Westdeutsch besetzte Zone".
Pierre Olsen, Braunschweig

Mein Vorschlag Nr. 1: Warum nennen wir das Gebiet östlich der Ex-Zonengrenze nicht „Die Kohlonie"? Mein Vorschlag Nr. 2: „Kohlrabien".
Karl Heinz Siber, Sachsenheim (Bad.-Württ.)

Der Spiegel

auchige (colloq.) also
besetzt occupied

1

In den fünf neuen Bundesländern (sechs mit Berlin) gibt es nicht nur umweltbelastende Industriekomplexe aus den Vorkriegsjahren und heruntergekommene Stadtteile, sondern auch noch unzerstörte Landschaften, die die wichtigsten Naturschutzgebiete des neuen Deutschlands enthalten.

Zu zweit: Lesen Sie den Artikel (Seite 87 und 88) gründlich durch und machen Sie eine Liste der Reservate, die erwähnt werden (es sind nur sechs von den insgesamt vierzehn). Dann:

A Nennen Sie **B** (nacheinander) jeden neuen Nationalpark, Naturpark bzw. jedes neue Biosphärenreservat und fragen Sie sie/ihn, wo genau er/es liegt. Stellen Sie auch zusätzliche Fragen: Wie groß er/es ist, was in der Nähe liegt usw. (Auf der nächsten Seite ist eine Karte der neuen Bundesländer – die Naturschutzgebiete sind nicht eingezeichnet.)

B Auf Seite 94 finden Sie eine Karte der neuen Bundesländer, auf der die 14 neuen Naturreservate eingezeichnet sind. Beantworten Sie die Fragen von **A** anhand dieser Karte.

Eine Spitzenstellung im europäischen Naturschutz

14 neue Reservate in der Ex-DDR

Das Biosphärenreservat Spreewald

Der höchste Berg der Welt lag bislang im Harz: Es sei der Brocken, witzelten die Anrainer in der ehemaligen DDR, denn der sei von Ost und West her unbesteigbar. Mit Lauschantennen und sowjetischen Camps gespickt, war der Mittelgebirgsgipfel zur Festung geworden, tabu für jedermann, Militärs oder Stasi ausgenommen.

Goethes Blocksberg mit seinen formenreichen Granitklippen und alten Fichtenwäldern, in denen noch Wildkatzen hausen, zählt zu den insgesamt 14 Landschaften zwischen Ostsee und Rhön, die der DDR-Ministerrat, mit seinem letzten Gesetzgebungsakt, unter Naturschutz stellte. 10 000 Quadratkilometer – mehr als ein Zehntel des DDR-Gebiets – wurden als Nationalpark, Biosphärenreservat oder Naturpark ausgewiesen.

Als Nationalpark deklariert ist die „Vorpommersche Boddenlandschaft“: Der 805 Quadratkilometer große Park umfaßt die Halbinseln Darß, Zingst und die Gerhart-Hauptmann Insel Hiddensee. Die strengste internationale Schutzkategorie wurde diesem Küstenstrich zuerkannt, weil sich die Nehrungen, Dünen, lagunenartigen Flachgewässer und Steilküsten hier in ursprünglicher Form bewahrt haben.

Die Kreidefelsen von Jasmund auf Rügen rechtfertigen mit ihren urwüchsigen Buchenwäldern einen eigenen Nationalpark; als „Unesco-Biosphärenreservat“, zugehörig zu einem weltweiten Netz charakteristischer Kulturlandschaften, wurden die Moränenzüge von Mönchgut im Südosten Rügens eingestuft. ▶

die Spitzenstellung top position
der Naturschutz nature conservation
das Reservat reserve
witzeln joke
der Anrainer neighbour
die Lauschantenne listening aerial
gespickt (here) dotted
die Festung fortress
formenreich with a great variety of forms
die Klippe cliff
die Fichte spruce
der Ministerrat Council of Ministers
der Gesetzgebungsakt legislative act
ausweisen (here) institute
die Halbinsel peninsula
der Küstenstrich strip of coast
zuerkennen (here) give; award
die Nehrung sand bar
ursprünglich original
sich bewahren be preserved
der Kreidefelsen chalk cliff
rechtfertigen justify
urwüchsig natural
der Buchenwald beech wood
zugehörig belonging
das Netz network
die Kulturlandschaft cultivated area
die Moräne moraine
einstufen classify

verblassen pale
die Seenplatte lake district
der Binnensee lake
bucklig (here) bumpy
die Lindenallee avenue of lime trees
das Privatrevier private shoot
die Nomenklatura (colloq.) big noises
die Kernzone central zone
die Pferdekutsche carriage
der Kahn rowing boat
die Binnendüne inland dune
das Gehöft farm
erlengesäumt fringed with alders
das Fließen 'flow'
geteert tarred
die Niederungslandschaft low-lying area
der Eisvogel kingfisher
die Einbuße loss
der Zander zander; pike-perch
der Barsch perch
der Hecht pike
das Abwasser sewage
das Klärwerk sewage works
die Gemeinde municipality

„Alles, was die Bundesrepublik an Wasserlandschaften zu bieten hat", schrieb die Deutsche Jagd-Zeitung, „verblaßt neben der mecklenburgischen Seenplatte." Am Ostufer des zweitgrößten deutschen Binnensees, erreichbar über bucklige Eichen- und Lindenalleen, erstreckt sich der 308 Quadratmeter große Müritz-Nationalpark, der größtenteils Privatrevier der jagdlustigen Ost-Berliner Nomenklatura war. An schönen Wochenenden schieben sich jetzt die meist westlichen Autos auf den Alleen voran, Motorbootfahrer und Surfer vertreiben in der Kernzone des Parks am Müritz-Ostufer die Wasservögel. Die Müritz-Bewohner sähen statt dessen lieber einen „sanften Tourismus", der sich auf Wanderpfaden, mit Pferdekutsche oder mit Kahn durch die Natur bewegt.

Dasselbe Ziel verfolgen auch die Leute im „Biosphärenreservat Spreewald". Hochwälder, Feuchtwiesen, Binnendünen, kleine Äcker und alte Gehöfte wechseln in einem Labyrinth von rund 900 Kilometern erlengesäumten „Fließen", den Wasserstraßen des mit geteerten Kähnen befahrenen Kanalnetzes. Die „in Europa einmalige Niederungslandschaft", so Spreewald-Schützer Frank Hildebrand, ist Refugium für etwa 600 Fischotter, Eisvögel, Schwarzstörche und selten gewordene Insekten. Doch der Reichtum der amphibischen Landschaft hat schon Einbußen erlitten: Die Fließen, in denen noch Zander, Barsch und Hecht gefangen werden, sind durch die Abwässer der Region bedroht, weil die Klärwerke der umliegenden Gemeinden „technisch hinter dem Mond sind".

Der Spiegel

✻ Ausdrücke zum Einprägen

alles, was die Bundesrepublik zu bieten hat, **verblaßt neben** . . .

dasselbe Ziel verfolgen auch die Leute im Biosphärenreservat Spreewald

die **in Europa einmalige** Niederungslandschaft

die Fließen sind **durch** die Abwässer der Region **bedroht, weil** . . .

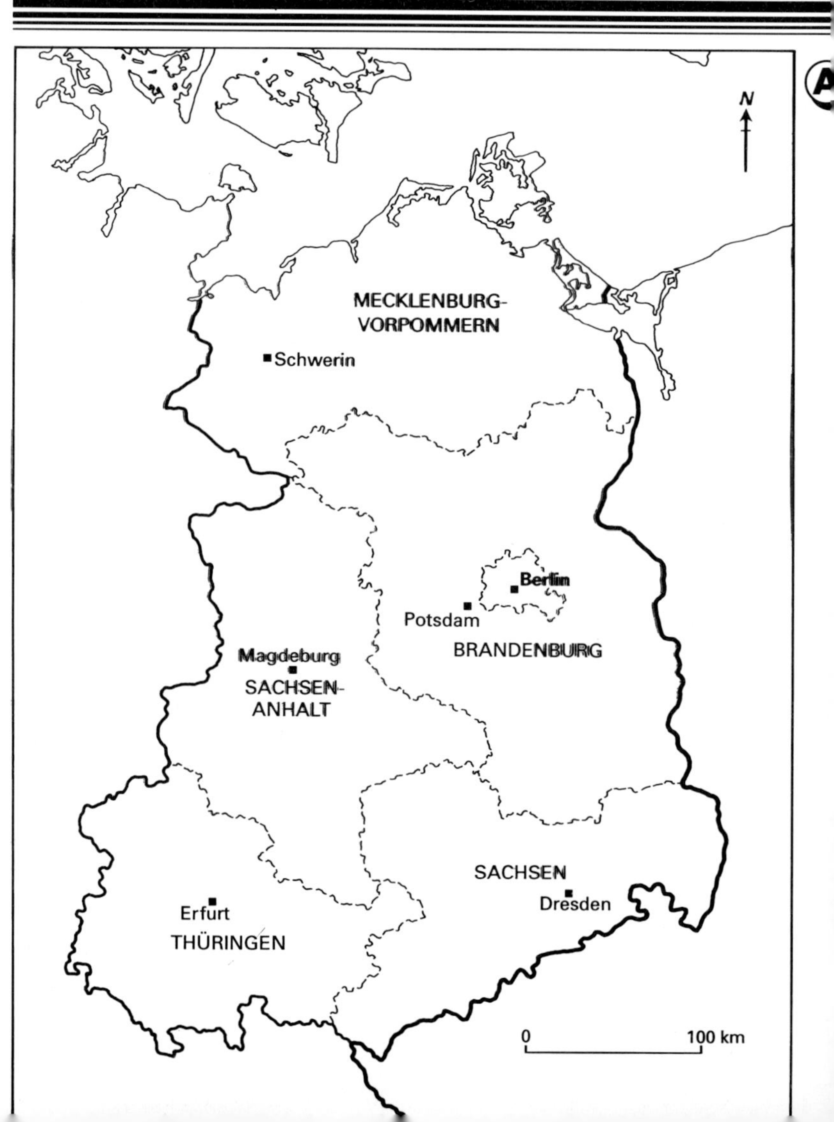

Die Kreidefelsen von Jasmund auf der Insel Rügen

Fischerhütten auf der Halbinsel Darß

2

Um Berlin herum erstreckt sich die sandige Landschaft der Mark Brandenburg. Durch den Dichter Theodor Fontane wurde diese Landschaft berühmt: Seine Wanderungen durch die Mark Brandenburg *fingen als einfache Reportage über den Spreewald an, doch 1888 waren daraus fünf dicke Bände über diese flache, seenreiche Landschaft geworden. Die Zeitschrift* Brigitte *schickte ihren Reporter Frank Nicolaus und einen Fotografen in die Mark Brandenburg . . .*

Lesen Sie sich den Bericht des *Brigitte*-Journalisten (Seite 90 und 91) durch und versuchen Sie dann, diese Fragen zu beantworten:

- *Wie wirkt diese Landschaft? Wie würden Sie die Atmosphäre dort beschreiben?*
- *Wie würden Sie die Landschaft selbst beschreiben?*
- *Welche historische Bauten findet man in der Mark Brandenburg?*
- *Wie sind die Landstraßen? (Und warum findet sie der Autor so schön?)*
- *Wer ist in Neuruppin geboren? Wie sieht die Stadt heute aus?*
- *Wie hat dem Autor der Spreewald gefallen? Warum war die Rückkehr nach Lübbenau „fast ein Kulturschock"?*

Schreiben Sie Ihre eigenen Artikel für einen Reiseführer über die Mark Brandenburg. Die Chefin des Reisebüros braucht vier Artikel mit höchstens dreißig Wörtern pro Artikel, und zwar über:

Niederfinow — Wandlitz
das Kloster Chorin — den Spreewald

Lesen Sie sich die entsprechenden Paragraphen noch einmal durch, ehe Sie Ihre Artikel (in Ihren eigenen Worten) schreiben.

Mark Brandenburg

Drei Tage unterwegs zwischen Spreewald und Ruppiner Schweiz

Eine für die Mark Brandenburg typische Allee

Diese Alleen. Sie führen weder hin zu einem Ort noch fort von ihm; diese schier endlosen Alleen stehen einfach Spalier und lassen die Zeit passieren. So scheint es. Und die Zeit hat es nicht eilig in der Mark Brandenburg, noch nicht. Auf holprigen Chausseen, gefurchten Wegen und gewundenen Pfaden bummeln die Jahre dahin. Hier sind selbst die bescheidensten Fortschrittspläne der sozialistischen Raumordner spurlos im märkischen Sand verlaufen.

Der in Neuruppin geborene Theodor Fontane, der die Schönheiten seiner Heimat auf Hunderten von Seiten für die Nachwelt festgeschrieben hat, schwärmte seinerzeit: „Dieses Erden-Fleckchen könnte mit jedem neuen Herrscher den Namen wechseln – es bliebe doch immer die Mark Brandenburg. Gibt es hier auch nichts, was es nicht anderswo geben könnte, so hat doch der Herrgott hier mit den einzelnen Noten ganz eigen komponiert."

Es gibt hier: zahlreiche Seen, Flüsse und Flüßchen, etliche Schlösser und Klöster; Landschaften wie Fontane-Prosa: mal intim idyllisch, mal streng und schlicht. Es gibt hier nicht: genug Tankstellen, Gästebetten und Rasthäuser. Schon Fontane erlebte seine „Wanderungen durch die Mark Brandenburg" oft als „abenteuerlich und beschwerlich". Er empfahl Tagesausflüge. „Du mußt nicht jeden Meter des Bodens unter die Füße nehmen, um mit diesem Land vertraut zu werden."

Der Fotograf Werner Mahler und ich folgten dem Dichter aufs Wort, von Berlin aus auf der Fernstraße 2 nach Nordosten. „Fernstraße" hört sich asphaltiert und breitspurig an. Doch die „F 2" holpert über altes Kopfsteinpflaster, ist manchmal kaum breiter als ein Radweg und hat ▶

Spalier stehen line the route
holprig bumpy
die Chaussee high road
gefurcht rutted
dahinbummeln dawdle along
bescheiden modest
der Fortschritt progress
der Raumordner regional planner
spurlos without trace
die Nachwelt posterity
schwärmen go into raptures
das Erden-Fleckchen lovely little spot
der Herrscher ruler
eigen in a way all its own
etliche quite a few
mal sometimes
streng stern
beschwerlich arduous
empfehlen recommend
vertraut familiar
breitspurig with wide lanes
holpern jolt

immer wieder Schlaglöcher parat. Mir gefällt es. Ich komme aus Bayern: dort ziehen sich die PS-Pisten wie präzise Peitschenhiebe durch die Landschaft; in der Mark Brandenburg aber wirken die Straßen wie ein Teil der Natur – als seien sie gemeinsam mit den Kiefern und Birken langsam aus dem Boden gewachsen.

Wiesen und Felder weithin. Kurz vor Eberswalde-Finow taucht ein dunkler Klotz aus Stahl am Horizont auf: das 60 Meter hohe Schiffhebewerk von Niederfinow, einst als technische Weltsensation gefeiert, heute noch ein beliebtes Ausflugsziel. Ein gigantischer Lift zwischen Oder und Havel, deren Flußbetten an dieser Stelle durch einen Höhenunterschied von 36 Metern voneinander getrennt sind. Täglich werden hier Dutzende von Lastkähnen in einer gewaltigen Wasserwanne gehoben oder gesenkt.

Wir verlassen die F 2, um auf kleinen Umwegen zum Ziel zu kommen. Vor uns Chorin. Das Kloster Chorin, gegen Ende des 13. Jahrhunderts von Zisterziensern errichtet, gehört zu den bedeutendsten Werken der märkischen Backsteingotik. Die Choriner Mönche besaßen über 60 Dörfer und drei Städte. Heute ist ihr Kloster nur noch eine restaurierte Ruine, eine sehr imposante freilich. „Alles ist tot hier, alles schweigt", notierte Fontane. Hundert Jahre später erleben es die Touristen anders.

Auf dem Rückweg kurze Rast in Neuruppin. „Theo was here" verkündet eine flüchtige Kreideschrift auf der Hauswand der Karl-Marx-Straße 84: Hier wurde der Schriftsteller Theodor Fontane geboren, am 30. Dezember 1819. „Theo" hat auch ein paar Worte über seine Vaterstadt verloren: „Lange, breite Straßen durchschneiden sie. Dadurch entsteht eine Öde und Leere, die zuletzt den Eindruck der Langeweile macht." Dem ist nichts hinzuzufügen.

Wenige Kilometer vor Berlin; wir fahren durch Wandlitz. Zu besichtigen ist ein Lehrstück von der Vergangenheit der Macht: Bei Wandlitz frönten, abgeschirmt vom Proletariat, die Führungsgreise des Sozialismus ungeniert der kapitalistischen Lebensart. Heute ist das ehemalige Bonzenparadies ein Pflegepark für Kranke und Gebrechliche. Eintritt frei. Und wieder war Fontane hier: Ein „bäuerliches Venedig" nannte er den Spreewald. Die märkische Jugend ist prosaischer; sie hebt vom einheimischen Gemüseanbau ab und nennt die Region „das Land der sauren Gurke".

Zu den Tatsachen: Keine andere DDR-Landschaft kann dem Spreewald das Wasser reichen; hier strecken die Spree und die Malze mehr als 250 Flußarme aus. Im Wasser flosseln Hechte, Brachsen und Zander; die Mückenschwärme stehen nicht unter Naturschutz, wohl aber Kraniche, Schwarzstörche und Fischotter.

Wir haben uns frühmorgens ein Paddelboot gemietet und sind à la carte in die lauschige Wildnis vorgedrungen, auf Wasserwegen, auf denen die Gruppenkähne striktes Fahrverbot haben. Acht Stunden waren wir unterwegs und haben mehr Seerosen als Menschen gesehen. Unsere Rückkehr nach Lübbenau erleben wir fast als Kulturschock: Volksfeststimmung im Hafen; in der Gaststätte „Zum grünen Strand der Spree" wirken nur noch Kinder und Kellner nüchtern.

Theodor Fontane hat die Schönheiten der Mark Brandenburg im Laufe von etlichen Jahren erforscht. Wir waren nur drei Tage unterwegs. Wäre der Dichter unser Reisegefährte gewesen, hätte er wohl milde aus seinem Werk zitiert: „Immerhin habt ihr jetzt genug gesehen, um zu wissen, daß ihr viel zuwenig gesehen habt."

Brigitte

das Schlagloch pothole
parat ready
die PS-Piste (PS = Pferdestärke, horsepower) racetrack road
der Peitschenhieb lash of the whip
gemeinsam mit together with
die Kiefer pine
die Birke birch
das Schiffhebewerk ship lift
feiern celebrate
der Lastkahn barge
gewaltig enormous
die Wasserwanne water tank
der Umweg detour
der Zisterzienser Cistercian monk
die Backsteingotik brick gothic
freilich admittedly
verkünden proclaim
flüchtig hurried
verlieren (here) say
die Öde dreariness
die Langeweile boredom
hinzufügen add
das Lehrstück 'didactic play'; object lesson
frönen indulge in
abgeschirmt shielded
die Führungsgreise old men of the leadership
ungeniert uninhibitedly
der Bonze bigwig
die Gebrechlichen the infirm
Venedig Venice
einheimisch native
abheben (here) derive
der Gemüseanbau vegetable cultivation
die Gurke gherkin
das Wasser reichen (+ dat) hold a candle to
flosseln flash their fins
die Brachse bream
die Mücke midge
lauschig quiet
die Seerose water lily
die Stimmung atmosphere
der Gefährte companion
milde indulgently

* Ausdrücke zum Einprägen

mal intim idyllisch, **mal** streng und schlicht

Werner Mahler und ich **folgten** dem Dichter **aufs Wort**

um auf kleinen Umwegen **zum Ziel zu kommen**

das Kloster Chorin **gehört zu den bedeutendsten Werken** der Backsteingotik

dem ist nichts hinzuzufügen

3

Auf der einen Seite gibt es diese idyllischen Landschaften in den neuen Bundesländern – auf der anderen Seite rußverschmutzte Städte mit baufälligen Gebäuden und mit Problemen, die man sich im Westen kaum vorstellen kann. Babett ist 18, wohnt in Zwickau und hat der Mädchenzeitschrift Girl! *etwas von ihren Alltagssorgen erzählt.*

Zwickauer Alltag

Zwickau in Sachsen. Die Luft dort nimmt dir fast den Atem: beißend, rußig, drückend . . . Babett (18) begegnet uns in der Fußgängerzone, fällt auf mit ihren braungebrannten, langen Beinen, die in abgeschnittenen Jeans stecken. Babett wohnt mit ihren Eltern in einer Altbauwohnung. Für uns verwöhnte Westler ein seltsames Bild: Der Flur mit abgeblätterter Wandfarbe, die Treppenstufen ausgelatscht von Gott weiß wie vielen Generationen schon. Die Toilette auf dem Hausflur – bis vor kurzem noch ein Plumpsklo! – ist jetzt durch ein „modernes" Spül-WC ersetzt worden. Die Heizung: Kohleofen.

Ihr Zimmer hat Babett sehr witzig gestaltet: Rosa und hellblau getüncht, die Decke halb so, halb so. Und Poster, jede Menge Poster von schönen, halbnackten Männern.

Im Alltag hat Babett noch mit Schwierigkeiten zu kämpfen, die wir uns kaum vorstellen können: „Da ist das Problem mit dem Telefon. Wir haben keins, wie die meisten. Wenn ich Claudia treffen will, meine beste Freundin, muß ich eben hingehen. Drei Treppen hoch, Claudia ist nicht da! Aha. Zettel reinwerfen, Verabredung treffen . . .

Babett

Oder meine andere Freundin, die wohnt ziemlich weit weg von mir. Da wir uns nicht fest verabreden können, haben wir oft spontan den gleichen Einfall und wollen uns gegenseitig besuchen. Dann fährt sie zu mir, ich zu ihr, und beide stehen wir vor verschlossenen Türen . . . Mist! Da fluch' ich dann schon manchmal, ehrlich gesagt."

Ein „echtes Problem" ist für Babett auch die Umweltverschmutzung. „Wenn ich nachts das Fenster öffne, dann ist morgens mein Laken voller schwarzer Staubkörner – Ruß! Überall Ruß! Wenn ich ein paar Stunden draußen war und abends das Gesicht wasche – schwarze Brühe geht da ab! Es ist ekelhaft. Aber von der Kohle leben wir nun mal . . ."

(Bravo) Girl!

beißend biting
rußig sooty
drückend oppressive
auffallen stand out
die Altbauwohnung flat in an old building
verwöhnt spoilt
seltsam strange
der Flur entrance hall
abgeblättert flaking
ausgelatscht (colloq.) worn away
das Plumpsklo earth closet
der Kohleofen coal-burning stove
gestalten do up; design
tünchen distemper
halbnackt half-naked
sich vorstellen imagine
der Zettel note
eine Verabredung treffen make a date
der Einfall idea
verschlossen locked
Mist! (here) damn!
fluchen swear
ehrlich gesagt to be honest
die Umweltverschmutzung environmental pollution
das Laken sheet
das Staubkorn dust particle
der Ruß soot
die Brühe (colloq.) muck
ekelhaft disgusting

* Ausdrücke zum Einprägen

die Luft dort **nimmt dir fast den Atem**

bis vor kurzem noch ein Plumpsklo

die Decke **halb so, halb so**

im Alltag hat Babett noch mit Schwierigkeiten zu kämpfen, **die wir uns kaum vorstellen können**

da fluch' ich dann schon manchmal, **ehrlich gesagt**

A Stellen Sie sich vor, Sie sind Babetts Vater. Schreiben Sie einen Brief an die Telefongesellschaft (*Deutsche Bundespost TELEKOM, Fernmeldeamt, Zwickau*), in dem Sie darlegen, warum es unbedingt notwendig ist, daß sie sobald wie möglich einen Telefonanschluß bekommen (die strikte Wahrheit wird nicht verlangt!). Geben Sie dann **B** Ihren Brief.

B Stellen Sie sich vor, Sie sind der Beauftragte der Telefongesellschaft. Teilen Sie Babetts Vater *(Herrn A. Murnau, Zwickauer Allee, Zwickau)* schriftlich mit, warum für ihn überhaupt keine Hoffnung besteht, in der nächsten Zeit einen Telefonanschluß zu bekommen (z.B.: zu viele Anträge, nicht genügend Telefonleitungen, viel zu wenig Ingenieure usw.).

4

Die schönste Großstadt der neuen Bundesländer ist zweifellos Dresden. Dresden ist die Hauptstadt des Freistaats Sachsen und liegt in einem weiten Talkessel der oberen Elbe (man nennt Dresden „das Elbflorenz"). Diese Stadt ist vor allem für ihre Kunstgalerien mit wertvollen Gemäldesammlungen und die vielen barocken Denkmäler berühmt. Eine der bekanntesten Galerien ist der Zwinger, errichtet 1710 - 32 von August dem Starken, dem Kurfürsten von Sachsen. Nicht weniger bekannt ist die von dem Architekten Gottfried Semper 1870 – 78 erbaute Oper, wohl das schönste Theatergebäude in ganz Deutschland.

Das Stadtzentrum Dresdens wurde von den Alliierten im Zweiten Weltkrieg fast völlig zerstört und in der DDR-Zeit nur teilweise wieder aufgebaut. Doch inzwischen hat man mit der Restaurierung des Stadtzentrums begonnen. Im Foyer der Semperoper sprachen wir mit Frau Hannelore Stefan, die uns etwas über die Geschichte der Residenzstadt des sächsischen Kurfürsten erzählte.

ober upper
im Laufe in the course
die Barockzeit the baroque period
die bürgerliche Zeit bourgeois period
die Gründerzeit the early 1870s (after the foundation of Germany when many new firms were founded)
zerstören destroy
der Flüchtling refugee
wüst desolate
das Trümmerfeld expanse of rubble
der Mut courage
der Spaten spade
aufräumen clear
die Fläche open space
aufgelockert opened up
die Gasse narrow street
die Wohnstruktur housing construction
der Betrieb firm
die Wende the turnaround
die Aussicht prospect
der Beitrag contribution
sächsisch Saxon
der Sammlungsbetrieb collection agency
das Gemälde painting
der Kunstgegenstand work of art
unterbringen house
die Stätte place
beachtet highly considered
der Apparat (here) organisation
die Ausstattung equipment; fitting-out
die Bauzeit construction period
zauberhaft delightful

Das, was Frau Stefan sagt, kann man unter folgenden vier Punkten zusammenfassen:

1 Die Geschichte Dresdens bis zum Zweiten Weltkrieg
2 Zerstörung und Wiederaufbau
3 Dresden – die Kunststadt
4 Die Semperoper

Hören Sie sich die Aufnahme (mindestens) zweimal an und machen Sie sich Notizen zu den vier Punkten oben. Versuchen Sie dann vor der Klasse, das Wesentliche von dem, was Frau Stefan sagte, nachzuerzählen.

Grüße aus Dresden!

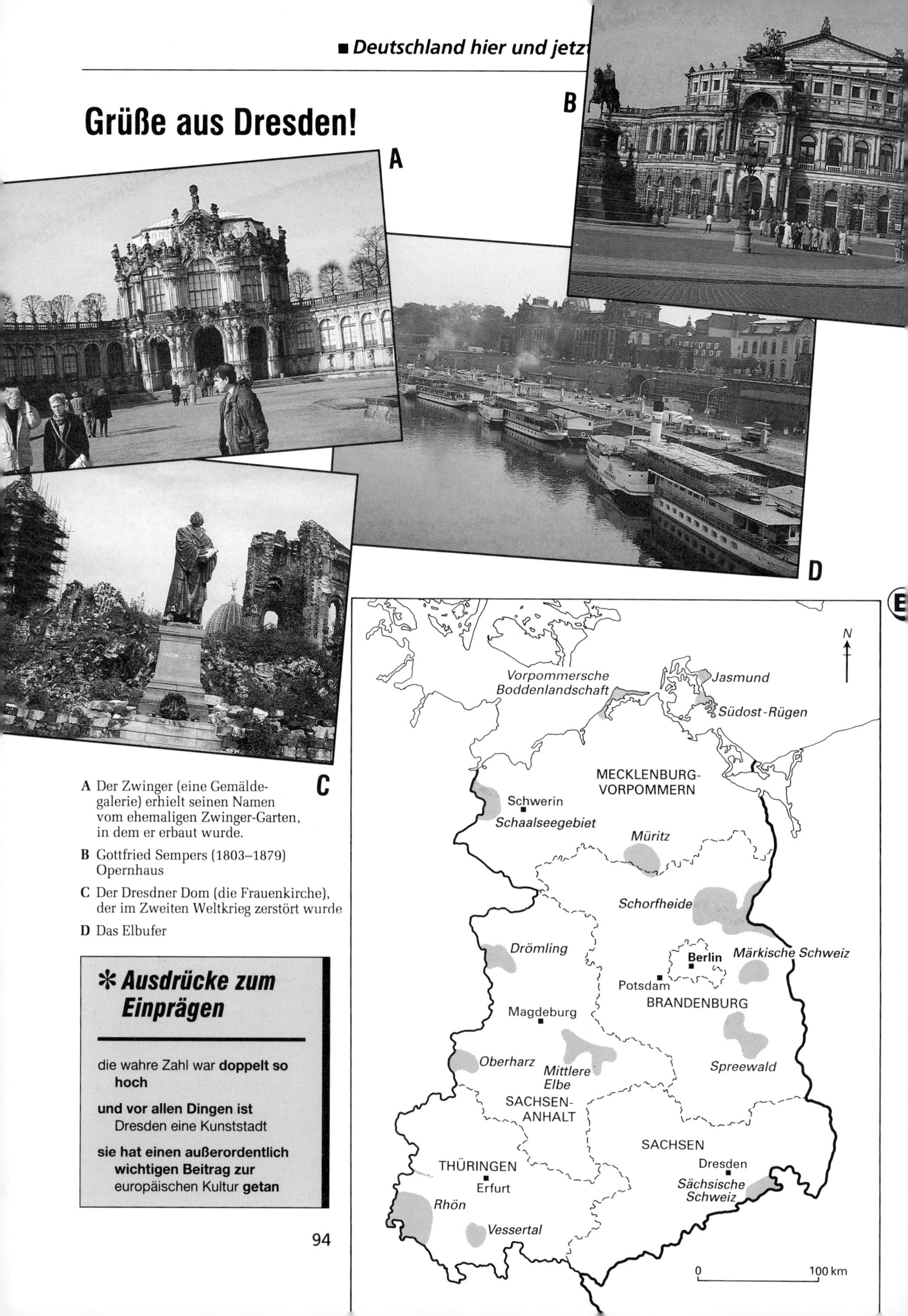

A Der Zwinger (eine Gemäldegalerie) erhielt seinen Namen vom ehemaligen Zwinger-Garten, in dem er erbaut wurde.

B Gottfried Sempers (1803–1879) Opernhaus

C Der Dresdner Dom (die Frauenkirche), der im Zweiten Weltkrieg zerstört wurde

D Das Elbufer

* Ausdrücke zum Einprägen

die wahre Zahl war **doppelt so hoch**

und vor allen Dingen ist Dresden eine Kunststadt

sie hat einen außerordentlich wichtigen Beitrag zur europäischen Kultur **getan**

Einheit 10 Die Sprache, die wir sprechen

1

Sprechen Sie deutsch? Eigentlich nicht, eher englisch oder amerikanisch, meint Der Spiegel. *Auch wenn viele Deutsche nicht immer alles verstehen: Die Anglizierung und Amerikanisierung der Sprache nimmt anscheinend rasend zu.*

Auf den wings der fantasy

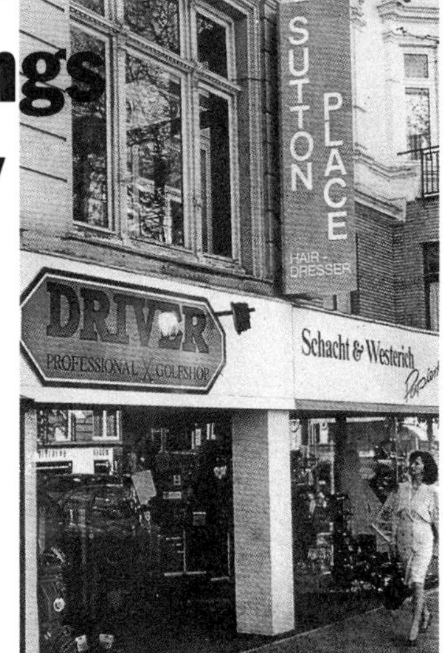

Hilflos steht die Kundschaft im Hamburger Amerikano-Eissalon vor den Köstlichkeiten. Bestellt wird mit dem Zeigefinger: Vor „brandied black cherry“ und „Swiss almond choc“ kapituliert selbst der Kenner und kann nicht mehr aussprechen, was er schleckt.

Deutsch ist out. „Rasend schnell wie noch nie steigt die Zahl der Wortimporte aus Amerika“, das hat Broder Carstensen, Sprachwissenschaftler von der Uni Paderborn, festgestellt. In Wirtschaft, Technik, Wissenschaft, im Freizeit-, Sport- oder Mediendeutsch gab es, sagt der Wissenschaftler, seit 1945 „keinen solchen Boom“.

Auch außerhalb der Universitäten fällt die Neusprach auf. Harschen Beschwerden sah sich kürzlich beispielsweise ein Münchner Kaufhaus ausgesetzt, das in einer Zeitungsanzeige für Jeans aus Amerika geworben hatte: Auf 10 Zeilen hatten die Texter 25mal Anglo-Deutsch untergebracht, darunter Kauderwelsch wie „Trendcolors“, „Jeans-Dressing“ und „Fashion-Varianten“.

Und in Mainz-Bischofsheim traten streitbare Konsumentinnen an zum Kampf gegen das Englisch im Supermarkt: Sie riefen auf zum Boykott gegen die Waren, „bei denen wir nicht verstehen, was draufsteht“. Die Proteste haben wenig mit Sprachpurismus und Deutschtümelei zu tun. Vielmehr fühlen sich vor allem ältere Menschen als Fremdc im eigenen Land.

Der Mainzer Übersetzer und Volksschullehrer Alfred Probst schickte seine Englisch-Schüler auf die Pirsch, um Amerikanismen zu sammeln, die sie nicht verstehen. Heraus kam eine „unglaublich lange Liste“. ▶

die Kundschaft customers
die Köstlichkeit delicacy
der Zeigefinger index finger
der Kenner connoisseur
schlecken eat (sweet things)
die Uni (colloq.) (= **die Universität**) university
feststellen establish
die Neusprach 'Newspeak'
die Beschwerde complaint
ausgesetzt exposed to
die Zeitungsanzeige newspaper advertisement
das Kauderwelsch gibberish
streitbar pugnatious
die Konsumentin (female) consumer
die Deutschtümelei hyper-Germanness
auf die Pirsch schicken send stalking

So ist in der Kosmetikabteilung des Kaufhauses die Tönungscreme zum „flawless finish liquid make-up" mutiert, die Pflegemilch zur „cellular treatment foundation" und der Nagellack zum „nail enamel". Auch der männliche Kunde kommt kaum mehr ohne Lexikon aus: Wo er einst Rasiercreme und Gesichtswasser erwarb, stößt er heute auf Merkwürdigkeiten wie „skinscent", „cleansing scrub" oder „razor burn relief".

Fast ebenso auffällig wie die Körperpflege-Branche ist die der Modemacher. Da kommt zum Beispiel die Herrensocke aus Schmallenberg, der Exotik zuliebe, „on wings of fantasy" daher.

In der Bundesrepublik, so hat Sprachwissenschaftler Carstensen ermittelt, nimmt seltsamerweise der Gebrauch von fremden Worten zu, die viele Menschen nicht verstehen. Der Professor ließ rund 700 Bundesbürger testen, und das Resultat beweist, daß Rätsel besonderen Reiz ausüben: Da wurde „Patchwork" als Fliegenklatsche, der „Drop-out" als „Münzautomat für Bonbons" und der „Underdog" als „Bekleidungsstück für junge Mädchen" identifiziert. Selbst altgediente Wortimporte wie „Vamp" oder „Slapstick", in Funk und Fernsehen geläufig, waren fast der Hälfte der Testpersonen unbekannt. Einer der Befragten verstand den Begriff „Brainwashing" besonders schön falsch: „Hab' ich noch nie gegessen."

Der Spiegel

die Tönungscreme (literally) 'tinting cream'
die Pflegemilch (literally) 'care milk'
erwerben acquire
die Merkwürdigkeit curiosity
auffällig striking
die Körperpflege body-care
der Modemacher fashion-designer
zuliebe (+ dat.) for the sake of
ermitteln ascertain; establish
zunehmen increase
das Rätsel puzzle
der Reiz attraction
die Fliegenklatsche fly swat
der Münzautomat slot machine
altgedient long-standing
geläufig familiar
der Begriff expression

✻ Ausdrücke zum Einprägen

schnell wie noch nie steigt die Zahl der Wortimporte aus Amerika

sie riefen auf zum Boykott gegen die Waren, „bei denen wir nicht verstehen, was draufsteht"

fast ebenso auffällig wie die Körperpflege-Branche ist die der Modemacher

das Resultat beweist, daß Rätsel besonderen Reiz ausüben

Was verstehen *Sie* unter Jeans-Dressing?!

Dafür oder dagegen? Für uns ist es meistens einfacher, wenn die deutsche Sprache Wörter aus Amerika und England importiert – aber für die Deutschen?

Zu zweit: Machen Sie auf einem Stück Papier zwei Spalten: links *Pro*, rechts *Kontra*. Machen Sie nun eine Liste von den Leuten, für die – aus bestimmten Gründen – die Anglizismen und Amerikanismen in der deutschen Sprache Vor- und Nachteile bringen, und nennen Sie dann die entsprechenden Vor- und Nachteile.

Anschließend: Einer liest die Liste der Klasse vor – und beide verteidigen sie!

Im Bereich der Musik findet man besonders viele Importe aus dem Englischen. Lesen Sie die Texte von Einheit 6 *(Musik, Musiker – und Fans)* noch einmal durch und machen Sie eine Liste von den englischen/amerikanischen Fremdwörtern, die Sie in den Artikeln gefunden haben.

- *Welche sind es? Und gibt es keine entsprechende deutsche Bezeichnung für sie?*

2

Die sogenannte Reinheit der Sprache kann oft auch eine politische, nationalistische Dimension haben. Das Beispiel Frankreichs und dessen Kreuzzug für ein „reines" Französisch scheint vielen Deutschen nachahmenswert. Die Zeit *sieht es allerdings anders:*

Deutsch exklusiv

Die Deutschen sind hohen Mutes – nun, da Deutschland zusammenwächst. Wirtschaftlich sind wir ja bereits Export-Weltmeister, politisch gilt uns globales Interesse, und wissenschaftlich holen wir alljährlich einen Nobelpreis. Deutschgesinnte schmerzt es da ungemein, daß ausgerechnet unsere Sprache international an Bedeutung verloren hat.

Schon sind ganze Berufsgruppen wie Piloten und Fluglotsen linguistisch perdu, Teenager ordern Cheeseburger mit viel Ketchup und lassen sich, verkabelt mit dem Walkman, vom letzten Hit antörnen. Computerkids fachsimpeln über Chips, Hardware, Software und checken das Manual des neuesten Laptop. Deutsch ist out, so scheint es.

In dieser akuten germanistischen Not kommt die Mahnung der geschätzten Frankfurter Allgemeinen Zeitung zur rechten Zeit: „Die historische Stunde, Sprachbewußtsein und Sprachstolz wiederzubegründen, darf nicht ungenutzt verstreichen." Schließlich sei es „nicht einzusehen, daß in einer Zeit, in der sich – zumindest im alten Europa – das Nationalbewußtsein der Völker auf eine zivilisierte Art regt, . . . die englische Sprache immerfort als ‚lingua franca' gelten soll". Dezent erinnert das Blatt daran, „daß vor 1933 Deutsch die Welt-Publikationssprache" für die Wissenschaften war. „Daran anzuknüpfen sollte – mit staatlicher Unterstützung – möglich sein".

Als Vorbild wird Frankreich mit seinem ungetrübten Sprachstolz gelobt. Was den Deutschen der Umweltschutz, ist den Franzosen ihr Sprachenschutz. Minister für die Frankophonie Alain Decaux will künftig allen wissenschaftlichen Tagungen die öffentlichen Mittel streichen, wenn Französisch nicht Kongreßsprache ist. Damit das gallische Idiom korrekt erschalle, werden internationale Begriffe wie *hardware* und *software* ersetzt durch *matériel* und *logiciel*. Das klingt entscheidend französischer.

Wollen also auch wir künftig einen Minister für Germanophonie? Keine Zuschüsse mehr für Publikationen bewilligen, die einzig in englisch erscheinen? Demnächst nur noch von Rechnern statt Computern, von *Hartware* und *Weichware* reden, weil's deutscher klingt?

Der Versuch, die Vormacht des Englischen zu brechen, ist naiv. Eine gemeinsame Sprache ist wichtiger als Nationalbewußtsein, das sich keineswegs immer auf zivilisierte Art regt, siehe Jugoslawien oder Rumänien. Und was wir bei anderen als Folklore belächeln mögen – ein markiger Deutschminister à la française dürfte statt der Germanophonie eher die Germanophobie fördern.

Die Zeit

hohen Mutes in high spirits
deutschgesinnt German-minded
ungemein tremendously
die Bedeutung significance
der Fluglotse air-traffic controller
verkabelt connected up
antörnen (colloq.) turn on
fachsimpeln talk shop
die Not distress; need
die Mahnung warning
geschätzt highly regarded
das Sprachbewußtsein language awareness
ungenutzt verstreichen let slip by
sich regen stir
lingua franca = common international language
dezent discreetly
daran anknüpfen pick up there
die Unterstützung support
das Vorbild model
ungetrübt untroubled
die Frankophonie the French-speaking world
die Tagung conference
die Mittel (pl.) means
streichen (here) cancel
erschallen ring out
entscheidend decidedly
künftig in future
der Zuschuß subsidy
bewilligen award
demnächst in future
die Vormacht supremacy
die Folklore local tradition
belächeln belittle
markig grandiloquent
die Germanophobie fear of Germany
fördern promote

Die Klasse teilt sich in zwei Gruppen:

Die eine Hälfte nimmt dieses Zitat aus der *Frankfurter Allgemeinen Zeitung* als Motto:

„Es ist nicht einzusehen, daß in einer Zeit, in der sich – zumindest im alten Europa – das Nationalbewußtsein der Völker auf eine zivilisierte Art regt, . . . die englische Sprache immerfort als ‚lingua franca' gelten soll."

* Ausdrücke zum Einprägen

Deutschgesinnte schmerzt es, daß unsere Sprache **an Bedeutung verloren hat**

daran anzuknüpfen sollte – **mit staatlicher Unterstützung** – möglich sein

als Vorbild wird Frankreich gelobt

was den Deutschen der Umweltschutz, **ist den Franzosen** ihr Sprachenschutz

der Versuch, die Vormacht des Englischen zu brechen, **ist naiv**

Die andere Hälfte nimmt dieses Zitat aus der *Zeit* als Motto:

„Der Versuch, die Vormacht des Englischen zu brechen, ist naiv. Eine gemeinsame Sprache ist wichtiger als Nationalbewußtsein."

Nun entwickeln beide Gruppen – getrennt – ihre jeweiligen Argumente, mit denen sie ihren Standpunkt vertreten und verteidigen können. Anschließend kommen beide Gruppen wieder zusammen und debattieren gemeinsam über dieses Thema.

Die Dudenredaktion habe festgestellt, daß die deutsche Sprache keine Wiedervereinigung brauche, da von den 300 000 bis 400 000 Wörtern der deutschen Gegenwartssprache nur wenige in West und Ost einen unterschiedlichen Inhalt hätten. Auch 90 Prozent der Anglizismen seien in der DDR gebräuchlich.

Berliner Zeitung

Gegenwart- present-day
der Inhalt content
gebräuchlich common

Das meinte die Dudenredaktion ein halbes Jahr nach der Wiedervereinigung – doch inzwischen ist sie anderer Meinung. Zwar sind kommunistische Begriffe wie die Produktionsgenossenschaft (co-operative), der Abschnittsbevollmächtigte (community policeman) oder das Winkelement (flag) verschwunden, aber in der Alltagssprache gibt es immer noch viele verschiedene Begriffe. Zum Beispiel: Kaufhalle (Ost)/Supermarkt (West), Plaste (Ost)/Plastik (West). Die Redaktion arbeitet inzwischen an einem gesamtdeutschen Duden!

A Lesen Sie sich den Text aus dem *Spiegel* (Seite 99) gründlich durch, um die Fragen beantworten zu können, die Ihnen **B** zu den unbekannten Ost-Ausdrücken stellen wird.

B Lesen Sie den Text noch nicht, sondern fragen Sie **A** zuerst nach der Bedeutung folgender ostdeutscher Ausdrücke:

der Broiler
der Stomatologe
der Schokoladenhohlkörper
die Sättigungsbeilage
die Datsche

Nachher dürfen auch Sie den Text lesen.

Getrennte Sprache

Den Broiler, mitsamt seinen Krallen und Federn, bringen die neuen Bundesbürger mit ins einig Vaterland. Aber nur jeder fünfte Erwachsene im bundesdeutschen Westen weiß, was drüben schon jedes Kind bei irgendeinem Sonntagsessen gelernt hat: Brathähnchen heißen im DDR-Deutsch Broiler. Noch immer rätseln die Sprachforscher, auf welchen Umwegen dieses im Englischen und Bulgarischen gebräuchliche, hierzulande früher völlig fremde Wort in die DDR gelangt ist.

Zu anderen DDR-Wortbildungen gehören der „Stomatologe", in den der altdeutsche Zahnarzt verwandelt wurde, der „Schokoladenhohlkörper" alias Osterhase und die „Sättigungsbeilage", die es noch immer gibt und die oft so fade schmeckt, wie schon der Name androht. 62 von 100 West-Deutschen kennen diesen Begriff nicht, der viel über das System verrät, das ihn auf alle Speisekarten von der Insel Rügen bis in die Sächsische Schweiz kommandierte.

Die russische Datscha ist fast jedem, die eingedeutschte Datsche nur jedem dritten West-Deutschen ein Begriff. Die Häuschen mit „a" wie diejenigen mit „e" sind vor den Stadttoren gelegen, aber die DDR-Datsche ist oft kaum mehr als eine Bude oder Laube, wie sie auch der westdeutsche Kleingärtner sein eigen nennt.

Umgekehrt haben auch Ost-Deutsche ihre Probleme mit einigen westlichen Begriffen. Wenn sie nach der Mehrwertsteuer gefragt werden, geben 43 Prozent der einstigen DDR-Bürger eine falsche oder gar keine Auskunft. Und darüber, ob Demoskopie der Astrologie oder der Mathematik näher ist, können 78 von 100 Ost-Deutschen nicht ins Grübeln geraten, denn so viele haben dieses Wort weder gehört noch gelesen.

Viele Eltern zwischen Elbe und Oder/Neiße (etwa die Hälfte) kämen nie auf den Gedanken, ihre Kinder für Azubis zu halten, wenn sie einen Beruf lernen. Dort hat der Lehrling alle Kaiser und Kommunisten, alle Wirren und Wenden überlebt.

Der Spiegel

die Kralle claw
das Brathähnchen roast chicken
rätseln rack one's brains
fade tasteless
androhen threaten
verraten give away
eingedeutscht Germanized
die Bude hut
die Laube summer-house
der Kleingärtner allotment-holder
umgekehrt conversely
die Mehrtwertsteuer value-added tax
die Auskunft (here) answer
die Demoskopie opinion polling
können nicht ins Grübeln geraten won't have to brood over it
der/die Azubi (= Auszubildende); der Lehrling apprentice
der Kaiser emperor
die Wirren (pl.) turmoil

* Ausdrücke zum Einprägen

die russische Datscha **ist fast jedem ein Begriff**

die DDR-Datsche **ist oft kaum mehr als** eine Bude

umgekehrt haben auch Ost-Deutsche **ihre Probleme mit** einigen westlichen Begriffen

viele Eltern **kämen nie auf den Gedanken**, ihre Kinder für Azubis zu halten

4

Einfluß aus dem Westen, Einfluß aus dem Osten – die deutsche Sprache ändert sich von Tag zu Tag wie jede lebende Sprache. Für den Durchschnittsdeutschen ist auch sein Dialekt genauso wichtig wie das Hochdeutsche.

Wir haben einen Norddeutschen und einen Bayern gebeten, jeweils den ersten Paragraphen des Artikels „Das Fest der dicken Bauern" auf Seite 57 vorzulesen. Hören Sie sich beide an. (Der Norddeutsche spricht zuerst.)

Welchen der beiden können Sie besser verstehen? Können Sie erklären, warum? Zum Beispiel:

Er spricht deutlicher/klarer/langsamer usw.
Er nuschelt/verschluckt die Endungen usw.

Welchen Unterschied merken Sie bei den Vokalen, bei den Konsonanten, beim Tonfall?

„Sach' ick, et hat mir jeschmeckt, denn gloob'n Se't nich. Sach' ick, et hat mir nich jeschmeckt, denn sind Se beleidigt. Fragen Se mir also nich, ob's mir jeschmeckt hat. Und wenn Se schon fragen, ob's mir jeschmeckt hat, dann sach' ick: Det jeht Se jar nischt an!"

Berliner Zeitung

die Besonderheit peculiarity
geläufig familiar
der Überblick survey
die Dienstreise business trip
das Grundübel basic evil
durchaus nicht abwegig zu nennen in no way to be viewed as erroneous
vorausgegangen previous
unter Zeitdruck stehen be pressed for time
das Holterdiepolter helter-skeltering
abschleifen (here) reduce
verbruchstücken fragment
ersetzen substitute (for)
nachgestellt postpositive
die Erscheinung phenomenon
eh (colloq.) in any case
der Zeitmangel lack of time
zusammenschmirgeln (colloq.) (here) reduce; (literally: sand down)
zwingend erforderlich absolutely necessary
der Müßiggang leisure
der Vokalwandel vowel change
auffällig conspicuous
die Eigenheit peculiarity
die Umformung transformation
lauthals at the top of one's voice
wegschnappen snatch away
berücksichtigen consider
der alte Käse (colloq.) old people
zuhauf in great numbers
weithin largely
anstecken be infectious
verpflichten bring obligations

5

Einen besonderen Reiz unter den verschiedenen Dialekten hat der der Hauptstadt Berlin. Der Berliner, so heißt es, hat „Herz und Schnauze" („aber vorwiegend Schnauze", sagen manche!).

Zu zweit: Versuchen Sie, die Bildunterschrift des Cartoons aus der *Berliner Zeitung* auf hochdeutsch umzuschreiben.

Ist es Ihnen sehr schwer gefallen?

Der folgende (ironische) Bericht wird Ihnen einiges über die Besonderheiten des Berliner Dialekts erklären.

Hier spricht die Reichshauptstadt

Für alle jene, denen die Besonderheiten des Berlinischen nicht geläufig sind, habe ich folgenden kleinen Überblick geschaffen, auf daß die nächste Dienst- oder Privatreise nicht unter jenem desasterösen Mißverstehen leide, welches als ein Grundübel der modernen Zivilisation zu bezeichnen durchaus nicht abwegig zu nennen ist.

Erste Regel: Ein Satz wie der vorausgegangene wäre auf Berlinisch nicht möglich. Der Berliner spricht zwar gerne und viel, neigt aber, da ständig unter Zeitdruck, zum schnellen Holterdiepolter, welches am liebsten die Worte und Sätze so abschleift und verbruchstückt, daß im Idealfall ein simples *„Wa?"* ganze Gedankenkomplexe zu ersetzen vermag.

Das nachgestellte *„Wa?"* gehört zu den wichtigsten sprachlichen Erscheinungen und wird natürlich nie, obwohl Frageform, beantwortet, da ein Berliner eh immer recht hat und dies, aus Zeitmangel als selbstverständlich angenommen, gar nicht bestätigt haben will. Im Einzelfall schmirgelt man in Berlin gerne Sätze auf die Hälfte zusammen, doch Formulierungen wie *„Hammwa nich!"* oder *„Wattn dette?"* sind nicht zwingend erforderlich. Ab und zu leistet sich der Berliner den Luxus des sprachlichen Müßigganges und hält dann sein *„Wat is denn dette?"* für den Gipfel manierierter Phrasierung in der Tradition von Thomas Mann und Hofmannsthal.

Neben dem Abschleifen gehört der Vokalwandel zu den auffälligsten Eigenheiten des Berlinischen. Da wäre zunächst die Umformung des „ei" in ein *„ee"*. Der Berliner flucht lauthals, wenn ihm jemand beim Metzger das beste Stück *Fleesch* vor der *Neese* weggeschnappt hat. Schwieriger wird die Rückführung, wenn der seltene Fall der Umwandlung von „ä" in *„ee"* zu berücksichtigen ist. Benannte man das Café *Keese* nach dem alten Käse, der dort zuhauf an den Tischen sitzt, oder nach Johann Gottlieb Keise, dem Erfinder des Tischtelefons?

Ein weiterer bedeutender Vokalwandel findet von „au" zu *„oo"* statt. Der Berliner fährt in den *Urloob*, doch selbst auf Tahiti bekommt er beim Gedanken an Berlin feuchte *Oogen*. Auf weithin bekannte Berolinismen wie die vereinfachte Artikelwendung (Merke: *„Dette is mia zu hees!"*, aber: *„Det Auto is mia zu kleen!"*) habe ich verzichtet . . .

Den Bundesbürgern bleibt also nur noch aufgetragen, sich in den nächsten Jahren mit den von mir erwähnten Sprachregeln einigermaßen vertraut zu machen. Berlin steckt an, und man sagt *uff dem Ku'damm* nicht umsonst: Hauptstadt von Deutschland – *dette vapflichtet!*

Michael Gerhardt, Kowalski

Die Kaiser-Wilhelm-Gedächtniskirche auf dem Kurfürstendamm in Berlin

Zu zweit: Machen Sie zusammen eine mündliche Übersetzung dieses nicht ganz einfachen Artikels (Seite 100) ins Englische. Schreiben Sie dabei jeden Berliner Ausdruck/Satz zuerst auf hochdeutsch auf.

* Ausdrücke zum Einprägen

. . . dies, **als selbstverständlich angenommen**, nicht bestätigt haben will

doch Formulierungen wie *„Hammwa nich!"* **sind nicht zwingend erforderlich**

ab und zu leistet sich der Berliner den Luxus . . .

6

Aufgrund des Vorhergehenden hätte man vielleicht denken können, jeder Deutsche sei ein Sprachwissenschaftler. Falsch! Sogar in Hamburg gibt es Leute, die Englisch weder sprechen noch schreiben können.

B Nun lesen Sie zuerst den Text und erzählen dann **A**, worum es darin geht (in Ihren eigenen Worten).

A Lesen Sie den Text noch nicht. **B** wird Ihnen erzählen, worum es darin geht. Stellen Sie Fragen, wenn Sie etwas nicht verstehen.

Die Grünen-Fraktion hatte vorgeschlagen, eine neuangelegte Straße im Hamburger Stadtteil Bahrenfeld nach dem pazifistischen Philosophen und Nobelpreisträger Bertrand Russell zu benennen. Die zuständige Senatsbehörde lehnte ab: Der Name des britischen Gesellschaftskritikers könne weder „korrekt ausgesprochen noch geschrieben werden", was „im Hinblick auf Rettungs-, Taxen- und Lieferverkehr zu problematischen und ärgerlichen, zum Teil gefährlichen Zeitverzögerungen" führen könne.

Mit einer Liste ungewöhnlicher Straßennamen hoffen die Grünen, die Senatsbürokratie nun doch noch zu überzeugen: Hamburger Feuerwehrleute, Rettungssanitäter und Taxifahrer stellten tagtäglich ihre „sprachliche Intelligenz unter Beweis" beim Umgang mit Ortsbezeichnungen wie „Bellealliancestraße, Henry-Budge-Straße, Schluisgrove" oder schlicht „Rüümk".

Der Spiegel

neuangelegt newly built
zuständig competent
die Behörde authority
im Hinblick auf with regard to
ärgerlich troublesome
die Zeitverzögerung delay
der Rettungssanitäter ambulance man
unter Beweis stellen provide proof of
beim Umgang mit by dealing with
schlicht simply

Einheit 11 Vorsprung durch Technik

1

Heutzutage meint man mit Technologie fast immer Computer. Was nicht selbst Computer ist, wird computergesteuert oder computergestützt. Auch in Deutschland. In Hannover findet jedes Jahr eine große Messe statt, die immer mehr der fast ausschließlichen Anbetung des Computers zu dienen scheint.

die Messe trade fair
die Autobahnspur motorway lane
lotsen guide
unentbehrlich indispensable
messeeigen trade-fair's own
die Verkehrszentrale traffic control centre
der Aussteller exhibitor
weiterhin (here) still
leistungsfähig powerful
der Renner seller
der Vertreter representative
aufklappen fold open
die Tastatur keyboard
der Flüßigkeitskristall-Bildschirm liquid-crystal screen
auf Erfolgskurs on the way to success
sich tun be happening
Funk- radio
das Gerät piece of equipment
der Vorgänger predecessor
abspecken slim down
der Maßstab standard
die Nachrüstung (here) upgrading
der Anrufbeantworter answering machine
die Übertragung transmission
Spitzen- top
frönen indulge in

* Ausdrücke zum Einprägen

die großen Renner dürften immer noch die Laptops **sein**

im Mittelpunkt des Interesses stand das weite Feld der Telekommunikation

weiter auf Erfolgskurs sind die Telefax-Geräte

einiges tat sich auch auf dem Gebiet des Mobilfunkverkehrs

damit nicht genug, läßt sich „miniporty" im Auto installieren

Computermesse CeBit in Hannover

Wenn sich riesige Autoströme zu den Veranstaltungen der Computermesse CeBit in Hannover bewegen, schaltet die Polizei alle Autobahnspuren, auch die der Gegenrichtung, für die Messegäste frei und lotst sie mit unglaublicher Perfektion auf die großen Parkplätze. Unentbehrliche Helfer der messeeigenen Verkehrszentrale: Computer. Und um die drehte sich auch fast alles auf der mit mehr als 4 000 Ausstellern und über einer halben Million Besuchern weltgrößten Messe der Büro-, Informations- und Telekommunikationsindustrie.

Die Computer werden weiterhin schneller, leistungsfähiger und kleiner. Die großen Renner dürften immer noch die Laptops sein, bequem zu transportierende, aber hochleistungsfähige und IBM-kompatible Personalcomputer, deren kleinste Vertreter nunmehr nicht viel größer als ein Taschenbuch sind. Zur Benutzung werden sie aufgeklappt, um eine Tastatur und einen Flüssigkeitskristall-Bildschirm freizugeben.

Im Mittelpunkt des Interesses stand das weite Feld der Telekommunikation. Weiter auf Erfolgskurs sind bei den Datenkommunikationsdiensten die Telefax-Geräte, mit denen man sehr schnell und kinderleicht über normale Telefonleitungen Schriftstücke und Grafiken fernkopieren kann.

Einiges tat sich auch auf dem Gebiet des Mobilfunkverkehrs. Philips lieferte mit „miniporty" ein Beispiel für eine neue Generation nun noch leichterer Funk-Handtelefone. Mit einschließlich Batterien nur 630 Gramm Masse hat das Gerät gegenüber seinem Vorgänger merklich abgespeckt. Damit nicht genug, läßt sich „miniporty" im Auto installieren, um dort weitere Hightech-Maßstäbe zu setzen wie die mögliche Nachrüstung mit einem Anrufbeantworter, Telefax-Gerät sowie die Übertragung der Computerdaten eines Laptops per Funk! Mit solch einem mobilen computerisierten Büro können Spitzenmanager nun endlich an jedem Ort und rund um die Uhr ihrer Lieblingsbeschäftigung, der Arbeit, frönen.

Berliner Zeitung

Machen Sie eine Liste der in dem Artikel auf Seite 102 genannten Neuigkeiten oder Neuentwicklungen: Wie das Gerät heißt, was es leistet usw., und ob Sie selbst gerne so ein Gerät besitzen möchten (ja/nein). Erklären Sie jedes Mal in einem einzigen Satz, warum oder warum nicht.

2

Wenn Computer so klug sind, brauchen wir dann überhaupt noch Menschen? Ein Reporter des Tagesspiegels *entdeckte auf der Messe in Hannover einen Flughafen (fast) ohne Personal.*

Der Flughafen der Zukunft steht in Halle 1

Wer auf der CeBit in Halle 1 am Stand der Firma Nixdorf vorbeigeht, kann sich beinahe wie auf einem richtigen Flughafen fühlen: Counter für Ticket und Gepäck sind vorhanden, und ein Gate führt zum Flugzeug. Im Unterschied zum richtigen Flughafen gibt es bei der „Nixdorf-Airline" jedoch kaum Personal. Der Fluggast darf – vorausgesetzt, er hat die entsprechende Chipkarte – am Ticket-Center alles selber machen: Flugziel und Flugzeit bestimmen, die Klasse und auch den Sitz wählen. Ist alles richtig, werden die Angaben per Tastendruck bestätigt und das Ticket wird ausgedruckt, das Konto entsprechend belastet.

Dabei sollen die neuen Techniken das Bodenpersonal nicht ersetzen oder gar „freisetzen". Bei Nixdorf wird argumentiert, daß das Personal dadurch mehr Zeit für aufwendigere Beratungen der weniger Flugerfahrenen und bei Problemfällen gewinnt, ohne andere Passagiere dadurch unnötig warten zu lassen.

Obwohl das Unternehmen jetzt selbst von seinen 28 000 Mitarbeitern 4000 entläßt, ist die Stimmung des Nixdorf-Stand-Personals alles andere als resignativ . . .

Der Tagesspiegel

vorhanden present
der Fluggast airline passenger
vorausgesetzt provided
entsprechend appropriate
das Flugziel destination
bestimmen determine
die Angabe instruction
per Tastendruck at the touch of a button
bestätigen confirm
ausdrucken print out
belasten (here) debit
das Bodenpersonal ground staff
ersetzen replace
aufwendig extensive
die Beratung advice
der Flugerfahrene experienced air-traveller
entlassen sack

✻ Ausdrücke zum Einprägen

- **im Unterschied zum** richtigen Flughafen **gibt es** . . .
- der Fluggast darf – **vorausgesetzt, er hat die entsprechende** Chipkarte – alles selber machen
- **ist alles richtig, werden** die Angaben per Tastendruck bestätigt
- **bei Nixdorf wird argumentiert, daß** das Personal dadurch mehr Zeit gewinnt
- **obwohl** das Unternehmen jetzt 4000 Mitarbeiter entläßt, **ist die Stimmung alles andere als resignativ**

„Dabei sollen die neuen Techniken das Bodenpersonal nicht ersetzen oder gar ‚freisetzen' . . . "

Glauben Sie das? Wenn schon alles computergesteuert ist, wird man dann wirklich noch so viele Leute beschäftigen wie vorher, bloß um „die weniger Flugerfahrenen" zu beraten? Können Sie andere Beispiele nennen, wo der Computer Menschen ersetzt hat? Ist es tatsächlich besser oder effektiver, wenn man von einer Maschine bedient wird – vor allem in einem Flughafen, kurz bevor man abfliegt? Was ist wichtiger, die Zuverlässigkeit eines Computers oder der menschliche Kontakt?

Schreiben Sie zwei Absätze zu diesem Thema.

3

Bei Kindern und Jugendlichen sind Computer zu einer regelrechten Sucht geworden. Mütter und Väter sind besorgt, weil ihre Kinder – vor allem Jungen – stundenlang vor dem Computer sitzen. Eine Generation von Computerzombies?

Mädchen bäh

Ein beängstigender Wandel hat mit dem Computer in vielen Familien Platz ergriffen: Hinter verschlossenen Kinderzimmertüren ist nur noch das enervierende Klappern der Computertasten zu hören. Wenn er den Rechner nicht mehr hätte, so ein 13jähriger ratlos, säße er „Tag für Tag da" und wüßte nicht, was er machen sollte.

Immer wieder haben Kulturpessimisten seit Ende der siebziger Jahre solche Horrorvisionen ausgemalt: Scharen von pickelgesichtigen Computerzombies, eine Spezies von „zwanghaften Programmierern", die „mit tief eingesunkenen, brennenden Augen vor dem Bedienungspult" sitzen und sich zum Schlafen auf der „Liege neben dem Computer" niederlassen.

Wissenschaftler des Frankfurter Instituts für Sozialforschung befragten 449 männliche und 17 weibliche Computerfans zwischen 10 und 23 Jahren, die sie in Schulen, Computerclubs oder auf Computermessen ausfindig gemacht hatten. Mehr als 13 Stunden pro Woche verbrachten die befragten Freaks durchschnittlich am Bildschirm, über die Hälfte davon, um Programme zu basteln.

Die Kids hantieren mit neuester Technik, aber im Kopf sind sie steinalt. Sie sind technikgläubig, erfolgs- und leistungsorientiert, am liebsten möchten sie sich möglichst geradlinig durchs Berufsleben und ans frühe Geld programmieren. Die Werte der Erwachsenenwelt müssen ihnen nicht erst eingetrichtert werden, sie sind durch den Computer schon da: „hedonistischen Vorstellungen von Lebensgenuß und jugendlichen Ausbruchsphantasien" haben die meisten Computersüchtigen abgeschworen.

Und panische Angst empfindet der computernde Nachwuchs vor allem, was sich mit Logik nicht begreifen läßt. Mädchen, in ihren Augen Inbegriff des Unlogischen, sind für „harte" Programmierer ohnehin „bäh".

Der Spiegel

bäh ugh
beängstigend worrying
der Wandel change
Platz ergreifen spread
enervierend enervating
ratlos at a loss
ausmalen describe
pickelgesichtig spotty-faced
zwanghaft compulsively
das Bedienungspult operating console
die Liege camp-bed; couch
ausfindig machen find
durchschnittlich on average
basteln make one's own
hantieren be busy with
steinalt ancient
geradlinig in a straight line
der Wert value
eintrichtern drum in
der Lebensgenuß enjoyment of life
die Ausbruchsphantasie fantasy of escape
abschwören renounce
der Nachwuchs offspring
der Inbegriff quintessence
ohnehin anyway

* Ausdrücke zum Einprägen

wenn er den Rechner nicht mehr hätte, **wüßte er nicht, was er machen sollte**

immer wieder haben sie solche Horrorvisionen ausgemalt . . .

am liebsten möchten sie sich möglichst geradlinig ans frühe Geld programmieren

- *Finden Sie auch, daß eine „Generation von Computerzombies" heranwächst?*
- *Haben Sie je selbst vor dem Bildschirm gesessen und wollten nicht mehr weg davon?*
- *Stellt diese Computersucht eine wirkliche Gefahr dar?*

Schreiben Sie einen Dialog zwischen Max, einem 13jährigen Computer-Freak, und seiner Mutter. Max sitzt in seinem Zimmer vor seinem Computer, seine Mutter ist draußen vor der Tür. Max erklärt, warum er nicht von seinem Computer weg will.

4

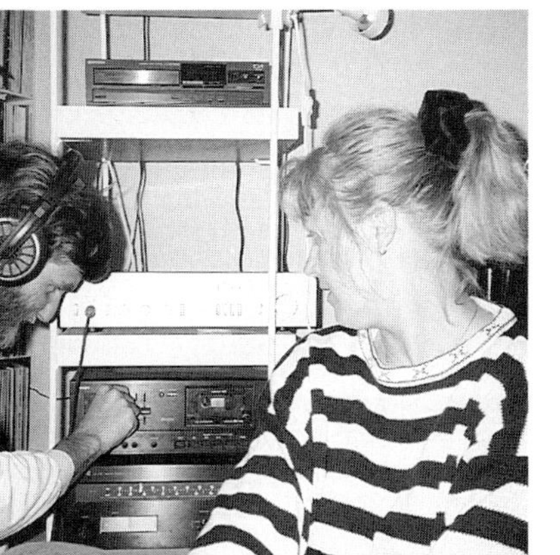

Aber nicht alle Jugendliche verbringen die meiste Zeit ihres Lebens vor dem Bildschirm – oder begrüßen jedes neue, technologisch noch perfektere Gerät. Wir haben darüber mit Christiane und Frank gesprochen. Hören Sie sich die Aufnahme an und beantworten Sie dann folgende Fragen:

- *Was findet Christiane am schwierigsten?*
- *Warum helfen ihr die Gebrauchsanweisungen nicht weiter?*
- *Welche Geräte, findet sie, sind am schwersten zu bedienen?*
- *Meint sie, daß die Geräte komplizierter geworden sind?*
- *Was tut Christiane, wenn ein Gerät nicht funktionieren will?*
- *Was machen, in Christianes Erfahrung, die meisten Frauen, wenn ein Gerät nicht funktioniert?*
- *Was, behauptet Frank, hilft, wenn man ein neues Gerät aufbauen will?*
- *Meint er, daß Männer an die Technologie unkomplizierter herangehen als Frauen?*
- *Warum glauben so viele Leute (in Franks Augen), technisch unbegabt zu sein?*

zunächst einmal first of all
die Gebrauchsanweisung instructions
vornehmen look at; study
umsetzen put into practice
der Knopf knob
zurechtkommen cope
das hat kaum Sinn it's not really worth trying
sich beschäftigen mit bother with
neuerdings recently
einstellen adjust
die Ahnung idea
reklamieren complain
die Ausnahme exception
sich herantrauen an (colloq.) trust oneself with
die Bekanntschaft acquaintance
anschließen connect up
dazulernen learn (something new)
ähnlich aufgebaut put together in the same way
die Erfahrung experience
sammeln collect
das Geschlecht sex
der Mut courage
sich trauen dare
'rangehen (colloq.) tackle
unbegabt untalented

* Ausdrücke zum Einprägen

das Schwierigste, was es da überhaupt **gibt, sind** die Gebrauchsanweisungen

das hat kaum Sinn, sich damit **zu** beschäftigen

unter Frauen **bin ich** bestimmt **keine Ausnahme, weil** . . .

aber es ist doch immerhin so, daß, wenn man einmal . . .

Zu zweit: *Welcher Meinung sind Sie? Ist es eine Frage des Geschlechts? Liegt es an den Gebrauchsanweisungen? An den bisherigen (schlechten) Erfahrungen? Ist es eine Frage des Muts? Ist die moderne Technologie einfach zu kompliziert?*

Diskutieren Sie diese Fragen und teilen Sie dann der ganzen Klasse Ihre Meinung mit.

Aber Technologie, das bedeutet ja nicht nur Computer oder Video. Hier zum Beispiel hat ein erfinderischer Deutscher moderne Technologie zur (möglichen) Verbesserung eines Geräts angewandt, das zum Alltag vieler Menschen gehört.

Mit Laserstrahlen gegen den Bartwuchs

Das Gerät ist etwa 15 Zentimeter lang und hat einen Filter gegen den Geruch verbrannter Haare. Darin verbirgt sich ein elektronik-gesteuerter Laser, der dem Bartwuchs des modernen Mannes an die Stoppeln gehen soll. Die Idee befindet sich noch auf dem Reißbrett, wurde aber bereits auf dem „Zweiten Medizinischen Erfinderkongreß Deutschlands“ in Bad Homburg vorgestellt. Der Erfinder des Laser-Rasierers erklärte, bei herkömmlichen Rasiermethoden würden auch kleine Hautstücke entfernt. Die Gefahr einer Infektion sei deshalb hoch. Die neue Erfindung hätte den Vorteil, daß der feine Laserstrahl das Haar hautschonend abschneiden könne.

Berliner Zeitung

der Bartwuchs growth of beard
verbergen hide
an die Stoppeln gehen get to the root of
das Reißbrett drawing board
der Erfinder inventor
herkömmlich traditional
das Hautstück piece of skin
entfernen remove
der Strahl beam
schonend protecting

✻ Ausdrücke zum Einprägen

die Idee befindet sich noch auf dem Reißbrett

die Gefahr einer Infektion **sei deshalb hoch**

die neue Erfindung **hätte den Vorteil, daß** . . .

Ein Telefongespräch . . .

A Sie sind der Erfinder des Laser-Rasierers. Sie rufen Ihre Bekannte/Ihren Bekannten, Frau/Herrn Fischer an, die Chefin/den Chef der Firma Gillette in Deutschland. Sie wollen ihr/ihm diese großartige neue Erfindung verkaufen.

B Sie sind Frau/Herr Fischer. Die Idee interessiert Sie schon, denn Sie sind selbst dabei, einen neuen Rasierer zu entwerfen (aber das sagen Sie natürlich nicht!). Sie versuchen herauszufinden, um was für einen Rasierer genau es sich handelt und ob der Erfinder der Konkurrenz bereits seine Erfindung angeboten hat.

6

Zweimal im Jahr müssen die Uhren um eine Stunde vor- bzw. zurückgestellt werden. Früher wurde das an allen öffentlichen Uhren per Hand gemacht – eine Riesenarbeit, für die extra Mitarbeiter eingestellt werden mußten. Heute wird es elektronisch gemacht . . .

A Lesen Sie den folgenden Artikel und erklären Sie dann **B** in Ihren eigenen Worten, was in München am kommenden Sonntag passieren wird.

B Lesen Sie den Artikel noch nicht, sondern hören Sie sich den Bericht von **A** darüber an. Stellen Sie Fragen, wenn Sie etwas nicht verstehen.

Lesen Sie anschließend den Artikel.

die Stunde schlägt the hour has come
der Zusammenhang connection
die Stadtwerke (pl.) council services
die Umstellung change-over
bewältigen deal with
Funk- radio
lediglich only
einstellen adjust

MÜNCHEN Der „Sommerzeit" schlägt am Sonntag die Stunde. In diesem Zusammenhang zählen die Stadtwerke auf, was sie bei der Zeitumstellung am Sonntag um 2 Uhr früh zu bewältigen haben. 113 Kirchturmuhren, fünf Turmuhren, 25 Stadtuhren mit 91 Nebenuhren und 40 Schulturmuhren müssen auf Winterzeit gebracht und eine Stunde zurückgestellt werden. Bei den funkgesteuerten Quarzuhren, und das sind 98 Prozent, geschieht das allerdings von Mainflingen bei Frankfurt aus. Lediglich eine Turmuhr und sechs Schulhausuhren werden von Hand eingestellt.

Süddeutsche Zeitung

✻ Ausdruck zum Einprägen

in diesem Zusammenhang
zählen die Stadtwerke auf, was sie zu bewältigen haben

B Lesen Sie den Artikel (Seite 108) und erklären Sie dann **A** in Ihren eigenen Worten, welche Schwierigkeiten der Autor bei der Umstellung seiner Uhren hatte.

A Lesen Sie den Artikel (Seite 108) noch nicht. Hören Sie sich den Bericht von **B** darüber an und stellen Sie ihr/ihm Fragen, wenn Sie etwas nicht verstehen.

Lesen Sie anschließend den Artikel.

Das waren noch Zeiten

Da haben doch die meisten glatt geglaubt, sie hätten mit der Zeitumstellung in der Nacht zum Sonntag eine Stunde „gewonnen". Das böse Erwachen kam unbarmherzig. Denn so eine Zeitumstellung quasi mit links bewältigen zu können – diese Zeiten sind vorbei. Reichte früher das einfache Verstellen des Weckers und der Armbanduhr, um mit der Zeit wieder in Einklang zu kommen, so beschert uns das elektronische Zeitalter ganz andere Mühen.

Zunächst gilt es, digitale Küchen-, Wohnzimmer-, Armband-, Autouhren und Radiowecker zu richten. Doch wer hat schon alle dafür notwendigen Programme im Kopf? Spätestens beim Videorekorder, der computergesteuerten Kaffeemaschine oder dem Allzweckküchenherd beginnt die zeitaufwendige Suche nach den komplizierten Gebrauchsanleitungen. Die Zeit, die verrinnt, bis die richtige Einstellung zur neuen Zeit gefunden wurde, ist kaum zu beziffern.

Eine Stunde gewonnen? Das waren noch Zeiten.

Kölner Stadt-Anzeiger

glatt really
unbarmherzig mercilessly
mit links with no trouble
bewältigen deal with
das Verstellen resetting
der Einklang harmony
bescheren present
die Mühe trouble
richten set
Allzweck- multi-purpose
zeitaufwendig time-consuming
verrinnen elapse
die Einstellung adjustment
beziffern (here) estimate

* Ausdrücke zum Einprägen

das böse Erwachen kam unbarmherzig

so eine Zeitumstellung quasi mit links bewältigen zu können – **diese Zeiten sind vorbei**

zuerst gilt es, digitale Uhren **zu** richten

7

Das technologische Gerät aber, das anscheinend den meisten Ärger hervorruft und die Gemüter erhitzt, ist – der Anrufbeantworter.

„Guten Tag, leider bin ich nicht . . ."

Dieses an Verdrießlichkeiten so reiche Leben hat mit der Erfindung der automatischen Anrufbeantworter eine neue, beklemmende Dimension erfahren. Seitdem man auch mit jenen kommunizieren kann, die gar nicht zu Hause sind, sieht man sich nahezu pausenlos aufgefordert: „Bitte hinterlassen Sie Namen, Telefonnummer und Anlaß Ihres Anrufs."

Wenn ich an diesen technischen Lakaien gerate, lege ich meistens gleich wieder auf. Wer „spricht" schon gern mit einem Anrufbeantworter? Und was heißt eigentlich „Anrufbeantworter"? Beantworten kann das Ding doch gar nichts. Er nimmt den Anruf nur entgegen. Also müßte er „Anrufentgegennehmer" heißen . . .

Erwachsene, also große Kinder, müssen so ein Spielzeug natürlich haben. Auch in meinem Kollegen- und Bekanntenkreis gibt es kaum noch einen „ohne". Einige „inszenieren" ihre Band-Ansage regelrecht. Bei meinem Foto-Kollegen Udo ertönen gregorianische Gesänge, so daß man meint, man sei im Kloster Sagorsk bei Moskau gelandet.

Kollege Ralf hält's mit der deutschen Tonsetzkunst und bemüht den großen Beethoven. Auf seinem Band ist die Schicksals-Sinfonie zu hören: „Da da da daaaaa – da da da daaaaa" klingt's in den Ohren – und dann erfährt man: „Bei Beethoven sind Sie nicht gelandet, sondern bei Ralf und Brigitte . . ."

Ganze Wortkaskaden muß über ▶

die Verdrießlichkeit unpleasant thing
beklemmend oppressive
auffordern call upon
der Anlaß cause
der Lakai lackey
auflegen hang up
entgegennehmen receive
inszenieren stage
die Band-Ansage tape announcement
regelrecht truly
ertönen ring out
der Gesang (here) chant
die Tonsetzkunst art of musical composition
bemühen call upon the services of
das Schicksal fate
die Schicksals-Sinfonie Beethoven's 5th symphony

sich ergehen lassen, wer meinen Freund Christoph anwählt und ihn persönlich nicht erreicht. Der Mann ist Künstler und ordentlicher Professor obendrein, ein Mensch von Bildung und Kultur also, der sich getrieben fühlt, bei seinen ständig wechselnden „Aufsagen" stets auch Belehrendes zu vermitteln.

Zunächst einmal begrüßt er den Anrufer so, als würden 500 Zuschauer im Konzertsaal sitzen und auf seine Darbietung warten: „Guten Tag, meine sehr verehrten Damen und Herren, seien Sie herzlich gegrüßt . . ." Und dann kommt ein bißchen Lebenshilfe:

„Entschieden besser als ein geschädigter Ruf ist ein unbeschädigter automatischer Anrufbeantworter . . . So haben doch Sie, meine sehr verehrten Damen und Herren, die Möglichkeit, mir eine Nachricht zu hinterlassen, bin ich doch zur Zeit außer Haus. Dies aber soll Sie nicht verdrießen, sondern vielmehr ermutigen, nach dem zu vernehmenden Pfeifton ungehemmt auf das Band zu sprechen . . ." Wer jetzt noch die Geduld hat, eine Nachricht zu hinterlassen, der muß in sich ruhen wie ein indischer Guru!

Ob ich selbst einen Anrufbeantworter habe? Wo denken Sie denn hin? Natürlich!

Bernd Philipp,
Berliner Morgenpost BIZ,
Zeitgeschehen

über sich ergehen wash over one
anwählen ring up
der ordentliche Professor full professor
obendrein on top of that
Belehrendes something instructive
vermitteln impart
zunächst einmal first
die Darbietung performance
die Lebenshilfe counselling
entschieden definitely
geschädigt damaged
der Ruf call; (here) reputation
unbeschädigt undamaged
verdrießen annoy
ermutigen encourage
zu vernehmend audible
der Pfeifton (here) bleep
ungehemmt without any inhibition
in sich ruhen be well-balanced
wo denken Sie hin? whatever are you thinking of?

✻ Ausdrücke zum Einprägen

und **was heißt eigentlich** „Anrufbeantworter"?

so daß man meint, man sei im Kloster Sagorsk bei Moskau gelandet

zunächst einmal begrüßt er den Anrufer so, als würden . . .

entschieden besser als ein geschädigter Ruf **ist** ein unbeschädigter Anrufbeantworter

Herr Philipp hat also auch einen Anrufbeantworter. Schreiben Sie die Nachrichten auf, die er bei seiner Rückkehr spätabends darauf findet. Suchen Sie sich einige der folgenden Bekannten/Verwandten/Freunde von ihm aus – oder erfinden Sie Ihre eigenen Personen und hinterlassen Sie deren Nachrichten auf seinem Anrufbeantworter.

Sein Freund Ralf, der zuviel getrunken hat und recht melancholisch ist
Seine Putzfrau, die nicht mehr für ihn putzen will
Sein Großvater, der neunzig Jahre alt ist und der die moderne Technologie überhaupt nicht mehr versteht
Eine sehr konfuse und aufgeregte Dame, deren Haus brennt und die glaubt, sie wäre mit der Feuerwehr verbunden
Seine Freundin, die vermutet, er ist mit einer anderen Frau ausgegangen
Sein Neffe, der gerade einen sprechenden Papagei gekauft hat, den er ihm vorführen will (doch der Papagei macht nicht mit!)

Einheit 12 Frauen in Deutschland

1

In Deutschland mußten sich bis vor kurzem Frau und Mann bei der Hochzeit für einen einzigen Familiennamen entscheiden; in 97 von 100 Fällen wurde für den Familiennamen des Mannes entschieden. Ein Gesetzentwurf sieht nun aber vor, daß jeder seinen eigenen Namen behalten kann. Leserinnen/Leser teilten der Zeitschrift* Freundin *ihre Meinung dazu mit:*

** 1992 trat der Entwurf als Gesetz in Kraft.*

Aus Prinzip behalten

Ich halte die neue Namensvariante für gut und würde meinen Namen behalten – nicht weil ich ihn so schön finde, sondern aus Prinzip. Wenn einen der Staat schon halbwegs zur Heirat zwingt, damit man als Frau (plus Kind) besser abgesichert ist, könnte er einem wenigstens den Namen lassen.

Ute Mittelstädt, Hannover

absichern safeguard

Mit der Ehe warten

Super, daß dieses Thema aufgegriffen wurde. Ich habe mir geschworen, erst zu heiraten, wenn jeder seinen Namen behalten kann.

Martina Dentwig, Kassel

aufgreifen take up

Männer müssen umdenken

Ich habe den Namen meiner Frau angenommen. Die Möglichkeiten, die man zur Zeit bei uns hat, finde ich ausreichend. Es kann doch nicht allzu schwer fallen, zwischen dem Namen der Frau, dem des Mannes oder einem Doppelnamen den geeigneten zu finden. Allerdings: Viele glauben, daß man unter dem Pantoffel steht, wenn man den Namen der Frau annimmt. Die Männer müssen einfach umdenken.

Bernd Neubauer, Reutlingen

umdenken change one's thinking
ausreichend sufficient
geeignet suitable
unter dem Pantoffel stehen be henpecked

Gemeinsamer Name

Ein Ehepaar oder eine Familie sollte einen gemeinsamen Namen haben. Doppelnamen sind unpraktisch. Der Gesetzentwurf sieht die völlige Freiheit der Namenswahl vor. Ich finde eine solche Regelung zu frei.

Kirsten Seddick, Wuppertal

gemeinsam common
vorsehen provide for
die Regelung regulation

Ein aktuelles Problem

Da ich im August heiraten werde, ist bei mir dieses Problem sehr aktuell. Auf die kurz angesprochene Möglichkeit, meinen Namen zu behalten, ging mein Zukünftiger überhaupt nicht ein. Wichtiger ist ja auch eigentlich, die Eigenständigkeit und Persönlichkeit in einer Ehe nicht zu verlieren.

Cornelia Bachmann, Fürstenfeldbruck

ansprechen touch on
nicht eingehen auf take no notice of
die Eigenständigkeit independence

Mutters Name

Kinder sollten den Namen der Mutter bekommen, egal ob eheliche oder nichteheliche Kinder. Konsequenterweise müßte bei der Eheschließung der Name der Frau als gemeinsamer Name angenommen werden.

Ingrid Boß, Düsseldorf

ehelich legitimate
die Eheschließung marriage ceremony

Freundin

✻ Ausdrücke zum Einprägen

nicht weil ich ihn so schön finde, **sondern aus Prinzip**

super, daß dieses Thema aufgegriffen wurde

die Möglichkeiten, die man zur Zeit bei uns hat, **finde ich ausreichend**

es kann doch nicht allzu schwer fallen, den geeigneten zu finden

da ich im August heiraten werde, **ist bei mir dieses Problem sehr aktuell**

wichtiger ist ja auch eigentlich, die Eigenständigkeit nicht zu verlieren

Was denkt die Klasse über dieses Thema? Stimmen Sie ab:

- *Wie viele würden den Namen der Frau, wie viele den des Mannes wählen?*
- *Wer ist für die neue Regelung, daß jede/jeder ihren/seinen eigenen Namen behalten kann?*
- *Wer ist für die Doppelnamen-Kompromißlösung?*

Welche Argumente finden *Sie* maßgebend? Was wäre für die Kinder die beste Lösung?

„Emma, was halte ich von gleichen Rechten im Haushalt?"
Prisma

2

*Gleichberechtigung der Frau? Nicht im Haushalt! So berichtete die (West)*Berliner Morgenpost:

Arbeitsteilung in der Ehe

Wenn „er" von der Arbeit nach Hause kommt, fällt er erstmal in den Sessel – wenn „sie" wieder zuhause ist, bindet sie sich erstmal die Schürze um. So sieht es – nur wenig übertrieben – in den meisten bundesdeutschen Ehen und Partnerschaften aus, in denen beide erwerbstätig sind. Zwar sind die Männer nach einer Untersuchung des Kölner ISO-Instituts pro Woche von Berufs wegen 49,3 Stunden außer Haus und die Frauen nur 41,2 Stunden; aber die Frauen verbringen weitere 27,2 Stunden mit Kochen, Waschen, Putzen, so daß sie auf ein wöchentliches Arbeitspensum von 68,4 Stunden kommen. Die Männer lassen es mit 12,2 Stunden wöchentlicher Hausarbeit genug sein, so daß ihre Arbeitswoche nur 61,5 Stunden hat.

Berliner Morgenpost

die Teilung division
die Schürze apron
umbinden tie on
übertrieben exaggerated
erwerbstätig gainfully employed
von Berufs wegen by reason of their occupation
das Arbeitspensum work quota

*** Ausdrücke zum Einprägen**

so sieht es – **nur wenig übertrieben** – in den meisten bundesdeutschen Ehen aus

die Männer **lassen es** mit 12,2 Stunden wöchentlicher Hausarbeit **genug sein**

Der Pantoffelheld ist wohl immer noch das Lieblingskind der Cartoonisten, doch im wirklichen Leben findet man ihn anscheinend nur selten.

- *Sind Sie der Meinung, der Mann sollte genausoviel im Haushalt tun wie die Frau? Oder sogar mehr? Sollte er das auch tun, selbst wenn die Frau nur halbtags oder zuhause arbeitet?*
- *Sollte sowieso jede Frau zuhause bleiben? Oder vielleicht nur dann, wenn die Kinder klein sind? Oder vielleicht auch dann nicht?*

Was halten *Sie* von „Arbeitsteilung in der Ehe"? Schreiben Sie zwei Absätze darüber.

3

Frauen in sogenannten „Männerberufen": In Deutschland gibt es Frauen (wenn auch noch viel zu wenige), die erfolgreich in einem Beruf sind, wo früher nur Männer zu finden waren.

Vier Gruppen wählen je einen der folgenden vier Artikel (unten und Seite 113), lesen ihn und diskutieren ihn. Die Klasse kommt dann wieder zusammen und jede Gruppe

a beschreibt die Frau und den Beruf, den sie gewählt hat;
b beschreibt die Schwierigkeiten, die sie hatte, als sie diesen Beruf erlernen wollte;
c beschreibt, soweit wie möglich, ihre beruflichen Zukunftsaussichten;
d sagt ihre eigene Meinung (kollektiv oder einzeln) zu dem Beruf.

Ihre Mitschülerinnen/Mitschüler sollen zusätzliche Fragen stellen und, wo nötig, um eine Erklärung der Fachausdrücke bitten.

„Viel Teamarbeit und gute Aufstiegschancen"

Franziska Sacher (27), Bildtechnikerin

BildtechnikerInnen sind für das gute Bild verantwortlich. Sie kontrollieren die Fernsehkameras, sitzen am Schneidetisch oder bedienen Film- und Dia-Abtastgeräte.

„Meine Aufgabe ist es, dafür zu sorgen, daß die Beiträge, die von den Redakteuren geliefert werden, eine gute Bildqualität haben. Auch die Vorstellungen des Redakteurs muß ich gestalterisch umsetzen. Wir müssen also gemeinsam überlegen, wie der Film ‚geschnitten' werden soll und ob wir zum Beispiel eine Trickblende verwenden. Teamarbeit ist das A und O bei uns, und das ist es, was den Beruf für mich so attraktiv macht. Ein Nachteil ist der Schichtdienst – der macht es schwer, ein ‚normales' Leben zu führen. Aber dicke Pluspunkte sind die gute Bezahlung und die Aufstiegschancen."

der/die Bildtechniker(in) video technician
verantwortlich responsible
kontrollieren monitor
der Schneidetisch cutting table
bedienen (here) work
das Dia-Abtastgerät slide-scanning machine
der Beitrag (here) report
der Redakteur editor
gestalterisch umsetzen realize artistically
überlegen consider
die Trickblende cartoon superimposition
verwenden use
das A und O (Alpha und Omega) the essential thing
der Schichtdienst shift work
dick (here) big

„Gebaut wird immer“

Bianca Reich (20), Stukkateurin

StukkateurInnen kommen, wenn die Maurer fertig sind. Sie verputzen Wände, bauen fertige Decken ein oder montieren Fassadenverkleidungen.

„Stukkateurin ist ein harter Job. Noch heute, als Gesellin, kriege ich manchmal ein bißchen Angst, wenn ich auf ein Gerüst steigen und dabei einen schweren Eimer tragen muß. Die Säcke mit dem Putz wiegen etwa 50 Kilo. Am Anfang haben die Männer auf dem Bau natürlich kritisch geguckt und blöde Bemerkungen gemacht. Schließlich zählt nur die Leistung, und wenn die merken, daß du was bringst, akzeptieren sie dich auch. Demnächst will ich auf die Meisterschule gehen; dann kann ich selbst einen Betrieb eröffnen. Gebaut wird immer – mir geht die Arbeit nicht aus.“

der/die Stukkateur(in) plasterer
der Maurer bricklayer
verputzen plaster
montieren put up
die Verkleidung covering; rendering
der Geselle/die Gesellin journeyman (whose apprenticeship is completed)
das Gerüst scaffolding
der Eimer bucket
der Putz plaster
gucken (colloq.) look at (me)
die Bemerkung remark
die Meisterschule school for master-craftsmen
der Betrieb firm
ausgehen run out

„Heute bilde ich die Jungen aus“

Pia Bodewig (28), Elektroinstallateur-Meisterin

ElektroinstallateurInnen sorgen dafür, daß Strom aus der Steckdose kommt: sie verlegen Leitungen, Kabel, installieren Maschinen, bauen Antennenanlagen.

„Es gibt Männer, die sagen, wenn sie mich zum ersten Mal sehen: ‚Frauen gehören hinter den Herd‘. Ich antworte dann immer: ‚Ja, um ihn anzuschließen‘, und dann sind sie still. Ich wollte immer schon Automechanikerin oder Elektroinstallateurin werden. Unsere Arbeit ist ja oft körperlich sehr hart, etwa wenn wir Wände aufstemmen oder dicke Kabel zurechtbiegen müssen. Die Kollegen auf dem Bau und die Kunden waren zuerst immer mißtrauisch, wenn ich kam. Vier Jahre nach der Gesellenprüfung bin ich zehn Monate zur Meisterschule gegangen. Vor anderthalb Jahren habe ich den Betrieb meines Vaters übernommen. Heute bilde ich selbst aus – bisher nur noch Jungen, Mädchen haben sich noch nicht beworben.“

ausbilden train
der/die Elektroinstallateur(in) electrician
der Strom current
die Steckdose socket
die Leitung wiring
die Antenne aerial
der Herd cooker
anschließen connect up
etwa for instance
aufstemmen break into
zurechtbiegen bend into shape
die Gesellenprüfung journeyman examination
die Meisterschule school for master-craftsmen
sich bewerben apply

„Ungewohnt war es nur für die Männer“

Claudia Boschert (21), Kommunikationselektronikerin

KommunikationselektronikerInnen bauen und reparieren Anlagen der Informations- und Datentechnik, sind für Sende- und Empfangsanlagen (Ton und Bild) zuständig, haben mit Telefonen, Faxgeräten sowie der Melde- und Signaltechnik zu tun.

„Ich habe schon als Kind etwas repariert, zum Beispiel Radios. Meine Eltern haben mich von Anfang an bestärkt, einen technischen Beruf zu erlernen. Mein Job ist technische Präzisionsarbeit: feilen und bohren, Schaltungen bauen und Platinen löten. Natürlich werde ich auch mal schmutzig, wenn ich unter eine Lok muß, um neue Kabel einzuziehen. Aber ich mag meinen Beruf, und als einzige Frau in der Abteilung komme ich gut zurecht. Zuerst war es ungewohnt – aber nur für die Männer. Mimosen haben allerdings keine Chance in solchen Berufen; man muß lernen, sich durchzusetzen und schlagfertig zu sein.“

der/die Kommunikationselektroniker(in) electrocommunications engineer
die Anlage installation
die Empfangsanlage reception equipment
zuständig responsible
die Meldetechnik communications technology
bestärken encourage
feilen file
bohren drill
die Schaltung circuit
die Platine metal bar
löten solder
die Lok (= **Lokomotive**) locomotive
zurechtkommen get on
die Mimose over-sensitive person
sich durchsetzen assert oneself
schlagfertig quick-witted

Brigitte

4

Nicht nur im Beruf, auch im Sport erobern sich die Frauen einstige Männerdomänen.

Frauen boxen sich durch: Männerdomänen im Sport gibt es kaum noch

Die Anfänge sahen düster aus. Als 1894 in Athen die neuzeitlichen Olympischen Spiele ins Leben gerufen wurden, war nicht eine Frau unter den Teilnehmern zu finden. Der Vater der Olympischen Idee, Graf Pierre Coubertin, war bis zu seinem Tode der festen Überzeugung, daß Frauensport „im Gegensatz zu den Gesetzen der Natur" stehe.

Jetzt scheinen die Frauen fast alle Positionen besetzt zu haben. Jetzt dürfen sie Eishockey spielen, radeln, Marathon laufen oder um das Rugby-Ei kämpfen. Sie ringen oder machen Bodybuilding, und auch der einstmals emotionsgeladene Damenfußball gehört schon fast zum Alltag.

Gibt es sie dann überhaupt noch, die Männerdomänen? Was ist mit Skispringen? Was mit den Wasserballspielerinnen? Trainieren auch hierfür schon die Frauen im stillen Kämmerlein, um beim ersten Auftritt mit entsprechenden Leistungen aufwarten zu können? Denn dic männlichen Einwände sind immer dieselben: „Das könnt ihr doch nicht. Das sieht unästhetisch aus. Das ist doch nicht weiblich. Wer mag schon solche Muskelberge sehen?"

Der einzige Aspekt aber, der wirklich zu untersuchen wäre, ist der medizinische. Zum Beispiel, ob Frauen von der Belastung her Spätfolgen davontragen könnten. Soll man alle Strapazen freiwillig auf sich nehmen, wenn dies mit dem Risiko verbunden ist, den eigenen Körper dauerhaft oder doch zumindest für einen längeren Zeitraum zu schädigen? Von Marathonläuferinnen und Radfahrerinnen zum Beispiel ist bekannt, daß in den Trainings- und Wettkampfphasen die Periodenblutung ausbleibt. Wenn auch bisher alle Untersuchungen belegen, daß dies nach Ende der Leistungssportzeit sich wieder reguliert und dauerhafte Schäden bis jetzt nicht bekannt sind. Dies kann allerdings ein frühzeitiges Signal sein, den Körper nicht zu überfordern; der wehrt sich dann dagegen, indem er alle übrigen Funktionen auf Sparflamme hält.

Auch wenn dies für mich persönlich ein Grund wäre, eine derartige Sportart nicht zu betreiben, gilt doch gleichzeitig, daß diejenigen Frauen, die dies wollen, auch die Möglichkeit hierzu haben müssen . . .

Cornelia Hanisch (mehrfache Weltmeisterin und Olympiasiegerin im Florettfechten), Kicker

sich durchboxen battle through
düster gloomy
neuzeitlich modern
der Teilnehmer participant
im Gegensatz zu contrary to
ringen wrestle
emotionsgeladen emotionally charged
im stillen Kämmerlein all by oneself
entsprechend appropriate
aufwarten mit come up with
der Einwand objection
untersuchen investigate
die Belastung strain
die Spätfolge long-term consequence
davontragen suffer
die Strapaze exertion
freiwillig voluntarily
dauerhaft long-lasting
die Periodenblutung menstruation
ausbleiben fail to appear
sich wehren gegen fight against
auf Sparflamme halten keep on a low heat; put on the back burner
derartig that kind of

* Ausdrücke zum Einprägen

die Anfänge **sahen düster aus**

jetzt **scheinen** die Frauen **fast alle Positionen besetzt zu haben**

auch der einstmals emotionsgeladene Damenfußball **gehört fast zum Alltag**

gibt es sie dann überhaupt noch, die Männerdomänen?

Was ist mit Skispringen?

Auch wenn dies für mich persönlich ein Grund wäre, eine derartige Sportart nicht zu betreiben

- *Gibt es Ihrer Meinung nach Sportarten, die nur Männer betreiben sollten?*
- *„Das sieht unästhetisch aus" – ist das immer nur ein Einwand der Männer?*
- *Können Frauen und Männer alle Sportarten zusammen betreiben, oder gibt es welche, die man immer getrennt ausüben sollte?*

„Diejenigen Frauen, die einen bestimmten Sport treiben wollen, müssen auch die Möglichkeit hierzu haben."

Schreiben Sie zwei Absätze zu diesem Thema.

5

Alles, was Sie bis jetzt gelesen haben, gilt für den ehemaligen westlichen Teil Deutschlands. Im Osten war es anders:

Der sozialistische Staat forderte Frauenarbeit – fast 90 Prozent erfüllten das Verlangen –, aber er gewährte dafür auch Ausgleich durch geregelte Kinderbetreuung von der volkseigenen Krippe bis zum betrieblichen Kindergarten. Die durchschnittliche DDR-Bürgerin scheint selbständiger, emanzipierter, gleichberechtigter als ihre westliche Schwester. Sie hat in der Ausbildung nicht nur gleiche Chancen wie ihr Bruder, sie nutzt sie auch: 11 175 Studentinnen (53,6 Prozent) gingen 1988 ins Examen. Danach trug die DDR-Bürgerin knapp die Hälfte zum Familieneinkommen bei; sie stand voll im beruflichen und gesellschaftlichen Leben.

Der Spiegel

fordern call for
das Verlangen demand
Ausgleich gewähren offer compensation
geregelt organized
die Kinderbetreuung child care
volkseigen (E. German) publicly owned
die Krippe crèche
betrieblich works'
gleichberechtigt enjoying equal rights
beitragen contribute

So schrieb *Der Spiegel* im September 1990. Wie sieht die gesellschaftliche Stellung der Frau im neuen Deutschland aber jetzt aus?

Karin Fickler, eine Ost-Berlinerin, hat den *Spiegel*-Artikel (oben) gelesen. Hören Sie, was sie dazu – und zur momentanen Situation – sagt. Beantworten Sie dann folgende Fragen:

- *Findet Karin, daß die Angaben des Artikels richtig waren?*
- *Warum haben ihrer Meinung nach so viele Frauen in der DDR gearbeitet?*
- *Welcher Unterschied bestand zwischen den Gehältern der Männer in der DDR und deren in der Bundesrepublik?*
- *Was war in der DDR ein großer Nachteil für Frauen mit Hochschulbildung?*
- *Was waren die Folgen der Ganztagsarbeit für eine Frau? Und für ihre Kinder?*
- *Was ist jetzt, nach der Wiedervereinigung, das große Problem für arbeitende Frauen in den neuen Bundesländern?*

entsprechen correspond to
es verhielt sich that is how things were
war bestrebt was keen
einbeziehen involve
darüber liegen be higher
verbergen hide
die Lage situation
die Rollenverteilung allocation of roles
der Großverdiener high earner
die Wirtschaft economy
leisten (here) work
leidlich reasonably
gezwungen sein be forced
die Hochschulbildung university education
die Medaille (here) coin
die Ganztagsstelle full-time post
ebenfalls similarly
verkürzt arbeiten work shorter hours
höher dotiert higher paid
die Anforderung demand
geistig intellectual
mitunter sometimes
die Kinderkrippe crèche
aushalten stand up to
gleichermaßen to the same extent
die Arbeitskraft worker
gang und gäbe quite usual
schrumpfen shrink
die Belegschaft staff
in der Regel usually; normally
respektive that is

* Ausdrücke zum Einprägen

ich hab' ihn gelesen, und **er entspricht der Wahrheit**

dahinter verbergen sich mehrere Aspekte, zum einen die wirtschaftliche Lage

was Frauen mit Hochschulbildung **betrifft, so** waren sie bestrebt zu arbeiten

ebenfalls wieder nur mit sehr wenigen Ausnahmen konnte man verkürzt arbeiten

je höher die Anforderungen waren, **desto mehr** wollte man, daß . . .

das war also der negative Aspekt dieser Frauenarbeit

Im Westen haben wir Gabi Köster, eine 25jährige Rheinländerin, gefragt, wie sich die deutschen Frauen heute sehen, ob sie sich wirklich emanzipiert fühlen. Hören Sie sich diese zweite Aufnahme an und beantworten Sie dann folgende Fragen:

- *Warum fühlt sich Gabi emanzipierter als ihre Mutter?*
- *Welche Möglichkeiten haben junge Mütter heute, sich mehr mit sich selbst zu beschäftigen?*
- *Wer paßt bei einigen ihrer Freundinnen auch mal auf die Kinder auf?*
- *Meint Gabi, daß eine Frau unbedingt berufstätig sein muß, um sich selbst zu verwirklichen?*

Worin besteht also für Gabi die Emanzipation?
Und worin besteht für *Sie* die Emanzipation der Frau?

sich Kopfzerbrechen machen über worry about
der Haushalt housework
der Spül (Rhineland dialect) washing-up
fähig capable
sich mit sich selbst beschäftigen to devote one's time to oneself
die Krabbelstube playgroup
das Säuglingsalter early infancy
der Freiraum space to be oneself
berufstätig in paid employment
sich verwirklichen fulfil oneself
hinkriegen (colloq.) manage
die Selbstbestätigung self-fulfilment

* Ausdrücke zum Einprägen

im Vergleich zu meiner Mutter führ' ich ein anderes Leben

ich mach' mir also **nicht so viel Kopfzerbrechen über** Haushalt

6

Wenn auch die Möglichkeiten im Beruf und in der Familie für Frauen anders und besser geworden sind, so haben es (leider) viele Männer noch nicht bemerkt. Und vor allem, meint Monika Held, Geschäftsmänner – wie Sie in ihrem folgenden Bericht erfahren:

Ode an den Businessman

Ich mag euer Tempo, Männer. Im Flughafen, auf dem Bahnhof – ihr schießt an mir vorbei wie Raketen. Ferngesteuert, auf Ziel programmiert. Ihr guckt nicht rechts, ihr guckt nicht links, nie weicht ihr aus. Ich bewundere euer Durchsetzungsvermögen. Die Schlange vor dem Fahrkartenschalter, die gilt für euch nicht. Ihr knallt mir eure Tasche vor die Füße, ihr schaut auf die Uhr, ihr seid in Eile. Ich versteh' das und trete zurück.

Ihr nehmt euch den Platz, den ihr braucht. Immer beide Armlehnen, selbstverständlich. So weiß ich, daß ich schmal bin, das ist ein Kompliment.

Ihr verhelft mir zu Bildung. Ihr erspart mir das eigene Buch und die eigene Zeitung. Eure Lieblingslektüre, die rosarote Financial Times, die breitet ihr vor mir aus wie Flügel. So kann ich mitlesen, lerne Englisch und den letzten Dollarkurs – dafür bin ich euch dankbar, Männer.

Ihr sorgt dafür, daß ich nicht einschlafe im Zugabteil. Ihr habt keine Geheimnisse. Eure Unterhaltungen sind herrlich laut. Durch euch lerne ich die Welt kennen. Ihr wart in Asien und in Afrika und neulich schon wieder in China. Ihr wißt, wie die Schwarzen sind und wie man die Japaner händelt und die Araber. Ihr schlagt euch auf die Schenkel und lacht Tränen. Ihr seid zu Ethnologen herangereift. Euer Wissen erreicht mich auch, wenn ich sieben Reihen hinter euch sitze. Ich partizipiere von eurer Lautstärke – danke Männer.

Ihr zeigt mir mit jeder Reise, wem die Welt gehört und wie sie funktioniert. Ihr verkauft Eisschränke nach Grönland und Wolldecken nach Afrika. Ihr holzt ab und grabt aus und stapelt hoch und steigert rastlos und selbstlos die Umsätze. Das macht mich schwindlig. Ihr reist nicht in Zügen und Flugzeugen, ihr reist in Öl und Software. Ihr seid schneller als die Konkurrenz. Ihr boxt euch durchs Leben. Ihr hetzt von Geschäftsessen zu Geschäftsessen – daher der Kugelbauch. Ihr trinkt schon morgens im Flugzeug Whisky. Vielleicht sterbt ihr mit fünfzig am Herzinfarkt. Das täte mir leid, Männer.

Ihr arbeitet immer und überall. Stets liegt auf euren gespreizten Schenkeln der Aktenkoffer. Ich liebe das Geräusch der aufspringenden Zahlenschlösser, klack, klack. Ihr lest Geschäftsberichte mit

vorbeischießen whizz past
die Rakete rocket
ferngesteuert remote controlled
ausweichen move out of the way
bewundern admire
das Durchsetzungsvermögen ability to assert oneself
knallen (here) bang down
die Armlehne armrest
schmal (here) slim
verhelfen help to achieve
ersparen save (buying)
der Kurs rate
das Abteil compartment
herrlich (here) splendidly
der Schenkel thigh
heranreifen zu mature into
die Lautstärke volume
Grönland Greenland
die Wolldecke blanket
abholzen fell trees
ausgraben dig (things) out
hochstapeln (here) swindle
die Umsätze steigern raise turnover
schwindlig dizzy
die Konkurrenz competition
hetzen rush
der Kugelbauch beer-belly
gespreizt wide apart
der Aktenkoffer briefcase
das Zahlenschloß combination lock

▶

zwei Brillen. Ihr glaubt nicht, was da steht. Ihr greift zum Taschencomputer. Ihr rechnet nach und hoch und ab. Dann schließt ihr die Augen. Satisfaction – ich gönn' euch das.

Ihr schnarcht mit offenem Mund, und manchmal schwappt euer gemarterter Kopf auf meine Schulter, und euer Atem wärmt mir den Hals. Ich liebe auch eure Hände, Männer. Zehn Finger mit Funktion. Irgendeiner eurer Finger steckt immer in irgendeinem Geschäftsbericht. Und wenn das Flugzeug landet, dann seid ihr die ersten, die wieder stehen, die ausgestreckt nach ihren Koffern angeln. Daß ich dann euren Hosenlatz vorm Gesicht habe, das nehme ich euch nicht übel, Männer. Das ist der ungefährlichste Teil an euch, da bin ich mir ziemlich sicher.

Monika Held, Frankfurter Rundschau (Magazin)

nachrechnen check
hochrechnen project
abrechnen settle (a score)
gönnen not begrudge
schnarchen snore
schwappen loll
gemartert tormented
angeln nach fish for
der Hosenlatz trouser fly
übelnehmen take offence at

* Ausdrücke zum Einprägen

die Schlange vor dem Fahrkartenschalter, **die gilt für euch nicht**

ihr sorgt dafür, daß ich nicht einschlafe im Zugabteil

vielleicht sterbt ihr mit fünfzig **– das täte mir leid**

das nehme ich euch nicht übel, Männer

. . . **da bin ich mir ziemlich sicher**

Die Klasse teilt sich in fünf Gruppen. Jede Gruppe sucht sich eine der folgenden Situationen (aus dem Text) aus und schreibt den dazugehörigen Dialog (mit dem Geschäftsmann als Hauptperson).

a In der Schlange vor dem Fahrkartenschalter
b Beim Zeitungslesen im Flugzeug
c Seine Erzählungen über seine Reisen in alle Welt
d Die Geschäfte, die er tätigt
e Wie er im Zug oder im Flugzeug arbeitet

Anschließend spielen die Gruppenmitglieder ihren Dialog vor der Klasse vor.

Einheit 13 Gegen den Strom: die Energiekrise

1

In den alten Bundesländern werden Umweltfragen schon recht lange ernst genommen. Auch die Stromerzeuger kamen offensichtlich unter Beschuß . . .

Sie haben Strom. Und wir den Schwarzen Peter?

■ Sie haben Strom. Rund um die Uhr, überall, zu einem vernünftigen Preis.

■ Wir produzieren Strom. Manche wollen uns deshalb den Schwarzen Peter zuschieben: Strom ja – aber ohne Luftverschmutzung, ohne Rohstoffverbrauch und ohne Kernenergie.

■ Bleiben wir realistisch. Bei der Verbrennung von Kohle oder Öl entstehen Schadstoffe. Beim Auto und vielen Heizungen. Und natürlich auch bei unseren Kohlekraftwerken. Aber immerhin: Sie produzieren kaum noch Schwefel- und Stickoxide – soviel zum Thema Luftverschmutzung. Und für die gleiche Menge Strom brauchen wir nur noch halb soviel Kohle wie 1950 – soviel zum Thema Rohstoffe. Bleibt das Problem des Kohlendioxids – trotz vieler Anstrengungen ungelöst bis heute.

■ Und die Kernenergie? Aus Uran gewinnen wir 40 Prozent unseres Stroms – frei von Kohlendioxid. Und so sicher, daß wir den Betrieb unserer Kernkraftwerke verantworten können. Wir setzen aber auch auf erneuerbare Energiequellen wie Wasser, Sonne und Wind, soweit sie sich nutzen lassen.

■ Wir wollen Strom sauber und wirtschaftlich herstellen, unsere Umwelt schonen, sparsam mit unseren Rohstoffvorräten umgehen.

■ Den Schwarzen Peter haben wir nicht verdient.

Ihre Stromversorger

der Schwarze Peter Black Peter (odd card out in Old Maid-type card game)
jemandem den Schwarzen Peter zuschieben pass the buck
die Luftverschmutzung air pollution
der Rohstoffverbrauch use of raw materials
die Kernenergie nuclear energy
der Schadstoff harmful chemical
die Heizung central heating system
das Kohlekraftwerk coal-fired power station
das Schwefeloxid oxide of sulphur
das Stickoxid oxide of nitrogen
das Kohlendioxid carbon dioxide
die Anstrengung effort
ungelöst unsolved
der Betrieb operation
verantworten justify
erneuerbar renewable
die Energiequelle energy source
herstellen produce
schonen protect
der Vorrat supply
verdienen deserve
der Versorger provider

* Ausdrücke zum Einprägen

Sie haben Strom. **Rund um die Uhr.**

bleiben wir realistisch

aber immerhin: Sie produzieren kaum noch Stickoxide

soviel zum Thema Luftverschmutzung

(es) bleibt das Problem des Kohlendioxids

. . . trotz vieler Anstrengungen **ungelöst bis heute**

Besprechen Sie folgende Fragen in der Klasse:

- *Warum, glauben Sie, machen die deutschen Stromversorger Werbung für sich und ihr Produkt?*
- *Woher kommt Deutschlands Strom?*
- *Welche sind die (hier angeführten) Vor- und Nachteile jeder Energiequelle?*
- *Sind die Vorteile größer als die Nachteile? Was meinen die Stromversorger?*
- *Bekommt man durch diese Anzeige den Eindruck, daß noch viele Probleme gelöst werden müssen?*
- *Überzeugt Sie der Text der Anzeige?*

Braunkohle, die in Kohlekraftwerken verbrannt und im Tagebau abgebaut wird, verursacht sehr viel Schmutz. In der ehemaligen DDR hat der Tagebau verheerende Folgen:

Tagebau in der DDR

Durch den hohen Primärenergieeinsatz insbesondere auf Braunkohlebasis ist in vielen Bereichen eine kritische Situation entstanden. Allein durch den Braunkohleabbau wurden zwischen 1971 und 1988 567 Quadratkilometer landwirtschaftlich und forstwirtschaftlich genutzte Flächen aufgeschlossen, wovon 404 Quadratkilometer rekultiviert wurden, allerdings auf qualitativ niedrigem Niveau. Bis 1980 wurden 75 Ortschaften abgebaggert, rund 30 000 Einwohner umgesiedelt und 70 Kilometer Flußläufe verlegt.

Berliner Zeitung

der Tagebau open-cast mining
der Einsatz use
insbesondere especially
entstehen arise
landwirtschaftlich und forstwirtschaftlich genutzt used for agriculture and forestry
aufschließen (here) develop
die Ortschaft village/town
abbaggern demolish (due to excavations)
umsiedeln resettle
der Flußlauf course of a river
verlegen shift

* Ausdrücke zum Einprägen

durch den hohen Primärenergieeinsatz **ist in vielen Bereichen eine kritische Situation entstanden**

allein durch den Braunkohleabbau wurden . . .

Das ist die nüchterne Statistik. An Ort und Stelle geht es aber um Landschaft und Menschenleben . . .

Braunkohle-Opfer

Die Zeiger am Kirchturm in Dreiskau-Muckern sind seit Jahren auf kurz nach zwölf festgerostet. Das Gotteshaus in dem 300-Seelen-Dorf bei Leipzig ist verfallen.

Das Dorf stirbt. „Die hier leben, müssen wegziehen", erklärt der Pastor, und nicht einmal die Toten bleiben ihm. Schon seit Jahren darf er auf dem Friedhof niemanden mehr beerdigen. Die letzte Ruhe würde nur noch Monate dauern. Im Juni 1992 sollen die Bagger kommen.

Dreiskau-Muckern muß der Braunkohle weichen, mitsamt Kirche, Friedhof, Schule und den fünf Telefonen, die es gibt. 300 Meter trennen den Ort noch von einem der gewaltigen Tagebau-Löcher, die sich rund um Leipzig auftun.

Niemand gibt der schmutzigen schwefeligen Braunkohle aus diesem Revier noch große Chancen. Doch noch immer fressen die gewaltigen Abraumbagger die Dörfer und verwüsten die Landschaft.

Allein im Süden von Leipzig hat der Braunkohletagebau 250 Quadratkilometer Land zerstört. Das ist die Fläche von Frankfurt am Main. Gegen die Abraumhalden und die Restlöcher wirkt die Mondoberfläche heimelig. Und auch die Stadt Leipzig blieb nicht verschont – die über 200 Meter langen Bagger-Monster haben sich tief in den südlichen Stadtwald hineingefressen.

Die Kohle-Industrie vergiftet die Natur und die Menschen. Die dürren Wälder sind zersplittert, die Bäume krank, erstickt unter Schwefel und Asche. Und den meisten Flüssen ging es ähnlich wie der Gösel, die sich malerisch durch Dreiskau-Muckern schlängelt. Erst leiteten die Kohle-Verflüssiger des Werkes Espenheim ihre Abwässer hinein. Damit war der Bach tot. Dann räumten die Bagger die Quelle weg, wenig später den Abfluß in die Pleiße. Übrig blieb eine kilometerlange Kloake, die von weitem noch aussieht, wie ein Dorfbach im Kinderbuch auszusehen hat. Nur stinkt die Gösel gnadenlos.

Der Spiegel

der Zeiger hand
die Seele soul
verfallen delapidated
wegziehen move away
der Friedhof graveyard
beerdigen bury
der (Abraum)bagger surface excavator
weichen give way to
mitsamt together with
gewaltig huge
sich auftun lie open
schwefelig sulphurous
verwüsten lay waste
die Fläche surface area
die Abraumhalde slag heap
das Restloch abandoned excavation
heimelig cosy
vergiften poison
dürr scrawny
zersplittern fragment
ersticken choke
malerisch picturesque
sich schlängeln wind
hineinleiten discharge (into it)
der Verflüssiger liquefier
die Abwässer (pl.) (industrial) effluents
die Quelle source; spring
der Abfluß outflow
die Kloake sewer
gnadenlos mercilessly

* Ausdrücke zum Einprägen

nicht einmal die Toten bleiben ihm

niemand gibt der Braunkohle **noch große Chancen**

Zu zweit: Schreiben sie einen Dialog zwischen Herrn Lange, einem Reporter bei der Leipziger Volkszeitung, und Herrn und Frau Kleinschmidt, die ihr ganzes Leben in Dreiskau-Muckern verbracht haben und nun wegziehen müssen. Die beiden Artikel (oben und auf Seite 120) werden Ihnen dabei helfen.

Braunkohle erzeugt Kohlendioxid und Schwefeldioxid. Atomenergie ist kohlendioxidfrei und sicher. So die Stromversorger. Aber glauben das nicht nur sie – und sonst niemand?

Atomenergie?

Atomenergie – die Sache scheint klar: Es gibt kaum mehr Politiker und Bürger, die nicht für einen langfristigen Ausstieg plädieren würden. Doch in Wirklichkeit geht der Ausbau der Atomenergie immer weiter – vor allem im internationalen Maßstab und inzwischen auch mit dem Hinweis auf Umweltschutz und Treibhausklima. Mehr als ein Dutzend neuer Kernkraftwerke wurden noch 1989 in Europa in Betrieb genommen, seit 1980 hat sich in den EG-Ländern der Anteil der Atomenergie an der Stromproduktion verdreifacht. Spitzenreiter ist dabei Frankreich. Es besitzt die meisten Atomkraftwerke und will im Jahr 2000 fast den gesamten Energiebedarf aus Atomstrom dekken. Andere Länder wie Österreich, Portugal oder Griechenland kommen dagegen ganz ohne atomare Energie aus.

Staatsgrenzen haben bei der Atomenergie kaum mehr eine Bedeutung: Frankreich will seine Überschüsse in der Energieproduktion dafür nutzen, billigen Atomstrom in die Bundesrepublik zu liefern. Auch bei Atommüll denkt die Industrie bereits gesamteuropäisch; und bei einem Unfall gelten Staatsgrenzen erst recht nicht.

Brigitte

Der „Schnelle Brüter“, ein Atomkraftwerk in Kalkar, Nordrhein-Westfalen

langfristig long-term
der Ausstieg withdrawal
plädieren plead
der Ausbau extension
der Hinweis reference
das Treibhausklima green-house climate
der Anteil an share of
verdreifachen treble
der Spitzenreiter leader
gesamt entire
der Energiebedarf energy needs
der Überschuß surplus
der Atommüll atomic waste
der Unfall accident

* Ausdrücke zum Einprägen

Atomenergie – **die Sache scheint klar:**

doch in Wirklichkeit geht der Ausbau der Atomenergie immer weiter

inzwischen auch **mit dem Hinweis auf** Umweltschutz und Treibhausklima

der Anteil der Atomenergie an der Stromproduktion **hat sich verdreifacht**

Spitzenreiter ist dabei Frankreich

bei einem Unfall **gelten** Staatsgrenzen **erst recht nicht**

Was hält aber der Durchschnittsbürger von der Atomenergie? In Deutschland sind viele dagegen, vor allem wegen der Gefahr einer neuen Atomkatastrophe wie Tschernobyl – wie Sie in den folgenden Leserbriefen nachlesen können:

Bei einem deutschen Atomkraftwerk ist nach einem Kernschmelzunfall mit massiver Freisetzung eine Ausbreitung in der Form eines Scheinwerferkegels zu erwarten, vom Emissionsort aus in Windrichtung. Da die radioaktive Wolke nicht aufsteigt, konzentriert sich die Strahlung weitaus mehr in der Umgebung des Unfalls als in Tschernobyl. Da zudem Deutschland und Mitteleuropa viel dichter bevölkert sind als die ehemalige Sowjetunion, sind alle Schäden insgesamt um Größenordnungen höher zu erwarten.

Klaus Gärtner, Hamburg

die Kernschmelze nuclear melt-down
die Freisetzung release
der Scheinwerferkegel searchlight beam
die Strahlung radiation
zudem moreover
um Größenordnungen by many orders of magnitude

Solange in der Atomindustrie, den Wissenschaften und der Politik finanzielle Interessen und Prestigedenken die treibenden Kräfte sind, werden Moral, Vernunft und Verantwortungsbewußtsein auf der Strecke bleiben.

Lutz Kaneckert, Ratzeburg (Schlsw.-Holst.)

die treibende Kraft the driving force
das Verantwortungsbewußtsein sense of responsibility
auf der Strecke bleiben fall by the wayside

Die Entfesselung der Kernenergie ist immer mit dem Auftreten von lebensbedrohender radioaktiver Strahlung verbunden, eine Strahlung, die nicht gelöscht und nie völlig unter Kontrolle gebracht werden kann.

Wolf-Dietrich Muswieck, Barsinghausen (Nieders.)

die Entfesselung unleashing
das Auftreten occurrence
lebensbedrohend life-threatening
löschen extinguish

Atomenergie als einzige Alternative für die Lösung des Energieproblems darzustellen, ist doch eine Zumutung. Nachweislich ist der Mensch der größte Risikofaktor in einem Kernkraftwerk. Und ein Mensch macht nun mal Fehler, und schon der kleinste könnte unüberschaubare Folgen haben! Es gibt schon einige alternative Projekte, bei denen auf rentable Weise Energie aus Sonne, Wind, Abwärme und Biogas gewonnen wird. Ist es nicht günstiger, solche Projekte oder andere energiesparende Maßnahmen zu fördern, als uns mit dem Bau von weiteren „Zeitbomben" die Zukunft zu stehlen?

Thomas Petracek, Grüne Partei, Wolfen

darstellen represent
die Zumutung affront
nachweislich demonstrably
unüberschaubar enormous; incalculable
rentabel profitable
die Abwärme waste heat
günstig beneficial

Der Spiegel; Junge Welt

Atomkraftgegner bei einer Demonstration gegen den Bau der **W**ieder**A**ufbereitungs**A**nlage in Wackersdorf (Bayern). WAAhnsinn war der „Schlachtruf" bei allen Wackersdorfer Demonstrationen.

Die Klasse teilt sich in zwei Gruppen.

Die erste Gruppe wird die Atomenergie verteidigen. Machen Sie zuerst eine Liste von den Vorteilen dieser Energiequelle und dann eine zweite Liste der Nachteile anderer Arten der Stromerzeugung (vergessen Sie Öl nicht).

Die zweite Gruppe wird die Atomenergie ablehnen. Machen Sie zuerst eine Liste der Nachteile dieser Energiequelle.

Vor der Klasse: Jede Gruppe verteidigt ihren Standpunkt, der anschließend von den Mitgliedern der anderen Gruppe bestritten wird.

Nachher: Jede/jeder schreibt einen kurzen Bericht, in dem sie/er die Argumente beider Seiten anführt und zum Schluß ihre/seine eigene Meinung dazu sagt.

* Ausdrücke zum Einprägen

Atomenergie als einzige Alternative darzustellen, **ist doch eine Zumutung**

nachweislich ist der Mensch **der größte Risikofaktor** in einem Kernkraftwerk

schon der kleinste **könnte unüberschaubare Folgen haben**

ist es nicht günstiger, solche Projekte zu fördern, **als** uns die Zukunft zu stehlen?

Alle reden von den Gefahren der Braunkohle und der Atomenergie. Niemand redet vom Öl. (Deutschland hat kein eigenes Öl.)

A Schreiben Sie einen kurzen Brief an die Zeitung, in dem Sie für den Übergang zum Öl als Stromerzeuger plädieren.

B Sie haben noch nie so einen Blödsinn gelesen! Schreiben Sie ebenfalls einen Leserbrief an die Zeitung, in dem Sie alle Argumente von **A** widerlegen.

4

Alternative Energiequellen stellen nur einen geringen Teil der deutschen Stromversorgung dar. Für sie plädieren jedoch viele, die um die Zukunft besorgt sind.

A Lesen Sie den ersten Artikel (unten) und teilen Sie **B** mit, worum es darin geht. Fragen Sie sie/ihn dann, welche Vor- und Nachteile sie/er bei dieser Energiequelle sieht.

B Lesen Sie den Artikel (unten) noch nicht, sondern hören Sie sich an, was **A** Ihnen darüber erzählt. Stellen Sie Fragen, wenn Sie etwas nicht verstehen. Beantworten Sie dann die Fragen von **A**.

Lesen Sie anschließend den Artikel.

Solarzellen künftig auf Dächern von Berlin

BERLIN – Elektrische Energie direkt vom Dach sieht ein ehrgeiziges Projekt vor. Danach ist beabsichtigt, in den kommenden Jahren an etwa 100 Objekten von Industrie und Gewerbe sowie privaten Haushalten mittels Solarzellen zusätzlichen Sonnenstrom einzuspeisen und insgesamt eine Größenordnung von 1 Megawatt zu installieren. Auf drei Dächern in der Oranienstraße ist bereits eine größere Solaranlage zusammen mit einem Blockheizwerk in Betrieb gegangen.

In einer ersten Phase dieses Projekts haben Wissenschaftler und Ingenieure untersucht, welches Potential der Sonnenstromnutzung der Himmel über Berlin bietet. Das Ergebnis fiel angesichts der recht nördlichen und klimatisch nicht gerade günstigen Lage der Stadt überraschend aus. Es ließen sich nämlich theoretisch 15 bis 30 Prozent der heutigen BEWAG-Stromerzeugung durch Sonnenenergie ersetzen.

Berliner Zeitung

ehrgeizig ambitious
vorsehen provide for
beabsichtigen intend
das Objekt (here) property
das Gewerbe business
zusätzlich additional
einspeisen feed in
das Blockheizwerk communal heating system
in Betrieb gehen go into operation
das Ergebnis result
angesichts considering
BEWAG (= **Berliner Elektrizitätswerke Aktiengesellschaft**) Berlin Electricity Generating Company
sich ersetzen replace

✻ Ausdrücke zum Einprägen

danach ist beabsichtigt, in den kommenden Jahren Sonnenstrom einzuspeisen

das Ergebnis fiel angesichts der recht nördlichen Lage der Stadt **überraschend aus**

B Lesen Sie den zweiten Artikel (Seite 126) und teilen Sie **A** mit, worum es darin geht. Fragen Sie sie/ihn dann, welche Vor- und Nachteile sie/er bei dieser Energiequelle sieht.

A Lesen Sie den Artikel (Seite 126) noch nicht, sondern hören Sie sich an, was **B** Ihnen darüber erzählt. Stellen Sie Fragen, wenn Sie etwas nicht verstehen. Beantworten Sie dann die Fragen von **B**.

Lesen Sie anschließend den Artikel.

Deutschlands größtes Windkraftwerk läuft

Durch Nordseebrisen deckt neuerdings ein beträchtlicher Teil der Helgoländer seinen Wärme- und Energiebedarf. Möglich wird das durch die Inbetriebnahme der größten deutschen Windkraftanlage mit einem Rotordurchmesser von 60 Metern, die kürzlich ans Netz ging. Das dreiflügelige Windkraftwerk auf einem 44 Meter hohen Turm kann jährlich vier Millionen Kilowattstunden Elektroenergie – das entspricht einem Viertel der auf der Hochseeinsel benötigten Primärenergie – erzeugen. Die 1,2-MW-Anlage ist Teil des zur Zeit weltweit fortschrittlichsten Energieversorgungssystems.

Berliner Zeitung

neuerdings these days
beträchtlich considerable
der Bedarf needs
der Durchmesser diameter
ans Netz gehen go on stream
dreiflügelig three-bladed
entsprechen (+ dat) correspond to
fortschrittlich advanced
die Versorgung supply

* Ausdrücke zum Einprägen

durch Nordseebrisen deckt **ein beträchtlicher Teil** der Helgoländer seinen Energiebedarf

möglich wird das durch die Inbetriebnahme der größten Windkraftanlage

Alternative Energiequellen: Dreiflügelige Windkraftwerke

allesamt all of them
die Bodenwärme heat from the earth
die Förderung promotion
der Einbau installation
das Tausenddächerprogramm thousand-roof programme (government incentive to install solar panels)
tausendfach thousand times
die Energiemenge amount of energy
das Entwicklungsland developing country
der Energieausgleich equalization of energy
eine Vorgabe muß gesetzlich gemacht werden legal guidelines will have to be put in place
das Energieversorgungsunternehmen power supplier
die Versorgungspflicht duty of provision
alternierend alternative
ausschließen exclude
Einspruch erheben raise an objection
die Verwertung utilisation
herkömmlich traditional
die Steinkohle (deep-mined) coal
ständig continuous
die Wiederbereitstellung regeneration
die Vernichtung destruction
der Ausstoß output
die Ozonschicht ozone layer

* Ausdrücke zum Einprägen

da wären zuerst mal zu nennen die regenerativen Energiequellen

im einzelnen also Sonnenenergie, Windenergie und die Bodenwärme

die Reduzierung der Energiemenge **muß ein primäres Ziel sein**

sowohl in Deutschland **wie auch** in ganz Westeuropa

im Bezug auf die Windenergie wird sich einiges tun lassen

derartige Sachen sind im Sinn einer ökologischen Verwertung von regenerativen Energien **unmöglich**

das kommt einfach aus dem Grunde, daß . . .

während auf der einen Seite wir mit dem Müll leben müssen; **auf der anderen Seite . . .**

Die Grünen in Deutschland setzen sich sehr für alternative Energiequellen ein. Wir haben mit Horst Lambertz, dem Vorsitzenden der Grünen im Erftkreis in Nordrhein-Westfalen, gesprochen. Welche Änderungen, haben wir gefragt, muß man bei der Erzeugung der Energie in Deutschland vornehmen?

Hören Sie sich an, was er sagte, und beantworten Sie dann folgende Fragen:

- *Welche regenerativen Energiequellen kämen für Deutschland in Frage?*
- *Warum muß die Reduzierung der Energiemenge ein primäres Ziel sein – und nicht nur in Deutschland?*
- *Warum meinen Sie, daß die deutschen Stromversorger alternative Energiearten wie z. B. Windkraft nicht zulassen wollen?*
- *Warum sind nach Ansicht von Herrn Lambertz alternative Energiearten den herkömmlichen vorzuziehen?*

„Die alternativen Energiearten können nicht von heute auf morgen die ganze derzeitige Energieversorgung ersetzen."

Zu zweit: Denken Sie sich ein langfristiges alternatives Energieprogramm für Westeuropa aus:

Welche Energiequellen würden Sie zuerst einsetzen; wie schnell würden Sie das tun; welche würden Sie außerdem befürworten und finanziell unterstützen; welche Maßnahmen würden Sie treffen, damit die Verbraucher sparsamer mit der Energie umgehen?

Tragen Sie Ihre Vorschläge anschließend der Klasse vor.

Einheit 14

Was gibt's denn da zu lachen?

1

Loriot (Vikko von Bülow), fast 70 Jahre alt, ist wohl der bekannteste Komiker in Deutschland. Typische Loriot-Situationen sind: Die Eheleute, die rechtzeitig ins Konzert wollen, über Pünktlichkeit in Streit geraten und sich am Ende hoffnungslos verspäten; die Herren am Flughafen, die erst ihre identisch aussehenden Koffer auspacken müssen, um zu erkennen, welcher wem gehört. Außerhalb Deutschlands ist Loriot bis jetzt aber unbekannt. Hörzu *fragte Loriot kurz vor einer seiner Fernsehsendungen, warum.*

Loriot: So lieb, wie er tut, ist er gar nicht

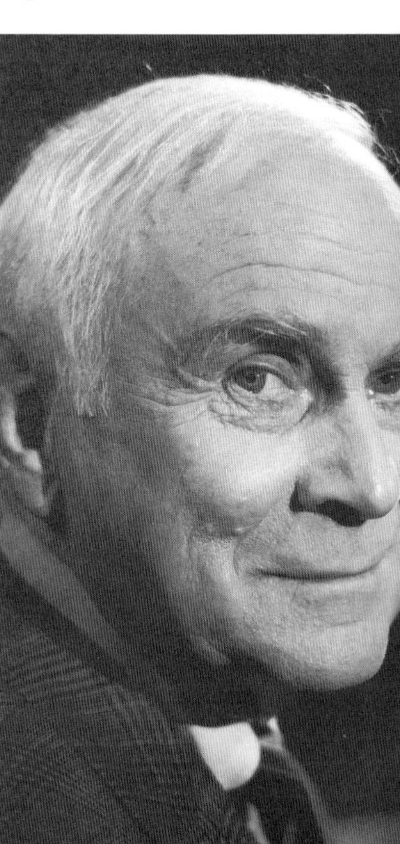

Er sitzt in der Maskenbildnerei, die graue Langhaar-Perücke auf dem Kopf. „Das ist der Dichter", erklärt Loriot. „Der liest aus seinen Werken. Ein Unglückswurm. Alles geht schief." Das muß es auch. „Weil nichts komischer ist, als wenn eine erhabene Situation umkippt, das Monument vom Sockel geholt wird."

Schadenfreude ist die reinste Freude?

„Wie man's nimmt. Es kann bedeuten, der Tragik die Komik abzugewinnen. Es kann ein Akt der Gerechtigkeit sein – wo begegnen wir im Leben schon Gerechtigkeit? Im übrigen ist Schadenfreude ein Ventil – die Seele wird entrümpelt."

▶

lieb likeable
die Maskenbildnerei make-up room
die Perücke wig
der Dichter poet
der Unglückswurm poor devil
schiefgehen go wrong
erhaben solemn
der Sockel pedestal
die Schadenfreude malicious pleasure
wie man's (es) nimmt it depends how you look at it
etwas abgewinnen (+ dat) get something out of
die Gerechtigkeit justice
im übrigen besides
das Ventil valve
entrümpeln clear of junk

der Stellenwert status
meucheln murder
das Hakenkreuz swastika
der Ledermantel leather coat
ansonsten apart from that
stolpern stumble
scheitern fail
irren get things wrong
zünden (here) work (literally: ignite)
der Zusammenhang connection
die Erfahrung experience
der Alptraum nightmare
vorhanden sein exist
die Hose runterlassen (colloq.) let one's hair down
sich ärgern get annoyed
die Macke quirk
wo's (es) kneift (colloq.) where the problems are
aneinander vorbeireden talk at cross-purposes
leiden suffer
ans Eingemachte gehen (colloq.) go right to the quick
umwerfend komisch hilariously funny
die Beerdigung funeral

*** Ausdrücke zum Einprägen**

wie man's nimmt

im übrigen ist Schadenfreude ein Ventil

die Frage muß gestellt werden: Warum kommen Ihre Filme nicht im Ausland vor?

vor allem: ich kenne mich in unserer Sprache aus

was einen deprimiert, **kann umwerfend komisch sein**

Die Frage muß gestellt werden: Warum kommen Ihre Filme nicht im Ausland vor?
„Weil deutscher Humor international keinen Stellenwert hat. Wir gelten als das Land, in dem ein Mann seine Frau meuchelt, nur weil sie die Zahnpasta-Tube falsch ausdrückt: Ordnung muß sein. Darüber hinaus tragen wir noch immer Hakenkreuze und Ledermäntel. Berlin war interessant durch den Fall der Mauer, ansonsten stehen wir für Giftgas, D-Mark, Autos. Unser Seelenleben, wie wir stolpern, wie wir scheitern, wie wir irren, interessiert nicht. Witz zündet aber nur im Zusammenhang mit Erfahrungen."

Sie kennen den Alptraum eines Weltreisenden? Ein Hotel, in dem der Direktor Italiener ist, der Koch Engländer und der Entertainer Deutscher. Was ist dran am deutschen Humor?
„Er ist vorhanden, auch wenn keiner die Hose runterläßt. Ich liebe die Deutschen, weil ich mich so schön über sie ärgern kann. Fast möchte ich sagen: wie über mich selbst. Meine Hunde sind deutsch, ich selbst bin deutsch, und die meisten meiner Freunde sind auch deutsch. Ich weiß um unsere Macken und wo's kneift. Vor allem: ich kenne mich in unserer Sprache aus. Habe erfahren, wie minimale Mißverständnisse entstehen, aus denen große Krisen wachsen. Mit welchen Vokabeln wir aneinander vorbeireden – bis am Ende jedes Wort zuviel ist."

Lachen wir Tränen, weil wir leiden?
„Es darf schon ans Eingemachte gehen. Was einen deprimiert, kann umwerfend komisch sein. Man lacht über seine Neurosen, seine Todesangst. Kein Kabarett ist absurder als eine Beerdigung."

Hörzu

- *Meinen Sie, daß das im allgemeinen stimmt, was Loriot über die internationale Vorstellung von deutschem Humor sagt?*
- *Finden Sie, daß das, was er beim Humor als typisch deutsch bezeichnet, nicht auch für andere Länder typisch sein kann?*
- *Lachen wir wirklich Tränen, weil wir eigentlich leiden?*
- *Was ist an einer Beerdigung absurd?*

2

Sehen Sie sich die Cartoons (nächste Seite) aus deutschen Zeitungen und Zeitschriften an.

- *Welche finden Sie komisch, welche nicht? Und warum (nicht)? Welche empfinden Sie als „typisch deutsch" (wenn überhaupt)? Können Sie erklären, warum?*

Für Loriot ist Schadenfreude sehr wichtig beim Humor. Sehen Sie sich die Seite noch einmal an. Finden sie viel Schadenfreude? Oder ist Ihre Reaktion auf einen Witz oder eine Zeichnung oft eher: „Mensch, ist das blöd!"?

Berliner Zeitung

„Am liebsten hört er Walzer."

Junge Welt

KLASSE!

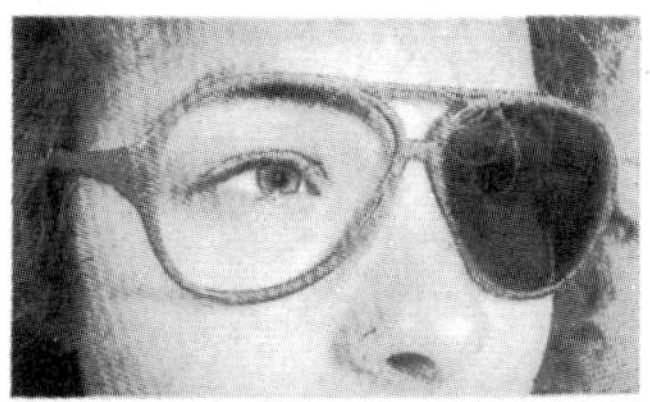

Sonnenbrille aufsetzen, Sonnenbrille wieder absetzen ... Ist das Urlaubswetter mal ein paar Tage wechselhaft, kann einem die ewige Herumfummelei mit der Sonnenbrille ganz schön auf den Keks gehen. Die Lösung: Dr. Turbans „Allwetterbrille". Je nachdem ob die Sonne kurz da ist oder nicht, brauchen Sie nur das jeweilige Auge zuzukneifen und sind auf jede Situation eingestellt. Sehr empfehlenswert!

klauen nick
auf-/absetzen put on/take off
wechselhaft changeable
die Herumfummelei fiddling about
auf den Keks gehen (colloq.) get up one's nose
je nachdem depending
jeweilig appropriate
zukneifen shut tight
eingestellt auf ready for
empfehlenswert to be recommended

dahinrasen speed along
lebensmüde tired of life
der Beifahrersitz passenger seat
das Lenkrad steering wheel
der Anhalter hitch-hiker
vorbeikommen pass
die Zielscheibe butt
schummerig dimly lit
die Nische alcove
der Schoß lap
zischen hiss
gealtert aged
die Kindergärtnerin kindergarten teacher
anteilnahmsvoll full of concern
die Diele hall
fehlen be wrong with; need
der Fallschirmspringer parachutist
die Reißleine ripcord
weiterrasen speed on (down)
die Notleine emergency cord
der Schraubenschlüssel spanner
verzweifelt desperately
die Gasleitung gas main
selbstgefällig self-satisfied; smug
das Stroh straw
das Schiebedach sliding roof
die Uni (= **Universität**) (colloq.) university

3

Viele Witze müssen erzählt werden. Wir haben ein paar Deutsche dazu überredet, uns ihre Lieblingswitze zu erzählen. Hören Sie sie sich an.

- *Welche dieser Witze haben Sie als komisch empfunden, welche nicht? Und warum (nicht)?*
- *Welche haben Sie schon auf englisch gehört?*

Zu zweit: Versuchen Sie, einen oder zwei dieser Witze ins Englische zu übersetzen.

4

Wie in vielen anderen Ländern gibt es auch in Deutschland Menschen, die ihre Landsleute aus einer anderen Gegend oft komisch finden – die Bayern zum Beispiel die Schwaben und umgekehrt, beide zusammen die Ostfriesen, die Teetrinker aus dem flachen Norden. Sie sind auch die Zielscheibe dieses Artikels aus dem Feuilletonteil des Deutschen Allgemeinen Sonntagsblatts:

anhaften (+ dat) attach to
der Kanal (here) English Channel
tiefgreifend far-reaching
die Entscheidung decision
besonnen prudent
gründlich thoroughly
erwähnt previously mentioned
bekanntermaßen as is well known
heftig (here) severe
die Gegenmaßnahme counter-measure
ausschließen exclude
beziehungsweise or rather
die Reinigung cleaning
der Kreistag district assembly
ebenjener the very
die Mehrheit majority
zu Amt und Würde gelangen attain high office

Alles Tee

In England, wo dem Teetrinken etwas Religiöses anhaftet, wäre höchstwahrscheinlich ein landesweiter Streik ausgebrochen. Diesseits des Kanals, im Ostfriesischen, pflegt man auch auf tiefgreifende Entscheidungen dagegen besonnener zu reagieren. Zunächst wird das Problem mal gründlich durchgedacht, und das dauert in der erwähnten Küstenregion bekanntermaßen etwas länger. Heftige Gegenmaßnahmen sind somit noch nicht auszuschließen, und das wäre verständlich, es geht doch um das ostfriesische Nationalgetränk, nämlich um den Tee beziehungsweise um Teetassen, noch genauer gesagt: um deren Reinigung.

Der Kreistag von Wittmund hat gerade mit ebenjener Mehrheit, mit der auch der erste deutsche Kanzler Konrad Adenauer zu Amt und Würden gelangte, eine ▶

die Tragweite consequence
fällen (here) make
die Raumpflegerin cleaning lady
betroffen (here) concerned
als Ersatz as a substitute
der Geschirrspüler dish-washer
arbeitsrechtlich relating to labour laws
absehen foresee
hartnäckig stubborn
der Rand rim
der Streit dispute
toben rage
der Genuß enjoyment
drohen threaten
der Abstieg descent
die Niederung lower region
die Stimmung mood
verderben ruin; (here) spoil
das Vorbild model
nacheifern (+ dat) emulate
ebenfalls equally
übelgelaunt in a bad mood
das Teegeschirr tea-things
der Putzlappen cleaning cloth
die Einführung introduction
der Berufszweig branch of the profession
die Notlösung stopgap

Entscheidung ähnlicher Tragweite gefällt. Diese besteht nun aus zwei Teilen und lautet: 1. Die Raumpflegerinnen an den örtlichen Schulen brauchen nicht die Teetassen des Lehrerkörpers zu reinigen; 2. die betroffenen Schulen erhalten als Ersatz auch keinen Geschirrspüler, woraus sich 3. als logische Konsequenz ergibt: Die Pädagogen müssen ihre leer getrunkenen Tassen selber spülen.

Die daraus resultierenden arbeitsrechtlichen Folgen sind derzeit noch nicht abzusehen. Wahrscheinlich muß die Dauer der Pausen um mindestens zwei Minuten verlängert werden, denn so lange etwa benötigt man für das gründliche Reinigen einer Tasse. Bekanntlich zeichnen sich gerade Teetassen bei häufiger Benutzung durch häßliche und äußerst hartnäckige graubraune Ränder aus (wobei unter wahren Tee-Enthusiasten ein langer Streit tobt, ob diese Ränder zu ignorieren sind).

Eine ganz andere Frage ist dagegen, ob den pädagogischen Teetrinkern noch der volle Genuß erhalten bleibt oder ob durch den Gedanken an den drohenden Abstieg in die Niederungen des Küchendienstes Geschmack und Stimmung verdorben werden. Das wiederum könnte nämlich pädagogische und wirtschaftliche Folgen haben.

Sollten die Lehrer gänzlich auf das Teetrinken verzichten, dann besteht die Gefahr, daß die Schüler ihren Vorbildern nacheifern und sich ebenfalls an ein teeloses Leben gewöhnen. Entscheiden sich die Lehrer dagegen für das Weitertrinken, kämen sie vom notwendigen Abwasch übelgelaunt in die nächste Schulstunde. Schlechte Stimmung aber führt überall zu schlechten Leistungen. Das ist in der Schule nicht anders als in jedem Betrieb.

Somit stellt sich die Frage, ob der Kreistag zu Wittmund die weitreichenden Folgen seiner Entscheidung sorgfältig bedacht hat. Unter wirtschaftlichen Gesichtspunkten wäre es jedenfalls vernünftiger, den unwilligen Raumpflegerinnen eine Tassenpflegerin zur Seite zu stellen. Die hätte auch den Vorteil, daß das hygienisch sensible Teegechirr künftig nicht mehr in die Nähe von Putzlappen geriete. Diese Einführung eines neuen Berufszweiges könnte gleichzeitig die sonst als Notlösung drohende Einwegtasse verhindern und damit aller Welt deutlich machen, wie ernst die Ostfriesen auch künftig das Teetrinken nehmen.

Erich Maletzke, Deutsches Allgemeines Sonntagsblatt

✻ Ausdrücke zum Einprägen

heftige **Gegenmaßnahmen sind nicht auszuschließen**

die daraus resultierenden Folgen sind derzeit noch **nicht abzusehen**

dann besteht die Gefahr, daß die Schüler ihren Vorbildern nacheifern

somit stellt sich die Frage, ob der Kreistag die Folgen bedacht hat

unter wirtschaftlichen Gesichtspunkten wäre es jedenfalls vernünftiger . . .

- *Finden Sie den Artikel komisch oder nicht?*
- *Was ist es, was Ihnen an dieser Art Humor gefällt/nicht gefällt?*
- *Schreiben Sie diese Geschichte in einem einzigen, kurzen, sachlichen Absatz als Zeitungsnachricht um. Bleibt sie komisch?*

5

Hier zwei klassische Beispiele von Ostfriesenwitzen:

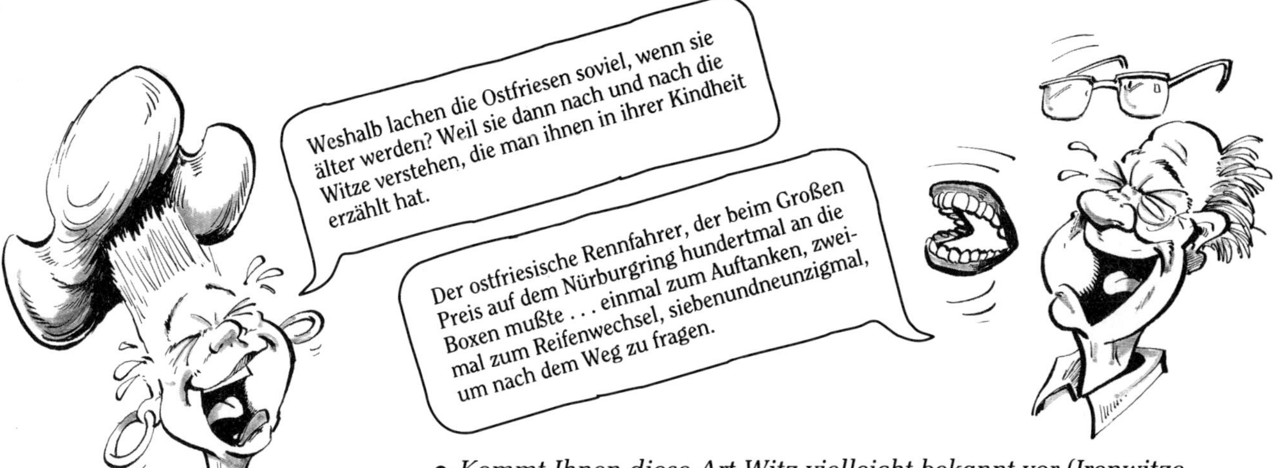

- *Kommt Ihnen diese Art Witz vielleicht bekannt vor (Irenwitze in England, Engländerwitze in Irland . . .)? Lacht man bei solchen Witzen, weil man sich dem anderen gegenüber überlegen fühlt? Werden solche Witze nur von Leuten erzählt, die nicht sehr selbstsicher sind?*

6

Aber man lacht oder schmunzelt nicht nur über die teetrinkenden Ostfriesen. Es scheint, als haben die Westdeutschen eine gemeinsame neue Zielscheibe: „Die neuen Deppen" sind die Ossis.

Die neuen Deppen der Nation

Mit der Einheit haben die Bundesbürger nicht nur eine marode Wirtschaft übernommen, die nun auf Westniveau gehievt werden soll, sie haben auch ein neues Schürfgebiet für ihre Witze entdeckt: Die jüngsten Opfer des deutschen Humors leben zwischen Oder und Elbe.

Zielscheibe von Hohn und Spott ist vor allem die „technische Unterlegenheit" der Einwohner in der ehemaligen DDR, wie der Freiburger Witzforscher und Volkskundler Lutz Röhrich beobachtet hat. Das Strickmuster der meisten Stammes-Kalauer ist einfach: Als Witzfigur steht der Ostdeutsche der modernen, kapitalistischen Welt zwar aufgeschlossen gegenüber, im Alltagsleben aber scheitert er unwillentlich an der Tücke der Objekte.

Die ostdeutschen Provinzen sind nur die vorerst letzte Landschaft, deren Bewohner von der Mehrheit bissig karikiert werden. Zuvor galten schon Schwaben, Bayern und Ostfriesen als Tölpel, auf deren Kosten sich lachen ließ. Die fünf neuen Bundesländer östlich der Elbe ▶

der Depp (colloq.) twit
das Westniveau western level
hieven heave
das Schürfgebiet source (literally: mining area)
die Zielscheibe target
der Hohn scorn
der Spott derision
die Unterlegenheit inferiority
das Strickmuster formula (literally: knitting pattern)
der Stammes-Kalauer laboured joke
aufgeschlossen open-minded
scheitern be defeated
unwillentlich inadvertently
die Tücke sheer perversity
vorerst for the moment
bissig maliciously
der Tölpel fool

der Glücksfall stroke of luck
gemeinhin generally
die Gewohnheit habit
der Mitbürger fellow-citizen
der Anpassungswille readiness to adapt
der Anlaß cause
der Schmäh (tall) story
das Etikett label
verbeulen dent
das Nudelholz rolling-pin
einhauen auf (colloq.) lay into

hält Forscher Röhrich für einen besonderen Glücksfall: „Die Ostler gelten doch gemeinhin als Leute, die noch heute Pfeffer aufs Fernsehgerät streuen, damit das Bild schärfer wird."

Alte Gewohnheiten der neuen Mitbürger, die allem Anpassungswillen zum trotz immer wieder durchbrechen, bieten ausreichend Anlaß zum Schmäh. Beispiel:

Ein ehemaliger Volkspolizist hat nach der Wiedervereinigung einen Job in der Küche eines Interhotels bekommen. Er versucht, eine Büchse zu öffnen. Erst reißt er das Etikett ab, dann verbeult er mit dem Dosenöffner die Seitenwand. Schließlich nimmt der Mann ein Nudelholz, haut auf die Dose ein und ruft: „Aufmachen, Volkspolizei!"*

Der Spiegel

* Interessant ist, daß in der ehemaligen DDR die Zielscheibe immer der Volkspolizist war: Der Witz oben kursierte in der DDR schon vor der Wiedervereinigung.

* Ausdrücke zum Einprägen

die fünf neuen Bundesländer **hält** Röhrich **für einen besonderen Glücksfall**

die Ostler gelten doch gemeinhin als Leute, die ...

Natürlich ist es genauso ungerecht, alle Einwohner der Mark Brandenburg als Tölpel zu betrachten, wie alle Ostfriesen. Warum braucht man aber offensichtlich überall solche Witzfiguren? Schreiben Sie zwei Absätze zu diesem Thema.

Humor liegt aber auch oft im Sprachlichen, vor allem wenn man aus Versehen das sagt, was man nicht sagen wollte. Auch im Deutschen gibt es diese Art unfreiwilliger Komik sehr oft:

Aus der *Badischen Zeitung:*

„Suchen für unseren Sohn großen Kaninchenkäfig, Klappe vorn."

der Käfig cage
die Klappe door

Aus dem *Münchner Merkur:*

„Zum neunten Mal in diesem Monat hat ein Selbstmörder in Italien seinem Leben mit Autoabgasen ein Ende gesetzt."

der Selbstmörder suicide case
das Autoabgas car-exhaust fumes

Aus dem *Berliner Volksblatt:*

„Schwerbehinderung allein reicht nicht aus, um bei Smogalarm sein Auto benutzen zu dürfen. Verfügen die Gehandicapten allerdings über einen Eintrag im Behinderungsausweis der Art ‚außergewöhnlich gehbehindert', ‚hilflos' oder ‚blind', dann sind sie vom Fahrverbot ausgenommen."

die Schwerbehinderung severe handicap
ausreichen be sufficient
verfügen über have
der Eintrag entry
der Behinderungsausweis handicapped person's identity card
außergewöhnlich gehbehindert exceptionally disabled
ausgenommen excluded

Aus der Leerer *Ostfriesen-Zeitung:*

„In Selverde prallte eine Autofahrerin gegen ein Verkehrszeichen. Beide erlitten schwere Verletzungen und kamen zur stationären Behandlung in Krankenhäuser."

prallen gegen collide with
erleiden suffer
die Verletzung injury
zur stationären Behandlung kommen be admitted as an in-patient

Versuchen Sie, jede dieser Zeitungsannoncen so umzuschreiben, daß nun dasteht, was der Verfasser wirklich sagen wollte.

Einheit 15 Berlin und die Berliner

1

Berlin war bis zur Vereinigung Deutschlands politisch eine Doppelstadt: auf einer Seite die 2,1 Millionen Insulaner der isolierten Weststadt, auf der anderen die 1,2 Millionen Einwohner der Hauptstadt der DDR. Im Osten wie im Westen hatten beide Städte eine besondere Bedeutung: Der westliche Teil war das Schaufenster der Bundesrepublik, der östliche Teil war der Versuch, eine Weltstadt aus dem Boden zu stampfen. Jetzt hat die gesamtdeutsche Hauptstadt zwei Stadtzentren, zwei Zoologische Gärten, zwei Museumszentren, zwei Funktürme und drei Zivilflughäfen.

Das, was die Stadt nicht mehr hat, was sie so lange trennte und zugleich symbolisch für sie war, ist die Mauer. Sie stand von 1961 bis 1990.

Einer von vielen, der es sich nicht entgehen lassen wollte, selbst die Mauer niederzureißen

Die vier folgenden Auszüge (Seite 136, 137) aus der *Berliner Zeitung* erzählen die Geschichte der Mauer.

Zu zweit: Lesen Sie jeden Artikel für sich und besprechen Sie anschließend, was Sie gelesen haben. Die Diskussion soll abwechselnd (von **A** und **B**) geleitet werden. Nach jedem Artikel finden Sie Stichwörter, die Ihnen helfen werden, eine Diskussion zu führen.

Mauerabriß

346 Monate oder 10 531 Tage teilte der „antifaschistische Schutzwall" Berlin, galt zumindest bis zum vergangenen November als unbezwingbar und für „hundert Jahre" (Erich Honecker) in die Erde gefügt. Nun hat sein letztes Stündlein geschlagen. Seit gestern, zehn Uhr, bohren sich an vielen Ecken der Stadt Abrißbagger in den Beton, Schweißflammen in den Stahl – die Mauer fällt.

Mit großer Anteilnahme verfolgten viele ältere Berliner das Schauspiel an der Bernauer Straße. „Hier, wo jetzt noch die Mauer steht, waren damals Häuser", erinnert sich einer. „Unten haben sie die Fenster zugemauert, und von oben aus der 4. Etage sind die Menschen auf die Straße gesprungen. An der Bernauer war's eigentlich am schlimmsten, hier ging die Mauer mitten durchs Herz."

Berliner Zeitung, 14. Juni 1990

der Schutzwall protective wall
unbezwingbar invincible
fügen set; build
der Abrißbagger bulldozer
der Beton concrete
die Schweißflamme welding flame
die Anteilnahme interest

A Wie lange stand die Mauer, wie lange sollte sie stehen? – Wie wurde sie abgerissen? – Die Reaktion der älteren Berliner?

Mauer-Anfang

Um die Mittagsstunde des 13. August 1961 kreuzte die Yacht des USA-Präsidenten bei klarem Hochsommerwetter nahe Cape Cod vor der amerikanischen Ostküste. Doch die Idylle trog: Kurz vor 13 Uhr Ortszeit nahm das schlanke weiße Schiff Fahrt auf und steuerte direkt die Anlegestelle am Kennedy'schen Familiensitz Hyannisport an.

Die Ursache für diese Unterbrechung des Präsidentenurlaubs lag tausende Kilometer entfernt in Europa. Seit den frühen Morgenstunden des 13. August zogen Truppen der Nationalen Volksarmee, Volkspolizei-Bereitschaften und Betriebskampfgruppen der DDR einen Sperring um Westberlin. An der rund 160 km langen Sperrlinie wurden Stacheldrahtverhaue errichtet, bewaffnete Posten patrouillierten. Besonders streng bewacht erwiesen sich jene 45 km, die den Ostteil Berlins vom Westteil der Stadt trennten. Die meisten der 81 Straßen- sowie 13 S-Bahn- und U-Bahn-Übergänge wurden geschlossen, die wenigen verbleibenden strengstens kontrolliert. Innerhalb weniger Stunden war die Vier-Sektoren-Stadt Berlin, die ohnehin schon seit 1948 mit der Teilung leben mußte, in geradezu perfektionistischer Weise zerschnitten worden.

Berliner Zeitung

kreuzen cruise
trügen be deceptive
die Anlegestelle mooring
die Bereitschaft unit
die Betriebskampfgruppe workers' militia
der Sperring cordon
der Stacheldrahtverhau barbed-wire entanglement
bewaffnet armed
der Posten guard
S-Bahn-Übergang (S-Bahn = Stadtbahn) city-railway crossing
zerschneiden cut in two

Nur die Kinder verstanden noch nicht, was diese Mauer bedeutete.

B Was machte Kennedy? – Zurück nach Hyannisport: Wann? – Warum? (Wer machte was?) – Was wurde bewacht? – 1948?

Warum die Mauer entstand

Sucht man nach den Gründen für die Entscheidung, die zum Mauerbau führten, so sind sie im wesentlichen schon Jahre zuvor in der inneren Situation der DDR auszumachen: Die offene Grenze in Berlin war das Tor für einen Massenexodus der DDR-Bevölkerung. Seit Beginn der 50er Jahre hatten politische Unzufriedenheit, Furcht vor Repressalien und der Wunsch nach einem höheren Lebensstandard mehrere Fluchtwellen ausgelöst, die rund drei Millionen Menschen nach Westberlin und in die Bundesrepublik Deutschland führten. Nach 1953 und 1956 begann 1960 die dritte dieser großen Fluchtwellen. 1960 verließen rund 200 000 Bürger die DDR, und im Frühjahr 1961 deutete sich an, daß diese „Abstimmung mit den Füßen" kaum gebremst werden könnte. Noch am 15. Juni 1961 erklärte Walter Ulbricht auf einer Pressekonferenz: „Niemand hat die Absicht, eine Mauer zu errichten." Doch Anfang August fielen die Würfel.

Berliner Zeitung

Page 137

im wesentlichen essentially
die Unzufriedenheit dissatisfaction
die Fluchtwelle wave of refugees
auslösen trigger
sich andeuten start to become clear
die Abstimmung voting
die Absicht intention
die Würfel fielen the die is cast

A Was waren die Gründe? (politische Unzufriedenheit – Furcht – Lebensstandard) – Drei Fluchtwellen (wie viele Leute?) – Frühjahr 1961? – Ulbricht am 15. Juni? – Ulbricht im August?

die Sperranlage blockade installation
der Beton concrete
der Gitterzaun lattice fence
der Kfz-Sperrgraben (Kfz = Kraftfahrzeug) anti-vehicle ditch
die Hundelaufanlage dog run
vornehmlich primarily
der Sicherheitsstreifen safety strip
der Beobachtungsturm watch-tower
der Kolonnenweg service road
der Grenzer border guard
die Binnenschiffahrt inland navigation
erheblich considerably

* Ausdrücke zum Einprägen

mit großer Anteilnahme verfolgten viele ältere Berliner das Schauspiel

an der Bernauer **war's eigentlich am schlimmsten**

innerhalb weniger Stunden war Berlin zerschnitten worden

Mauer-Statistik

Die Sperranlagen rund um Westberlin hatten eine Länge von 155 Kilometern (davon zwischen Berlin (West) und Berlin (Ost) 43,1 Kilometer). Sie bestanden aus Betonmauern, 146 Kilometer Betonplattenwänden, Stacheldraht, Metallgitterzaun, 108 Kilometer Kfz-Sperrgraben, 127 Kilometer Kontakt- bzw. Signalzaun sowie 259 Hundelaufanlagen. Die Mauer war bis zu 4,20 m hoch (vornehmlich in der Innenstadt).

Entlang des „Sicherheitsstreifens" um Westberlin gab es 302 Beobachtungstürme, 124 Kilometer Kolonnenweg und 69 Bunker der DDR-Grenzer.

Insgesamt befanden sich an der Grenze zu Westberlin 25 scharf bewachte Kontrollpunkte für Fußgänger, Auto- und Bahnverkehr sowie Binnenschiffahrt. Alle anderen Straßen und Verbindungswege zwischen beiden Teilen der Stadt sowie Westberlin und dem DDR-Umland waren gesperrt.

Seit dem Bau der Mauer wurden vom Westberliner Polizeipräsidenten 80 Tote bei Fluchtversuchen registriert. Die wirkliche Zahl dürfte aber erheblich höher liegen.

Berliner Zeitung

B Wie lang war die Mauer insgesamt? – Und zwischen den beiden Stadtteilen? – Wie hoch? – Wie bewacht? – Wie viele Übergänge? – Wie viele Tote bei Fluchtversuchen?

2

Als die Mauer abgerissen war, blieb ein langer, leerer Streifen durch Berlin zurück. Was sollte man damit machen? Folgende Idee kam von den Grünen:

Wie wär's mit Grün?

Verkehrsplaner träumen von einer Stadtautobahn. Wir wollen den kalten Krieg nicht durch eine Betonschlacht ablösen, deshalb: die Mauer grün.

Machen wir den ehemaligen Todesstreifen zu einem einzigartigen Lebensraum! Geben wir den Mauerblümchen eine Chance, wilder Wein, Efeu und Spalierobst soll sich der Mauer bemächtigen, bepflanzen wir die Grenzstreifen mit Bäumen und Sträuchern, schaffen wir neue Lebensgrundlagen für einheimische Vogelarten. Rettet den zukünftigen Stadtpark quer durch Berlin!

Für ein grünes Band zwischen Ost und West.

Grüne Partei; Vereinigung Grüne Liga

die Schlacht battle
ablösen (durch) replace (with)
einzigartig unique
der Lebensraum biotope; habitat
der Wein vine
der Efeu ivy
das Spalierobst espalier fruits
sich bemächtigen (+ dat) take over
der Strauch shrub
die Lebensgrundlage (here) habitat
einheimisch native
retten save

Dieser frisch gepflanzte Baum steht für die Hoffnung auf bessere Lebensqualität in der ehemals geteilten Stadt – nicht nur für Tiere.

✻ Ausdruck zum Einprägen

geben wir den Mauerblümchen **eine Chance!**

Zu zweit: Aber es wurden auch andere Vorschläge gemacht. Was hätten *Sie* mit diesem etwa hundert Meter breiten Streifen Land getan, der sich quer durch die Stadt schlängelte? Besprechen Sie diese Frage und machen Sie eine Liste von Ihren (vielen verschiedenen!) Vorschlägen.

Walter Momper, der Regierende Bürgermeister von Berlin, hatte zwei prominente Zuhörer: Bundeskanzler Helmut Kohl (rechts) und DDR-Ministerpräsident Hans Modrow (links).

Das bekannteste Merkmal Berlins ist das Brandenburger Tor. Jahrzehntelang stand es in Ost-Berlin direkt an der Mauer, am westlichen Ende der Allee Unter den Linden – auch unzugänglich von der Ostseite. Und dann . . .

Hören Sie sich diesen Bericht an und versuchen Sie dann, folgende Fragen dazu zu beantworten:

- *An welchem Tag wurde das Brandenburger Tor geöffnet?*
- *Wie war das Wetter?*
- *Wie viele Leute waren vor dem Brandenburger Tor versammelt?*
- *Welche Prominenz war da?*
- *Wo standen/saßen die Schaulustigen?*
- *Was machten die Zuschauer während der Reden der Politiker?*
- *Was tranken sie?*
- *Wie endeten die Feierlichkeiten?*

Lesen Sie nun den Text (unten) und beantworten Sie die Fragen, die Sie vorher eventuell nicht beantworten konnten.

die Stätte place
bewegend moving
hautnah closely and directly
besiegeln seal
die Vereinbarung agreement
der Schaulustige curious onlooker
die Absperrung crowd-barrier
schwenken wave
sich den Weg bahnen force one's way
dorisch Doric
die Säule column
anstoßen clink glasses
der Sekt (German) sparkling wine
die Taube dove

Brandenburger Tor geöffnet

Das Brandenburger Tor im Herzen Berlins ist seit Freitag nachmittag wieder Stätte der Begegnung von Berlinern und Gästen aus Ost und West.

Selbst strömender Regen hielt Zehntausende nicht davon ab, den bewegenden Augenblick der Eröffnung des Fußgängergrenzübergangs hautnah mitzuerleben. Mit einem historischen Händedruck besiegelten DDR-Ministerpräsident Hans Modrow und BRD-Kanzler Helmut Kohl um 15.00 Uhr ihre Vereinbarung von Dresden.

Bereits seit den Vormittagsstunden hatten sich Schaulustige in freudiger Erwartung an den Absperrungen zu beiden Seiten der Mauer eingefunden. Besonders exklusive Plätze hatten junge Leute auf den Bäumen des Tiergartens gefunden. Über den Köpfen wurden Fahnen beider deutscher Staaten und Berlins geschwenkt.

Mühsam bahnten sich die Regierungschefs beider deutscher Staaten nach dem Händedruck zusammen mit den sie begleitenden Politikern den Weg durch das Brandenburger Tor hin zum Mikrofon. Während der Reden kletterten Hunderte auf die Mauer. Zwischen den dorischen Säulen des Brandenburger Tores stießen glückliche Menschen aus Ost und West vor den Kameras der Welt mit Sekt an. Zum Abschluß ihres Zusammentreffens in Berlin ließen Modrow und Kohl weiße Tauben in den Himmel aufsteigen.

Berliner Zeitung, 23. Dezember 1989

* Ausdrücke zum Einprägen

selbst strömender Regen hielt Zehntausende **nicht davon ab,** den Augenblick mitzuerleben

bereits seit den Vormittagsstunden hatten sich Schaulustige eingefunden

zum Abschluß ihres Zusammentreffens ließen sie weiße Tauben aufsteigen

Das Brandenburger Tor wurde Ende des achtzehnten Jahrhunderts als Siegestor gebaut. Es hat eine bewegte Geschichte gehabt, vor allem die Quadriga oben drauf.

Quadriga – wieder mit Adler und mit Eisernem Kreuz

Passanten am Pariser Platz werden bemerkt haben, daß die von Gottfried Schadow geschaffene Quadriga, die seit 1793 mit zwei Unterbrechungen das Brandenburger Tor krönt, in den letzten Wochen eingerüstet war. Eine längere, aufwendige Restaurierung ist unvermeidlich.

Die Geschichte des Tores ist vielfältig. Die 110 Zentner schwere Figur mit den vier Pferden und dem Streitwagen blieb davon nicht unberührt. 1807 raubte Napoleon die Quadriga und brachte sie als Kriegsbeute nach Paris. Sieben Jahre später wurde sie nach den siegreichen Befreiungskriegen durch Feldmarschall von Blücher im Triumphzug an ihren alten Standort zurückgebracht.

Die Quadriga – wie das ganze Tor im 2. Weltkrieg stark beschädigt – erlebte ihre Wiedergeburt 1958. Nach Gipsmodellen, die sich in Westberlin befanden, wurde sie durch die Friedenauer Kunstgießerei Noack wiederhergestellt – nunmehr zum dritten Mal.

Der Eichenlaubkranz, den die im römischen Streitwagen stehende Friedensgöttin trägt, erhält bei der bevorstehenden Rekonstruktion seinen alten Zierat zurück: ein eisernes Kreuz und den Preußenadler. Das Eiserne Kreuz hat durchaus progressive Tradition. Es war die erste preußische Kriegsauszeichnung (gestiftet am 10. März 1813), die allen Dienstgraden verliehen werden konnte – damals im gerechten Kampf gegen einen Eroberer, der Mittel- und Osteuropa unter seine Macht zwingen wollte.

Beim Neuaufbau der Quadriga vor 31 Jahren waren das Kreuz und der Adler zunächst vorhanden. Doch im September 1958 wurden die Utensilien in einer Nacht-und-Nebel-Aktion auf Geheiß der damaligen Staatsführung entfernt. Nun endlich ist der Weg frei, die Symbole wieder anzubringen.

Berliner Zeitung

der Adler eagle
der Passant passer-by
schaffen create
die Unterbrechung interruption
einrüsten surround by scaffolding
aufwendig costly
unvermeidlich unavoidable
vielfältig diverse
der Zentner (metric) hundredweight
der Streitwagen war chariot
die Kriegsbeute spoils of war
siegreich victorious
der Befreiungskrieg war of liberation
der Triumphzug triumphal procession
der Standort location
die Wiedergeburt rebirth
das Gipsmodell wax model
die Kunstgießerei art foundry
wiederherstellen restore
der Eichenlaubkranz oak wreath
die Friedensgöttin goddess of peace
bevorstehend forthcoming
der Zierat ornaments
die Auszeichnung decoration
stiften establish
der Dienstgrad rank
verleihen award
gerecht just
der Eroberer conqueror
zwingen force
die Utensilien (pl.) equipment
die Nacht-und-Nebel-Aktion furtive operation
das Geheiß command

✻ Ausdrücke zum Einprägen

die seit 1793 **mit zwei Unterbrechungen** das Brandenburger Tor krönte

eine längere Restaurierung **ist unvermeidlich**

nun endlich ist der Weg frei, die Symbole wieder anzubringen

Sie sind eine Reiseleiterin/ein Reiseleiter und zeigen einer Gruppe von Touristen das Brandenburger Tor. Natürlich haben Sie die Beschreibung des Tores und der Quadriga gründlich gelesen und sich auch Notizen darüber gemacht. Sie wollen aber während Ihrer Führung so wenig wie möglich darin nachsehen. Versuchen Sie, Ihrer Gruppe (d.h. der Klasse) soviel wie möglich über das Brandenburger Tor zu erzählen, ohne Ihre Notizen zu Hilfe zu nehmen.

Verschiedene Reiseleiterinnen/Reiseleiter machen das nacheinander, und zum Schluß entscheidet die Gruppe, wer die beste Reiseleiterin/der beste Reiseleiter war.

Ein fast ebenso bekanntes Merkmal wie das Brandenburger Tor ist die Litfaßsäule, die man überall an Berlins Straßen sieht. Diese Säule eroberte später andere deutsche Städte – und Wien, Paris und sogar London –, war aber eine ureigene Berliner Erfindung.

A Lesen Sie sich den Artikel (auf der nächsten Seite) zweimal durch und machen Sie sich Notizen als Antwort auf die folgenden Fragen. Machen Sie dann das Buch zu und erzählen Sie Ihrer Partnerin/Ihrem Partner die Geschichte der Litfaßsäule anhand Ihrer Notizen.

- *Wie alt ist sie?*
- *Wer war der Erfinder?*
- *Wie viele Säulen gab es 1855 in Berlin?*
- *Was erlaubte ihm die Polizei?*
- *Was sollte gleichzeitig verboten werden?*
- *Was garantierte Litfaß seinen Kunden?*
- *Welchen Erfolg hatte die Säule damals?*
- *Und heute?*

B Hören Sie sich an, was Ihnen **A** über die Geschichte der Litfaßsäule erzählt. Stellen Sie ihr/ihm Fragen, wenn Sie etwas nicht verstehen. Lesen Sie anschließend den Artikel.

Es begann auf den Straßen von Berlin

Für manches Liebespaar ist sie Treffpunkt beim ersten Rendezvous, für jugendliche Sprayer ein reizvolles Ziel und für Hunde ein begehrter Baumersatz: die Litfaßsäule. Seit nunmehr 135 Jahren schmückt die „große Dicke" das deutsche Straßenbild und wirbt für Kunst, Kultur und Kommerz.

Namensvater der standfesten Werbesäule ist der Berliner Buchdrucker Ernst Litfaß. Im Jahre 1855 erlaubte ihm die Polizei, „Anschläge zur rechten Zeit und am rechten Ort" an 150 Säulen in der Stadt. Geschäftstüchtig forderte Litfaß zugleich ein Verbot der „wilden Plakatierung". Den Kunden seiner Säulen garantierte er feste Preise und befürwortete genormte Plakatformate. Das Beispiel machte Schule. Nach Berlin eroberte die „schwergewichtige Schöne" Stadt für Stadt in Deutschland und schließlich auch das Ausland.

Trotz ihres betagten Alters hat die Litfaßsäule bei Werbetreibenden nichts von ihrer Attraktivität eingebüßt. Die etwa 76 000 Säulen an bundesdeutschen Straßenecken brachten ihren Besitzern letztes Jahr einen Umsatz von 104,5 Millionen Mark.

Berliner Zeitung

der Sprayer graffiti artist
reizvoll attractive
begehrt much sought-after
schmücken adorn
werben für advertize
der Namensvater namesake
standfest steadfast
der Buchdrucker printer
der Anschlag poster
geschäftstüchtig with business efficiency
die Plakatierung bill-posting
befürworten favour
genormt standard-sized
Schule machen form a precedent
betagt advanced
der Werbetreibende advertizer
einbüßen lose
der Umsatz turnover

* Ausdrücke zum Einprägen

seit nunmehr 135 Jahren schmückt die „große Dicke" das Straßenbild

das Beispiel machte Schule

trotz ihres betagten Alters hat sie nichts von ihrer Attraktivität eingebüßt

Berlin ist die Hauptstadt des neuen Deutschlands und ab 1995 auch Regierungssitz. Berlin wird also wieder Weltstadt, die größte und wichtigste Stadt zwischen Paris und Moskau. Noch gibt es allerdings beachtliche Unterschiede zwischen Ost- und West-Berlin – allein schon die recht unterschiedliche Lebensauffassung der Bevölkerung. Man darf nicht vergessen, daß sich die historische Stadtmitte und fast alle öffentlichen Gebäude im Osten befanden, daß aber West-Berlin fast doppelt so viele Einwohner hatte wie Ost-Berlin.

Auf dem (West-Berliner) Kurfürstendamm haben wir mit einer West-Berlinerin, Karola Lauterbach, und einer Ost-Berlinerin, Gisela Schladebach, gesprochen. Hören Sie sich an, was diese beiden Frauen zu den Unterschieden zu sagen haben und beantworten Sie dann folgende Fragen:

das Neubaugebiet new estate
die Beziehung connection
aufrechterhalten maintain
gemeinsam together
die Augenoptikermeisterin qualified opthalmic optician (female)
hierherziehen move to this place
der Stadtkern centre
sich anschließen (here) endorse
aufarbeiten catch up with
vergleichsweise comparatively
bedrückend depressing
die Kriegswirren (pl.) turmoil of war
entlohnen pay
leisten (here) do
bereiten cause
das Gewissen conscience
der Einzelfall special case
das Vorbild model
hautnah beieinander cheek by jowl
sich selbst in die Tasche lügen (colloq.) kid oneself
die Mundart dialect

- *Weshalb kommen die Ost-Berliner nach West-Berlin? Was machen sie dort?*
- *Ist das für die West-Berliner dasselbe – oder weshalb gehen die West-Berliner nach Ost-Berlin?*
- *Warum geht Karola in den anderen Teil Berlins?*
- *Sie sagt, sie hat ein schlechtes Gewissen. Warum?*
- *Beide Berlinerinnen sehen das wiedervereinigte Berlin als ein mögliches Vorbild für das vereinigte Deutschland – die West-Berlinerin allerdings mit gewissen Vorbehalten. Welche sind das?*
- *Warum aber glaubt Karola, daß die Aussichten auf ein glückliches Zusammenwachsen gerade für Berlin besonders gut sind?*

* Ausdrücke zum Einprägen

ich kann mich nur Giselas **Meinung anschließen**

also, **man muß auch vorsichtig sein**, sich selbst in die Tasche zu lügen

6

Vielleicht ging für Berlin der Zweite Weltkrieg erst 1990 mit dem Abriß der Mauer wirklich zuende. Nach dem Fall der Mauer konnte man kilometerweit dort, wo einst die Mauer gestanden hatte, durch die Stadt laufen. Ein einzigartiger Wanderweg durch die Geschichte . . .

wüst desolate
die Brandmauer fire wall
das Kompressorrohr compressor pipe
fauchen (here) spew out steam
der Wohnschachtelturm 'ant-hill' tower-block
aneinandergedrängt crushed together
vorbeitreiben pass (literally: float past)
die Schafherde herd of sheep
die Unkrautfläche weed-covered surface
die Alm Alpine pasture
befallen (here) come over one
krumm crooked
eingeebnet levelled
der Gotha almanach of nobility (= Debrett)

Das neue Berlin

Wieder zog es mich auf den ehemaligen Todesstreifen an der Mauer oder besser: zwischen den Mauern, in diese seltsame wüste Stille mitten in der Stadt. Zur Rechten, am westlichen Rand: schwärzliche Brandmauern, hier und da Fabrikfenster, aus denen ein Kompressorrohr fauchte; auf der östlichen Seite die monotone Reihe der Betonkartenhäuser, Wohnschachteltürme, eng aneinandergedrängt. Und doch war die Stadt, von hier aus gesehen, ganz fern, so fern, daß ich dachte, gleich treibe eine Schafherde vorbei . . . Und von den wenigen Menschen, die mir auf der sandigen Unkrautfläche entgegenkamen, grüßten mich manche – wie Wanderer im Gebirge, auf einer Alm, wenn ihre Wege sich kreuzen.

Eine seltsame Melancholie hatte mich befallen, und ich besuchte den alten Scharnhorst-Friedhof bei der Charité, der direkt an der Mauer liegt oder lag und jetzt zum erstenmal seit all den Jahren wieder zu betreten ist. Ein romantischer Platz unter großen krummen Bäumen, die meisten Gräber eingeebnet, nur hier und da ragt noch ein Monument. Die Namen, die bleiben, ergeben einen kleinen Gotha des preußischen Militärs: Winterfeldt, ▶

Tauentzien, Dohna, Witzleben, Fritsch – und als schönstes und größtes: Scharnhorsts Monument, von dem berühmten Schinkel selbst gemacht.

Die Mittagshitze plagte mich, und ich stand ein wenig im Schatten, als eine ältere Dame den Friedhof betrat, mit einem dicken braunen Hund. Ich fragte höflich nach seinem Alter, und wie so ein Wort das nächste gab, endete alles in einem erstaunlichen Schwank: Das korpulente Tier, das Roger hieß, war nämlich, so erfuhr ich, ein Mauerhund gewesen. Doch die Grenzer hatten es nicht geschafft, ihn „scharf" zu dressieren; er wollte, erzählte die Dame, doch immer nur spielen und schmusen und dösen, weshalb die Wachen beschlossen hatten, ihn zu töten. Das aber konnte die Dame gerade noch verhindern, und für ein Geringes löste sie ihn aus. Eine schöne Geschichte, dachte ich mir, zumal, während ich sie neben den Gräbern von Scharnhorst und Witzleben erfuhr, das gute pazifistische Tier schwankend sein Bein hob und einen martialischen Preußenadler aus Gußeisen flink betaute.

Benedikt Erenz, Die Zeit

plagen plague
der Schwank piece of farce
dressieren train
schmusen be cuddled
dösen doze
verhindern prevent
ein Geringes a small sum
auslösen (here) buy
zumal especially as
schwanken sway
das Gußeisen cast iron
flink quickly
betauen bedew

Diese kurze, eigentlich recht melancholische, Geschichte ist voll versteckter Ironie (vergessen Sie nicht, daß Berlin bis 1871 die Hauptstadt Preußens war).

Zu zweit: Versuchen Sie herauszufinden, worin diese Ironie steckt. (Herrscht zum Beispiel mitten in einer Großstadt normalerweise Stille?) Und versuchen Sie dann, es Ihren Mitschülerinnen/Mitschülern zu erklären.

- *Welchen Effekt will der Autor damit erzielen?*
- *Welche besondere Rolle spielt der Hund Roger dabei?*

* Ausdrücke zum Einprägen

und doch war die Stadt, **von hier aus gesehen**, ganz fern

er ist **jetzt zum erstenmal seit all den Jahren** wieder zu betreten

und **als schönstes und größtes**: Scharnhorsts Monument

wie so ein Wort das nächste gab, endete alles in einem erstaunlichen Schwank

Auch dieser ehemalige Bunker, der in ein „Kunsthäuschen" verwandelt wurde, setzt ein Zeichen der Hoffnung

Einheit 16

Aktion saubere Umwelt!

1 

Der zweitgrößte Fluß Deutschlands ist die Elbe. Vielleicht ist der Begriff Fluß nicht mehr zutreffend – vielleicht sollte man lieber Kloake sagen? Übertrieben? Lesen Sie, was die Junge Welt *und die* Berliner Zeitung *(Seite 147) über die Verschmutzung der Elbe herausgefunden haben:*

Das obere Elbtal, eine Idylle wie aus dem Bilderbuch – doch der Schein trügt!

Giftbrühe Elbe

Greenpeace zog gestern in Hamburg die erschreckende Bilanz einer mehrwöchigen Elbanalyse des Laborschiffes „Beluga".

- In sieben von acht untersuchten Trinkwassergewinnungsanlagen (zwischen Dresden und Havelberg) betrug der Anteil der chlororganischen Verbindung zwischen 100 und 200 Mikrogramm pro Liter. Am Rhein würde bei 100 Mikrogramm die Trinkwasseraufbereitung eingestellt.
- Durchschnittlich 400 Milligramm Phosphat, Nitrat, Ammonium wurden pro Liter Elbwasser ermittelt – eine ungeheure Nährstofffracht, die wesentlich zum Absterben der Nordsee beiträgt.
- Zu den schlimmsten Elbverschmutzern gehören das Fotochemische Kombinat Wolfen, die Großgaserei Magdeburg, das Arzneimittelwerk Dresden, das Chemiekombinat Bitterfeld und die Leunawerke.

Die Elbe läßt sich nur als Giftbrühe bezeichnen. Angesichts der Tatsache, daß der Fluß Trinkwasserreservoir für über eine Million Menschen darstellt, geht von ihm akute Bedrohung aus. Greenpeace fordert den Stopp aller Einleitung und eine umfassende Sanierung der Giftküchen am Elbufer.

Junge Welt

Bilanz ziehen sum up
das Laborschiff laboratory ship
die Trinkwassergewinnungsanlage drinking-water extraction plant
die chlororganische Verbindung organic chloride
die Trinkwasseraufbereitung production of drinking water
einstellen stop
ermitteln establish
die Fracht cargo
beitragen contribute
der Verschmutzer polluter
das Arzneimittelwerk pharmaceuticals factory
die Einleitung discharge
die Sanierung rehabilitation
die Giftküche poison factory (literally: poison kitchen)

* Ausdrücke zum Einprägen

durchschnittlich 400 Milligramm Phosphat, Nitrat, Ammonium **wurden** pro Liter **ermittelt**

eine Nährstoffracht, die **wesentlich zum** Absterben der Nordsee **beiträgt**

zu den schlimmsten Verschmutzern gehören das Fotochemische Kombinat . . .

angesichts der Tatsache, daß der Fluß Trinkwasserreservoir für über eine Million Menschen darstellt . . .

Machen Sie sich Notizen zu diesen drei Fragen:

- *Wer erzeugt die Umweltschäden?*
- *Welche Umweltschäden erzeugen sie genau?*
- *Mit welchen Folgen?*

Sie hören nun einen ausführlicheren Bericht (aus der *Berliner Zeitung*) über die Lage der Elbe. Hören Sie sich diesen Bericht zweimal an. Zwischen dem ersten und dem zweiten Anhören (und auch beim zweiten Mal) sollten Sie sich weitere Notizen zu den drei obigen Fragen machen.

Sehen Sie sich nun diese Notizen an. Was haben Sie durch den zweiten Bericht zusätzlich gelernt? Meinen Sie, daß die Maßnahmen genügen werden, die die *Berliner Zeitung* am Ende ihres Berichts vorschlug?

Solche Probleme sind nicht nur bei der Elbe zu finden. Lesen Sie jetzt den zweiten Bericht und auch die nachfolgenden Zahlen und Fakten (auf der nächsten Seite). Schreiben Sie dann einen kurzen Aufsatz, in dem Sie aufzählen, was Ihrer Meinung nach getan werden kann bzw. muß, um ein weiteres Verschmutzen der Flüsse zu verhindern.

Das Einzugsgebiet der Elbe in den neuen Bundesländern

Es geht immer noch talabwärts mit der Elbe

Als zu Zeiten August des Starken es in Dresden gang und gäbe war, die Nachttöpfe in die Elbe zu kippen, war das für die Leute beispielsweise in Meißen belanglos. Sie schöpften dennoch ihr Trinkwasser bedenkenlos aus diesem Fluß. Der hatte damals noch die Kraft, sich selbst zu reinigen.

Wenn heute die Stadt Dresden – und nicht nur sie – ihre Abwässer ungeklärt in die Elbe einleitet, ist schon allein das Baden ein großes gesundheitliches Risiko. Denn was aus der Mulde und der Saale sich in die Elbe ergießt, läßt selbst Chemikern die Haare zu Berge stehen.

Die Abwasserbelastung ist so hoch, als würden im Einzugsgebiet des größten Flusses der Ex-DDR 36 Millionen Einwohner leben. 72,5 Prozent der Städte und Gemeinden in diesem Territorium sind an die Kanalisation angeschlossen. Das Abwasser von 57,7 Prozent der damit verbundenen Haushalte gelangt in Behandlungsanlagen. Der Rest geht ungeklärt in den Fluß.

Auch die Großbetriebe überlassen einen wesentlichen Teil ihrer Schadstoffe dem Elbwasser. Dazu gehören solche Giganten wie die Chemischen Werke in Buna, die Leuna-Werke, das Chemiekombinat Bitterfeld, das Fotochemische Kombinat Wolfen sowie das Düngemittelwerk in Piesteritz. Dazu kommen Betriebe der Zellstoff- und Papierindustrie, der pharmazeutischen Industrie und der Kaliindustrie. In der Elbe sind Quecksilber, Cadmium, Blei, Chrom, Kupfer, Nickel und Zink fast abbauwürdig. Allein an der Meßstelle Elbe-Magdeburg werden jährlich 25 Tonnen Quecksilber und 3280 Tonnen Zink gemessen.

Natürlich, und das hat man seitens der DDR-Behörden in der Vergangenheit immer abgestritten, belastet die Elbe die Nordsee. Die Wurzel des Übels liegt bei der Industrie und bei der Landwirtschaft mit ihrem Düngewahn. Dort muß es gepackt werden.

Berliner Zeitung

talabwärts 'down the valley'; downhill
gang und gäbe common practice
der Nachttopf chamber pot
belanglos of no importance
schöpfen draw
bedenkenlos without hesitation
reinigen purify; cleanse
ungeklärt untreated
zu Berge stehen (of hair) stand on end
die Belastung (here) pollution
das Einzugsgebiet catchment area
die Kanalisation sewage system
die Behandlungsanlage treatment works
der Schadstoff harmful chemical
das Düngemittelwerk fertiliser factory
der Zellstoff cellulose
das Kali potash
das Blei lead
abbauwürdig worth extracting
die Meßstelle measurement point
seitens in the case of
abstreiten dispute
die Wurzel root
das Übel evil
der Düngewahn crazy devotion to fertilisers
packen (here) take a grip on

Zahlen und Fakten

- Die Elbe gehört zu den größten Flüssen Europas.
- Sie entspringt im Riesengebirge in der Tschechoslowakei und mündet bei Cuxhaven in die Nordsee. Sie ist 1103,5 Kilometer lang.
- Das Einzugsgebiet der Elbe in Deutschland mit den Hauptnebenflüssen Schwarze Elster, Mulde, Saale und Havel umfaßt insgesamt 79 177 Quadratkilometer. Das entspricht 73,1 Prozent des Territoriums der ehemaligen DDR.
- Von den 222 Städten in der Ex-DDR mit mehr als 10 000 Einwohnern befinden sich im Elbeinzugsgebiet 178. Dazu gehören u.a. Berlin, Leipzig, Dresden, Halle, Erfurt, Magdeburg und Chemnitz.
- Im Einzugsgebiet leben 13,6 Millionen Einwohner, das sind 82 Prozent der Bevölkerung der Ex-DDR.

Berliner Zeitung

entspringen rise
münden in flow into
der Nebenfluß tributary
umfassen span
entsprechen correspond to

* Ausdrücke zum Einprägen

als zu Zeiten August des Starken **es gang und gäbe war**

dazu gehören solche Giganten wie die Chemischen Werke in Buna

dazu kommen Betriebe der Zellstoff- und Papierindustrie

die Wurzel des Übels liegt bei der Industrie und bei der Landwirtschaft

dort muß es gepackt werden

2

Wenn die Bevölkerung der Ex-DDR mit solchen ökologischen Katastrophen leben muß, ist es kein Wunder, daß die Leute früher sterben.

A Lesen Sie den folgenden Bericht und machen Sie sich kurze Notizen (nur zu den Zahlen!) dazu. Machen Sie dann das Buch zu und erklären Sie **B**, worum es in diesem Bericht geht.

B Lesen Sie den Artikel noch nicht, sondern hören Sie sich an, was Ihnen **A** darüber erzählt. Stellen Sie Fragen, wenn Sie etwas nicht verstehen.

Lesen Sie anschließend beide den Artikel.

- *Könnte es auch andere Gründe als die Umweltbelastung für die geringere Lebenserwartung geben?*

DDR hat geringere Lebenserwartung

In der DDR wird seit 1975 im Vergleich zur Bundesrepublik um zwei bis drei Jahre eher gestorben. Zu diesem Schluß gelangt das Institut der deutschen Wirtschaft Köln. Während Männer in der DDR im Schnitt 70,2 Jahre alt werden, leben ihre Geschlechtsgenossen an Rhein und Donau zweieinhalb Jahre länger. Bei Frauen (76,28 : 79,21 Jahre) differiert die Lebenserwartung sogar um 36 Monate. Als möglichen Grund für die unterschiedlichen Lebenserwartungen führen die Autoren höhere Umweltbelastungen in der DDR an.

Berliner Zeitung

die Lebenserwartung life expectancy
der Schluß conclusion
der Geschlechtsgenosse member of the same sex
anführen offer

✱ Ausdrücke zum Einprägen

- in der DDR wird **im Vergleich zur** Bundesrepublik . . .
- **zu diesem Schluß gelangt** das Institut der deutschen Wirtschaft
- während Männer in der DDR **im Schnitt** 70,2 Jahre alt werden . . .
- **als möglichen Grund für** die unterschiedlichen Lebenserwartungen **führen** die Autoren höhere Umweltbelastungen **an**

3

Im Westen kann es aber nicht so schlimm sein – schmucke Dörfer und Bauernhöfe, gepflegte Landschaft . . . ? Vorsicht! Das Äußere trügt!

Unser täglich Gift

Der Hamburger Südosten ist eine Landschaft wie aus dem Bilderbuch. Zwischen dem Elblauf und einem alten Nebenarm des Flusses liegen die Vier- und Marschlande, eine Idylle mit reetgedeckten Häuschen und blumenreichen Vorgärten, altertümlichen Gehöften und vielen Quadratmetern Gewächshäusern: der Gemüsegarten der Hansestädter.

Auch Öko-Bauern gibt es dort. Und mancher Stadtmensch versorgt sich exklusiv ab Hof mit Salat und Zwiebeln, Möhren, Bohnen und Tomaten aus den Vierlanden – ein Verhalten, das ausgerechnet Michael Braungart, der Leiter des Hamburger Umweltinstituts EPEA, schlicht „verheerend“ findet. Denn was die ahnungslosen Konsumenten einkaufen, wächst nicht selten auf vergiftetem Boden. Der Grund: Die trügerische Idylle liegt in der Nähe von gleich mehreren Giftschleudern und wird von zwei Autobahnpisten gesäumt. Resultat: Der Hamburger Südosten ist mit bis zu zehnmal mehr Gift belastet, als Experten des Bundesgesundheitsamtes für eine „uneingeschränkte landwirtschaftliche Nutzung“ noch für hinnehmbar halten. Im Boden ist Dioxin.

Das unsichtbare Dioxin, 1976 durch den Unfall im oberitalienischen Seveso weltweit berüchtigt geworden und weit giftiger als Zyankali oder Strychnin, ist längst zur globalen Umweltseuche der Industriegesellschaft geworden. In einer jüngst veröffentlichten Studie bewertet das Forschungszentrum Jülich die Allgegenwart des Gifts als „große Gefahr für Menschen und Umwelt“.

Tatsächlich quillt das Gift aus den Schornsteinen von Müllverbrennungsanlagen, aus den Kaminen von Recyclingbetrieben und aus den Abgasrohren von Autos, die noch mit bleihaltigem Benzin betrieben werden. Reihenweise mußten in Hamburg und Nordrhein-Westfalen Kinderspielplätze geschlossen werden, weil ihre Oberfläche aus dioxinbelasteten Filterstäuben besteht. In Hochglanzblättern wie dem *Stern* fanden Chemiker des Bundesgesundheitsamtes das Gift, aber auch im *Öko-Test*-Magazin, das seinen Lesern Tips für den umweltbewußten Konsum vermitteln will. Das giftigste aller Gifte begleitet den Menschen von der Wiege bis zur Bahre.

Fritz Vorholz, Die Zeit

der Nebenarm branch
reetgedeckt thatched
altertümlich old-fashioned
das Gewächshaus glasshouse
der Öko-Bauer organic farmer
sich ab Hof versorgen buy direct from the farm
das Verhalten behaviour
verheerend disastrous
ahnungslos unsuspecting
die Giftschleuder poison dump
säumen border
uneingeschränkt unlimited
hinnehmbar acceptable
berüchtigt notorious
das Zyankali potassium cyanide
die Umweltseuche environmental scourge
jüngst recently
bewerten assess
die Allgegenwart omnipresence
der Schornstein chimney
der Kamin (here) chimney
das Abgasrohr exhaust
bleihaltig leaded
reihenweise by the dozen
der Filterstaub filter dust
das Hochglanzblatt glossy magazine
vermitteln pass on
von der Wiege bis zur Bahre from the cradle to the grave

* Ausdrücke zum Einprägen

- eine Landschaft **wie aus dem Bilderbuch**
- **der Grund:** Die trügerische Idylle liegt . . .
- **Resultat:** Der Hamburger Südosten ist . . .
- das giftigste aller Gifte begleitet den Menschen **von der Wiege bis zur Bahre**

Gift von Recyclingbetrieben ? Aber ja! . . . Welche Giftküche sich hinter dem wohlklingenden Namen Recycling-Betrieb verbergen kann, ermittelten die Umweltbehörden in Baden-Württemberg: In der Umgebung des nordwürttembergischen Kabelverschwelers Hölzl, eines 1985 geschlossenen Recycling-Betriebs, wurden Dioxinwerte gemessen, die weit höher lagen als in der sogenannten toten Zone von Seveso.

- *Dioxin im Boden – ist die Bodenverschmutzung noch schlimmer als die der Flüsse? Oder wird alles von den Medien etwas übertrieben?*

Rollenspiel:

B Sie sind eine Vierlandbäuerin/ein Vierlandbauer, die/der Gemüse anbaut. Ihre ganze Familie ißt dieses Gemüse selbst, Sie verkaufen es seit Jahren – Ihr Lebensunterhalt hängt davon ab.

A Sie sind Michael Braungart, Leiter des Hamburger Umweltinstituts. Sie fangen an, indem Sie **B** erklären, wie belastet der Boden ist, auf dem sie/er ihr/sein Gemüse anbaut, und welche Folgen das hat.

4

Dort, wo die Landschaft nicht durch die Industrie verseucht wird, wird sie von den Bauern zerstört, die Pestizide versprühen und die Hecken abholzen.

In einer Hecke wohnen 1700 Tiere. Doch jedes Jahr werden Feldhecken kilometerlang abgeholzt.

Herbststimmung in der Heckenlandschaft. Die Heuschrecken zirpen noch einmal laut ihre Liebeslieder, und die Baldachinspinnen fangen sich jetzt ihren Vorrat. Sie umgarnen winzige Insekten mit ihrem Seidengespinst und hängen sie ins Netz. Für schlechte Tage.

Jetzt sind auch die Holunderbeeren reif. Früher das Signal, mit der Aussaat des Winterweizens zu beginnen. Heute achten die Bauern kaum noch auf dieses Zeichen der Natur. Und die Hecken an Feldern und Weiden halten die meisten für überflüssig. Sehr zum Nachteil der Natur. Denn kein anderes Biotop beherbergt eine so große Artenvielfalt.

So entdeckten Biologen in einer Wallhecke in Schleswig-Holstein mehr als 1700 Tierarten; in einer Feldhecke in Süddeutschland waren es immerhin noch 900. Ob Laufkäfer, Wanze oder Weberknecht, ob Falter, Hummel oder Haselmaus – sie alle haben in der Hecke ihre Heimat.

Dennoch wurden in den vergangenen 30 Jahren viele Hecken abgeholzt. Vor allem, weil die Landwirte größere ▶

die Hecke hedge
abholzen clear
die Heuschrecke grasshopper
zirpen chirp
die Baldachinspinne canopy spider
der Vorrat supply
umgarnen ensnare
das Seidengespinst silken web
die Aussaat sowing
der Winterweizen winter wheat
überflüssig superfluous
beherbergen contain
die Artenvielfalt wide variety of species
die Wallhecke embankment hedge
der Laufkäfer ground beetle
die Wanze bug
der Weberknecht daddy-longlegs
der Falter butterfly
die Hummel bumble bee
die Haselmaus dormouse
die Heimat home

Flächen für den Einsatz moderner Maschinen haben wollten. Selbst in so traditionellen Heckenlandschaften wie der Westfälischen Bucht. In Franken und Schleswig-Holstein wurden zwischen 40 und 65 Prozent der Hecken gerodet.

Heute weiß man, wie schlimm das besonders für die Vogelwelt war. Allein in Schleswig-Holstein, wo etwa 30 000 Kilometer Hecken verlorengingen, werden dadurch jedes Jahr drei Millionen Vögel weniger ausgebrütet. Verluste, die sich in der Größenordnung durchaus mit dem Vogelmord in Italien vergleichen lassen.

Doch nicht nur Neuntöter und Goldammer, Zaunkönig und Dorngrasmücke verlieren durch Kahlschläge ihre Heimat, auch Igel, Hase, Rebhuhn und Hermelin müssen sich nach neuen Quartieren umsehen. Und damit gerät das ökologische Gleichgewicht durcheinander.

So werden zum Beispiel Mäuse überall dort zur Plage, wo durch die Flurbereinigung riesige Felder entstanden sind. In abwechslungsreichen Heckenlandschaften gibt es das nicht, weil sie dort zu viele Feinde haben. Wie Fuchs, Igel und Marder.

Bunte

der Einsatz deployment
roden (here) remove
ausbrüten hatch out
der Neuntöter red-backed shrike
die Goldammer yellow-hammer
der Zaunkönig wren
die Dorngrasmücke whitethroat
der Kahlschlag clear-felling
der Igel hedgehog
das Rebhuhn partridge
das Hermelin stoat
das Gleichgewicht balance
die Flurbereinigung (here) land rationalization
abwechslungsreich varied
der Feind enemy

Igel

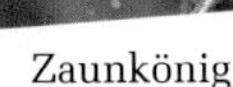

Zaunkönig

Kleiner Fuchs

* Ausdrücke zum Einprägen

die Hecken an Feldern und Weiden **halten die meisten für überflüssig**

vor allem, weil die Landwirte größere Flächen haben wollten

Verluste, die **sich in der Größenordnung mit** dem Vogelmord in Italien **vergleichen lassen**

Machen Sie eine Liste von den Tieren, die in Hecken zu finden sind (oder waren).

- *Wie viele verschiedene Tierarten sind in deutschen Hecken zu finden?*
- *Warum werden Hecken abgeholzt?*
- *Welche bösen Folgen kann das Abholzen auch für die Bauern haben?*

Hecken sind unnatürlich! Sie wurden nur gepflanzt, weil man Felder und Wiesen eingrenzen wollte. Doch nun werden sie nicht mehr gebraucht, und man darf sie ruhig wieder abholzen. Verteidigen Sie diesen Standpunkt!

5

Wir haben mit Rheinhold Mengel gesprochen, der für den Umweltschutz in und um Hürth in Nordrhein-Westfalen zuständig ist. Wie ernst wird der Umweltschutz in Deutschland genommen? haben wir gefragt, und wie kann man an dem Ort, wo man wohnt, etwas für den täglichen Umweltschutz tun?

Hören Sie sich an, was Herr Mengel dazu sagt, und versuchen Sie dann, seine Vorschläge anhand dieser Stichpunkte zusammenzufassen:

- Umweltschutzprobleme in den neuen Bundesländern
- Was man nach dem Abbau aus alten Braunkohlerevieren machen kann
- Was die Bürger selbst tun können: Müll sortieren (Probleme der Müllentsorgung)
- Was in Schulen getan werden kann
- Was Herr Mengel kürzlich zusammen mit Kindergarten-Kindern machte

bezogen auf in relation to
der Abbau (open-cast) mining
die Ähnlichkeit similarity
beurteilen judge
landwirtschaftlich agricultural
anlegen (here) lay out
aufforsten reafforest
wegschmeißen (colloq.) throw away
die Mülldeponie rubbish dump
überquellen overflow
ablagern dump
verlagern transfer
die Stadtverwaltung municipal authority
betreiben (here) organize
der Einzelne individual
behandeln deal (with)
im Grunde genommen basically
die Zielgruppe target group
beachten look out for

* Ausdrücke zum Einprägen

wenn wir das Thema Umweltschutz **ganz global sehen** oder zumindestens auf Deutschland bezogen

es gibt vielleicht da auch einige Parallelen, so zum Beispiel der riesige Braunkohleabbau

denn **ich meine, daß dort** demnächst **ein sehr großes Problem entstehen wird**

ich persönlich bin auch nicht dafür, daß wir den Haushaltsmüll verbrennen würden

das ist aber auch zum Teil verständlich, denn ich . . .

im Grunde genommen könnte man mit diesen Themen bereits im Kindergarten anfangen

6

Doch man sollte nicht zu pessimistisch sein. Es wird doch einiges für den Umweltschutz getan. Firmen, Einzelpersonen und sogar die Regierung haben Vorschläge gemacht. Es folgen drei Beispiele.

Lesen Sie die drei Artikel und beantworten Sie nach jedem Artikel die Fragen dazu. Schreiben Sie dann anhand Ihrer Antworten zwei Absätze, in denen Sie

a zusammenfassen (und möglicherweise kritisieren), was bereits unternommen wird,
b weitere Vorschläge für umweltfreundliches Handeln machen.

Wenn man es nicht wüßte, würde man nie daraufkommen, daß dieser Schutzwall einzig und allein aus Kunststoffabfällen gebaut wurde.

Joghurtbecher gegen Lärm

Leere Joghurtbecher, Spülmittelflaschen, Plastikfolien – rund zwei Millionen Tonnen Kunststoffabfälle wandern jährlich auf die Deponien. Die Firma Lüft im hessischen Budenheim entwickelte deshalb ein Verfahren, mit dem Plastikmüll vor allem zu Lärmschutzwänden, aber auch zu Kompostsilos, Gartenbänken, Verkehrsinseln und Sandkästen verarbeitet wird. So stecken etwa in einer 320 Meter langen und drei Meter hohen Lärmschutzwand rund 100 000 Kilo Kunststoffmüll. Die Plastikteile werden zerkleinert und zu Bauteilen geformt, die nach ihrer Montage bepflanzt werden können. Die Umweltidee findet auch in anderen Branchen Nachahmer: Die Stadtsparkasse München beschloß jetzt, die 185 000 Eurocheque-Karten, die zum Jahresende ungültig werden, zu Parkbänken und Pflanzenkübeln pressen zu lassen.

Der Spiegel

der Lärm noise
das Spülmittel washing-up liquid
die Folie film
der Kunststoff plastic
das Verfahren process
die Lärmschutzwand sound-insulating wall
das Kompostsilo compost bin
der Sandkasten sand-pit
das Bauteil building component
der Nachahmer imitator
ungültig invalid
der Kübel tub

- *Wieviel Plastik wird jährlich weggeworfen?*
- *Was macht die Firma Lüft daraus?*
- *Wie wird die Idee anderswo nachgeahmt?*

Die Macht der Hausfrau im Supermarkt

beiheften attach
der Beschwerdebrief letter of complaint
der Bon sales slip
die Mehrwegflasche reusable bottle
der Versand mail-order firm
aufdrängen (+ dat) force on

„Getränkeflaschen aus Kunststoff sind für mich eine Provokation!" Elfi Franke aus Frankfurt protestierte bei „ihrem" Supermarkt. Sie heftete dem Beschwerdebrief die Bons ihrer letzten zehn Einkäufe – zusammen fast 1500 Mark – bei. „Ich bevorzuge ab jetzt Gechäfte, die nur Mehrwegflaschen führen", erklärte sie.

Einsamer Protest einer einzelnen Hausfrau? Keineswegs! Tausende solcher Briefe erreichen jetzt Supermärkte wie Aldi, Discounter, Coop und Spar. Und immer mehr Hersteller bleiben auf umweltschädlichen Produkten sitzen.

„Der umweltbewußte Kunde wird langfristig immer mächtiger", erklärt dazu Detlev von Livonius vom Hamburger Otto-Versand. „Wir wollen dem Kunden Umweltbewußtsein nicht aufdrängen, sondern ihn überzeugen. Das Angebot ist vorhanden. Der Kunde entscheidet sich."

▶

▶ 31 Prozent der deutschen Verbraucher haben sich bereits entschieden. Sie geben den „Umwelt-Killern" keine Chance mehr, kaufen ausschließlich umweltbewußt. Das ergab eine Repräsentativ-Studie der Heidelberger Forschungsgesellschaft für Umwelt, Technik und Arbeit. Weitere 13 Prozent würden am liebsten umweltfreundlich kaufen, bezeichneten sich aber selbst als nicht gut informiert.

Immer mehr Verbraucher erkennen, wie wichtig umweltbewußtes Verhalten ist und welche Macht sie haben. „Wir wären in zehn Jahren weg vom Fenster, wenn unsere Geräte nicht energie-, wasser- und waschmittelsparend wären", prophezeit denn auch der Marketing-Chef des Haushaltsgeräte-Herstellers AEG, Ulrich Schweitzer. Bleibt ihm auch gar nichts anderes übrig: 60 Prozent aller Deutschen würden eher mehr Geld ausgeben, als sich eine energieverschwendende Maschine in die Waschküche zu stellen.

Vital

ausschließlich exclusively
sich bezeichnen describe oneself
weg vom Fenster sein be right out of it
waschmittelsparend economical with detergent
die Waschküche laundry

- *Was machte Frau Franke?*
- *Was wollte sie damit erreichen?*
- *Ist sie ein Einzelfall?*
- *Wie viele Deutsche kaufen umweltfreundlich ein?*
- *Wie verändern die Haushaltsgeräte-Hersteller ihre Maschinen? Warum?*

Grüne Dächer

HÜRTH – Auf Antrag von Landrat Klaus Lennartz MdB und SPD-Ratsmitglied Günter Hentschke hat der Umweltausschuß ein „Dachbegrünungsprogramm" beraten. Lennartz: „Der beste Schutz gegen Luftverunreinigungen sind Grünpflanzen jeglicher Art." Hürth habe zwar ein Grünprogramm, das sich sehen lassen kann – doch sei eine Vergrößerung der begrünbaren Fläche mehr als wünschenswert. Durch eine Bepflanzung der Dächer wäre ein „schönes Stück Land" dazugewonnen. Erste Bürgeranträge liegen vor.

Hürther Stadtblatt

der Antrag request
der Landrat district administrative officer
das Ratsmitglied council member
der Ausschuß committee
beraten discuss
jeglicher every
es kann sich sehen lassen one need not be ashamed of it
vorliegen have been submitted

* Ausdrücke zum Einprägen

die Umweltidee **findet** auch **in anderen Branchen Nachahmer**

sie geben den „Umwelt-Killern" **keine Chance mehr**

immer mehr Verbraucher erkennen, wie wichtig umweltbewußtes Verhalten ist

(es) bleibt ihm gar nichts anderes übrig: 60 Prozent aller Deutschen . . .

eine Vergrößerung der begrünbaren Fläche sei **mehr als wünschenswert**

- *Welche Idee hatten Herr Lennartz und Herr Hentschke?*
- *Was wollten sie damit erreichen?*
- *Sehen Sie Nachteile an dieser Idee? Welche?*
- *Oder finden Sie die Idee praktisch? Warum?*

Einheit 17 Film, Funk, Fernsehen

1

Das Kino ist eine französische Erfindung (sagen die Franzosen) oder eine amerikanische (sagen die Amerikaner). Die Deutschen waren aber auch dabei . . .

ungebärdig unruly
das Zeitalter age
alsbald soon
umfassen comprise
der Bauerntanz peasant dance
bemerkenswert remarkable
beanspruchen take up
annullieren cancel
abschließen (here) sign
der Vertrag contract
die Konkurrenz competition
bedeutend important
der Maler painter
die Vorführung demonstration
ebenfalls likewise
der Streifen strip
entsetzt horrified
aus dem Feld schlagen eliminate
das Entgeld payment

Hören Sie sich den folgenden Bericht zweimal an und versuchen Sie dann, anhand dieser Stichworte die Geschichte von Max Skladanowsky und den Gebrüdern Lumière nachzuerzählen:

- 1895: Max und Emil Skladanowsky zeigen laufende Bilder mit ihrem „Bioskop"
- Viertelstunden-Programm mit acht Titeln
- Mehr als drei Jahre Erfinderarbeit
- Reisen in Europa
- 1896: Vertrag von den Folies Bergères annulliert
- Konkurrenz von den Gebrüdern Lumière
- Hatten in den frühen neunziger Jahren ihren „cinématographe" entwickelt
- Dezember 1895: „cinématographe" in Paris vorgeführt – großer Erfolg
- Konkurrenten aus dem Feld geschlagen, unter ihnen: Max Skladanowsky

Lesen Sie anschließend den Text (auf der nächsten Seite).

- *Warum, glauben Sie, sprangen die Kinobesucher bei der „Einfahrt des Zuges" entsetzt von ihren Stühlen?*

Max Skladanowsky

Die Brüder Auguste und Louis Lumière

Der Lumièrsche „cinématographe“

Skladanowsky und Lumière: Filmpioniere kommen in die Jubiläumsjahre

Der Film, das ungebärdige Kind des beginnenden modernen Zeitalters, wird alsbald hundert Jahre alt, und auch die Pioniere der Kinematographie kommen in die Jubiläumsjahre: Im Oktober [1989] wurde vor 125 Jahren Louis Lumière in Besançon geboren; im November starb vor 50 Jahren der Berliner Max Skladanowsky.

Eine der Wiegen des Films, der nach Lumière „viele Väter“ hatte, stand an der Spree, hier in Berlin. Am 1. November 1895 zeigte Max Skladanowsky zusammen mit Bruder Emil als „große Attraktion“ eines Varieté-Programms laufende Bilder mit seinem patentierten Apparat „Bioskop“, einem Doppelprojektor für zwei etwa 60 mm breite Filmrollen. Ungefähr eine Viertelstunde dauerte dieses Programm, das acht Titel umfaßte – darunter „Italienischer Bauerntanz“ und „Mr. Delaware mit seinem boxenden Känguruh“. Eine bemerkenswerte technische wie künstlerische Leistung. Mehr als drei Jahre Erfinderarbeit beanspruchte sein Projektor, mit dem er erfolgreich durch Deutschland und Skandinavien reiste.

Die Pariser Folies Bergères annullierten allerdings den für Januar 1896 abgeschlossenen Vertrag – in Frankreich war den Skladanowskys Konkurrenz erwachsen: Die Brüder Auguste und Louis Lumière, von denen letzterer der vielleicht überhaupt bedeutendste Filmpionier wurde.

Söhne eines Malers und erfolgreichen Fotografen, bauten die Brüder in Lyon eine große Fabrik für fotografische Materialien auf und beschäftigten sich in den frühen neunziger Jahren mit der Entwicklung ihres „cinématographe“. Dieser war im Sommer 1895 fertig und wurde am 28. Dezember 1895 in einer Vorführung im Grand Café am Boulevard des Capucines ebenfalls mit einem Programm kurzer Streifen vorgestellt, unter ihnen die „Einfahrt eines Zuges“, die die ersten Kinogänger entsetzt von ihren Plätzen aufspringen ließ. Die Lumières schlugen bald Konkurrenten aus dem Feld, darunter auch Max Skladanowsky, der ja immerhin die erste öffentliche Filmprojektion gegen Entgelt in Europa realisiert hatte.

Berliner Zeitung

✻ Ausdrücke zum Einprägen

mehr als drei Jahre Arbeit beanspruchte sein Projektor

die Lumières **schlugen** bald **Konkurrenten aus dem Feld,** darunter auch Max Skladanowsky

2

Die deutschen Studios, vor allem die UFA, lagen mit an der Spitze – bis zur Einführung des Tonfilms. Danach, und vor allem nach dem Zweiten Weltkrieg, ging es mit dem deutschen Kino bergab: Im Westen wurde fast nur kommerzieller Kitsch produziert, im Osten kommunistische Propagandafilme. Der Mann, dem mehr als jedem anderen der (schlechte) Ruf des westdeutschen Nachkriegskinos zugeschrieben werden kann, war Atze Brauner . . .

glänzen shine
hinter den Kulissen behind the scenes
prägen (here) leave one's mark (on)
gründen found
beschäftigen employ
jüdisch Jewish
der Holzgroßhändler wholesale wood-merchant
unabhängig independent
einstecken pocket
viel Prügel (here) a lot of stick
die Schelte scolding; roasting
der Maharadscha maharaja
der Schlager hit
der Greuel horror
das Leiden suffering
der Wohlstand prosperity
üppig vergolten richly repaid
ausweisen demonstrate
zustande bringen manage to produce
ihm wurde nachgesagt it was said of him
der Pelzmantel fur coat
die Vielzahl multitude
die Beziehung connection
der Beschaffer (here) organiser
operettenselig (here) light-hearted musical
der Kassenerfolg box-office success
ansteuern head for
die Drehgenehmigung permission to film
der Rohfilm film stock
verspielen (here) throw away
versöhnen appease
das KZ (= **Konzentrationslager**) concentration camp
verfolgen persecute
das Erlebnis experience
der Versöhnungsappell appeal for reconciliation
die Absetzung cancellation
erzwingen force
die Pleite flop
die Anerkennung recognition
endgültig finally
sich berufen auf quote
sich verdient machen um serve
tadeln (here) criticize
sich bemühen strive
entsprechen (here) cater for
die Gültigkeit validity
das Wunderkind (infant) prodigy

Atze Brauner, der Produzent, der das deutsche Nachkriegskino dominierte

Wenn im Nachkriegsdeutschland Stars wie Maria Schell oder O.W.Fischer auf einer Premiere glänzten, dann freute sich hinter den Kulissen oft genug einer mit: Arthur Brauner. Mehr als 200 Filme hat er von 1946 bis 1990 in seiner Berliner Firma „Central Cinema Company" produziert, mehr als jeder andere hat er damit das Nachkriegskino in Deutschland geprägt.

In Berlin, wo er in den 1950 gegründeten CCC-Studios bis zu 400 Mitarbeiter beschäftigte, nahmen die Menschen den Sohn eines jüdischen Holzgroßhändlers aus Lodz als einen der ihren auf, nannten ihn Atze. In Amerika sah man im Chef der größten unabhängigen Filmproduktion Europas den Vater des deutschen Kinos.

Atze Brauner steckte mit seinen Filmen nicht nur viel Geld, sondern auch viel Prügel ein. Schelte erhielt er nicht nur von Kritikern, denen Werke wie „Maharadscha wider Willen" oder „Liebe, Tanz und tausend Schlager" ein Greuel waren; auch Jungfilmer waren nicht gut auf ihn zu sprechen. Atze Brauner könnte vielleicht die tragische Figur des bundesdeutschen Films sein, wären ihm seine Leiden nicht durch seinen großen Wohlstand so üppig vergolten worden.

Als Talent hatte sich der Newcomer in der Filmbranche allerdings schon dadurch ausgewiesen, daß er 1947 überhaupt einen Film zustande brachte. Dazu gehörte seinerzeit nicht nur Geld – Brauner wurde nachgesagt, er habe das Startkapital aus einem Schwarzmarktverkauf eines Pelzmantels erhalten –, sondern eine Vielzahl von Beziehungen bei den politischen Lizenzgebern, bei den Beschaffern von Material. Aus der Zeit, da die CCC mit dem operettenseligen „Herzkönig" ihre erste Produktion und ihren ersten Kassenerfolg ansteuerte, sind abenteuerliche Kämpfe nicht nur um Drehgenehmigungen, sondern auch um Strom, Kameras und sogar Fahrradreifen überliefert. Mit Zigaretten wurde Rohfilm eingekauft.

Der Gewinn aus dem ersten Film wurde mit dem zweiten verspielt. Statt mit einem weiteren „Herzkönig" die Herzen der Zuschauer zu versöhnen und für sich zu gewinnen, realisierte Brauner seinen eigenen Herzenswunsch: In dem KZ-Drama „Morituri" ließ der Nazi-Verfolgte persönliche Erlebnisse dramatisieren und mit einem Versöhnungsappell verbinden. Das kriegsmüde Publikum zeigte ihm nicht nur die kalte Schulter. Mit Demonstrationen wurde gar die Absetzung des Filmes erzwungen. Eine Pleite, die nicht einmal mit künstlerischer Anerkennung versüßt wurde.

War das die Lektion, die aus einem politisch engagierten Film-Enthusiasten endgültig den pragmatischen Geschäftsmann machte? Der Mann, der in seiner Jugend den deutschen Film der zwanziger Jahre bewunderte und vom Trauma der Judenverfolgung geprägt worden war, berief sich jedenfalls auf die „Morituri"-Pleite, wenn er sich seitdem vorwiegend um die Publikumslieblinge verdient machte. Den Geschmack der Masse tadelte er sehr wohl, doch mit der gewinnorientierten Herstellung von Trivialfilmen bemühte er sich, ihm zu entsprechen.

Brauner dominierte den deutschen Film in den fünziger und sechziger Jahren, als Adenauers Warnung vor den Experimenten Gültigkeit hatte. Er wurde ein Wunderkind seiner Zeit. Und mehr kann man eigentlich nicht verlangen; oder . . .?

Frankfurter Allgemeine Zeitung

✻ Ausdrücke zum Einprägen

dann freute sich **hinter den Kulissen** oft einer mit

mehr als jeder andere hat er damit das Nachkriegskino geprägt

In Berlin . . . **nahmen** die Menschen den Sohn eines jüdischen Holzgroßhändlers aus Lodz **als einen der ihren auf**

auch Jungfilmer **waren nicht gut auf ihn zu sprechen**

Das kriegsmüde Publikum **zeigte ihm die kalte Schulter**

Zu zweit:

- *Kann man mehr verlangen? Reicht es, wenn ein Film einfach unterhaltend ist?*
- *Müssen Filme unbedingt Kunstwerke sein?*
- *Ist es nicht verständlich, daß man im Nachkriegsdeutschland, als es noch kein Fernsehen gab und das Leben schwer war, am liebsten einen unterhaltenden Film sah?*
- *Und haben solche Filme nicht zu jeder Zeit einen eigenen Wert – einen wichtigeren vielleicht als den eines Kunstfilms?*
- *Finden Sie, Atze Brauner hat sich wirklich um den deutschen Film verdient gemacht? Oder eher nicht?*
- *Hätten Sie auch so gehandelt wie er?*

Besprechen Sie diese Fragen mit Ihrer Partnerin/Ihrem Partner. Vertreten Sie dann Ihre Meinung vor Mitschülerinnen/Mitschülern – und diskutieren Sie weiter darüber in der Klasse.

3

Und das deutsche Kino heute? Es werden heute viele interessante Filme in Deutschland gedreht, doch trotzdem dominieren amerikanische Importfilme in den deutschen Kinos – wenn man überhaupt noch ins Kino geht, um Filme zu sehen . . .

Mach dir ein paar schöne Stunden ... im Kino

Wenn Sie mit Ihrer Freundin mal wieder so richtig gemütlich über alles reden wollen – über die Lambada-Tanzstunde, die italienische Schuhmode, über die Männer, den Urlaub, was weiß ich – und wenn Sie dabei auch noch reichlich essen wollen, etwa Currywurst mit Pommes und danach ein Eis und dazu eine Cola und dann noch eine Tüte Gummibärchen, wahlweise Popcorn – dann gehen Sie doch ins Kino! Sobald es dunkel wird, der Film anläuft und auf der Leinwand, wie von zuhause durch den Fernseher vertraut, die Bilder flimmern, können Sie sich für neun Mark Eintritt ungestört unterhalten und dazu schmatzen und knistern und glucksen und rülpsen. Und wenn Sie statt mit Freundin mit Freund gehen, können Sie auch noch tüchtig küssen – falls Sie denn Ihre Freundin nicht küssen wollen. Aber bei der anderen Kombination gukken die Leute weniger blöde.

Auf der Leinwand müht sich Clint Eastwood mit einer Horde von Postzugräubern ab, und in der Reihe dreizehn wird gefuttert, gekichert und geradezu eine Party gefeiert. Hier sitzen gleich sieben Freunde nebeneinander, keine Frage: In Reihe dreizehn ist es am lustigsten, in Reihe zwölf ist es sehr viel weniger komisch. Da sitze nämlich ich und würde gern einfach nur einen Film sehen. Und hören. Geht aber nicht. Das Kino ist der Ort grenzenloser Kommunikation und uneingeschränkten Naschvergnügens, und da das Kino in den letzten Jahrzehnten vom Palast- auf das Sardinenbüchsenformat geschrumpft ist, kriegt man auch alles hautnah mit.

Wie begrüßen wir den neuen Trend zum Filmpalast! Er kommt langsam, aber er kommt. Die ersten Prachtsäle mit 3000 Plätzen sind schon im Bau. Nein, wir wollen nicht undankbar sein. Wir wären ja schon zufrieden, wenn wir wieder in EIN Kino gehen könnten und uns nicht an der Kasse entscheiden müßten zwischen Kino eins bis acht, wobei es egal ist, für welches man sich entscheidet. Wer in den „Rain Man" geht, hört immer auch nebenan „Ghostbusters" mit. Man sitzt in insgesamt 15 Reihen à sechs Zuschauer, schön eng, mit dem Mief von tausend Vorstellungen und mit eingeschlafenen Knien. Natürlich kommt der Film auf der Minileinwand nur über ein raffiniertes Spiegelsystem an, so daß Dustin Hofman merkwürdig verzerrt aussieht, als hätte ihm das Leben tüchtig eins auf die Nase gegeben.

Das soll nun anders werden. Paläste, der Parkplatz gleich angeschlossen, Beinfreiheit. Na, wir warten's ab. Wir warten ab, ob dann 3000 essen und reden, das kann infernalisch werden.

Elke Heidenreich, Brigitte

gemütlich cosily
die Tüte bag
das Gummibärchen jelly baby
wahlweise or if desired
die Leinwand screen
vertraut familiar
flimmern flicker
ungestört undisturbed
schmatzen eat noisily
knistern rustle
glucksen gurgle
rülpsen belch
blöde gucken stare stupidly
sich abmühen struggle
futtern tuck in
kichern giggle
grenzenlos limitless
uneingeschränkt unlimited
das Naschvergnügen delight in guzzling
schrumpfen shrink
der Prachtsaal magnificent auditorium
der Mief stale air
raffiniert ingenious
das Spiegelsystem system of mirrors
verzerrt distorted
als hätte ihm das Leben tüchtig eins auf die Nase gegeben as if life had treated him very roughly indeed
angeschlossen adjoining
abwarten wait and see

* Ausdrücke zum Einprägen

über die Männer, den Urlaub, **was weiß ich**

keine Frage: In Reihe dreizehn ist es am lustigsten

wir wären ja schon zufrieden, wenn wir wieder in EIN Kino gehen könnten

wobei es egal ist, für welches man sich entscheidet

wir warten ab, ob dann 3000 essen und reden

Haben Sie bei einem Kinobesuch ähnliche Erfahrungen gemacht wie Elke Heidenreich? Finden Sie es schlimm, daß die Leute den Film kommentieren, sich laut unterhalten, essen und alle möglichen anderen Geräusche machen – während der Film läuft? Finden Sie es ganz natürlich, daß man sich ab und zu mit einer Freundin/einem Freund unterhält oder den Film kommentiert? Was ist Ihnen lieber – ein großer Kinosaal oder viele kleine Säle, in denen verschiedene Filme laufen? Finden Sie Elke Heidenreichs Kritik an den letzteren begründet?

nerven get on one's nerves
die Flughalle airport reception area
bis zum Überdruß until one is tired of it
die Zusammenhänge (pl.) context
die Tagesschau eight-o'clock news
die Majestätsbeleidigung lèse-majesté
notwendig necessary
ewig eternally
die Unzulänglichkeit shortcoming
die Eitelkeit vanity
die Unverschämtheit outrageousness
der Talkmaster chat-show host
selbstgefällig self-satisfied
der Dauerredner long-distance talker
abdrehen switch off
mit etwas hausieren gehen hawk something about
die Werbeeinblendung insertion of adverts
gräßlich horribly
die Auftaktmusik opening music
sich wehren gegen (here) do something about
der Showmaster compère
der Moderator (TV and radio) presenter
ausgeliefert (+ dat) at the mercy of
das Gebot commandment

* Ausdrücke zum Einprägen

... in der sich die Nation **ein Bild über** die politische Lage **machen will**

was tragen diese Bilder **dazu bei,** uns politische Zusammenhänge verständlich zu machen?

diese Frage muß doch, bitte schön, einmal **erlaubt sein**

es muß auch dem ARD-Nachrichtenchef **zu Ohren gekommen sein**

wir versuchen, diese Standardbilder **auf ein Minimum zu reduzieren**

Nicht genug damit. **Die Liste läßt sich weiterführen**

4

Während Elke Heidenreich im Kino war, saß Norbert Scheid zuhause vor dem Fernseher – und hat sich ebenfalls geärgert!

Das nervt am Fernsehen

Bundesaußenminister Hans-Dietrich Genscher auf der Gangway. Er besteigt ein Flugzeug. Er verläßt ein Flugzeug. Er betritt eine Flughalle. Er verläßt eine Flughalle. Fast täglich im Fernsehen zu sehen – zwischen 19.00 und 20.15 Uhr, der Zeit, in der sich die Nation ein Bild über die politische Lage machen will.

Aber was tragen diese bis zum Überdruß gezeigten Bilder von reisenden Politikern und deren Standard-Statements dazu bei, uns politische Zusammenhänge verständlich zu machen? Diese Frage muß doch, bitte schön, einmal erlaubt sein.

Für Henning Röhl, den Chef der „Tagesschau", scheint sie allerdings ein wenig nach Majestätsbeleidigung zu klingen. „Sie sind manchmal einfach notwendig", sagt er kurz. Daß sich allerdings Millionen Zuschauer über die sich ewig wiederholenden nichtssagenden Bilder ärgern, muß auch dem ARD-Nachrichtenchef zu Ohren gekommen sein. Röhl: „Wir versuchen ja, diese Standardbilder auf ein Minimum zu reduzieren." Mag sein. Aber uns Fernsehzuschauer nerven diese an- und abfahrenden Politiker einfach schon zu lange.

Es sind die sich ständig wiederholenden Unzulänglichkeiten, Gedankenlosigkeiten, persönlichen Eitelkeiten und auch kleineren und größeren Unverschämtheiten der Fernsehmacher, die uns täglich ärgern: gleich nach den Nachrichten die Wetterkarte. „Im Norden Regen. Im Süden Sonne." So weit, so klar. Aber gehört Bochum oder Münster noch zum Norden? Ist Köln schon sonniger Süden? Die Grenzen der Wetterfronten bleiben täglich im Nebel.

Nicht genug damit. Die Liste läßt sich weiterführen: Talkmaster, die sich am liebsten selbst reden hören. Wenn wir diesen selbstgefälligen Dauerrednern doch nur das Mikrofon abdrehen könnten. Prominente in den Abendshows, die mit ihrem neuen Buch, ihrem neuen Schlager oder ihrem neuen Film hausieren gehen. Die besten Filme oft erst gegen Mitternacht. Man sollte die Programmacher jeden Morgen um sieben wachklingeln.

Werbeeinblendungen bei den Privatsendern, kurzfristige Programmänderungen, gräßlich laute Auftaktmusik bei Filmen, miserabel synchronisierte Kinderfilme. Und bei alledem sitzen wir zu Hause und können uns nicht dagegen wehren. Es sollte deshalb für Showmaster, Moderatoren, Programmdirektoren und Nachrichtenchefs – kurz, für alle, denen wir 52 Millionen Zuschauer täglich ausgeliefert sind – eine Art elftes Gebot geben: Du sollst deine Zuschauer nicht nerven!

Norbert Scheid, Hörzu

Zu zweit: Herr Scheid beschwert sich über (mindestens) neun verschiedene Dinge. Suchen Sie sie aus dem Text heraus und machen Sie eine Liste davon.

- *Nerven einige dieser Dinge bzw. Sendungen auch Sie an unseren Fernsehprogrammen? Und welche? Sollte man sich darüber beschweren?*

Diskutieren Sie diese Fragen mit Ihrer Partnerin/Ihrem Partner.

5

Und wie steht es mit der Moral? In Großbritannien scheinen sich die meisten Leute über zuviel Sex im Fernsehen aufzuregen – in Deutschland scheint es eher Gewalt zu sein.

420 Fernsehtote an einem Wochenende

420 Menschen starben kürzlich an einem Wochenende im Fernsehen eines gewaltsamen Todes. Dies ermittelte eine Münchner Programmzeitschrift. Die Zahl bezieht sich auf alle derzeit in der Bundesrepublik zu empfangenden Sender.

„Das Fernsehen wird immer blutiger. Mord, Raub, Entführungen, Erpressung, schwere Körperverletzung auf allen Kanälen", kommentiert das Blatt. Das „mörderische Wochenende" sei aber im Vergleich zu anderen Samstagen und Sonntagen ein ganz normales gewesen.

„Ob erschlagen, aufgespießt, erwürgt, verbrannt, erdolcht oder einzementiert – oft ist es die pure Lust am Töten. Das Wohnzimmer verkommt zum Horrorstudio", schrieb die Zeitschrift weiter. Die besondere Gefahr liege darin, daß sechs der 27 Filme vor- oder nachmittags ausgestrahlt worden seien, also zu einer Zeit, zu der viele Kinder fernsähen. Dabei hätten die Fernsehanstalten noch einen Kriegsfilm und ein Schlachtenepos kurzfristig abgesetzt, „sonst hätte es am Wochenende möglicherweise noch ein paar tausend Tote mehr gegeben".

Berliner Zeitung

kürzlich recently
gewaltsam violent
ermitteln find out
sich beziehen auf relate to
der Sender broadcasting station
die Entführung abduction
die Erpressung blackmail
erschlagen beat to death
aufspießen gore
erwürgen strangle
verbrennen burn to death
erdolchen stab
einzementieren cement in
verkommen degenerate (into)
ausstrahlen broadcast
die Fernsehanstalt television station
das Schlachtenepos battle epic
kurzfristig at short notice
absetzen drop

- *Hätte es an einem Wochenende in unserem Fernsehen mehr oder weniger Tote gegeben?*
- *Wird es auch bei uns immer blutiger, oder war es schon immer schlimm?*
- *Finden Sie es besonders gefährlich, wenn kleine Kinder so viel Gewalt sehen? Oder glauben Sie, daß sie es nicht so ernst nehmen wie vielleicht Erwachsene?*
- *„Das Wohnzimmer verkommt zum Horrorstudio." Nehmen Sie dies als Titel und schreiben Sie zwei Absätze zu diesem Thema.*

✻ Ausdrücke zum Einprägen

die Zahl **bezieht sich auf** alle derzeit zu empfangenden Sender

die besondere Gefahr liege darin, daß sechs der Filme vor- oder nachmittags ausgestrahlt worden seien

der Hörfunk radio
die Kurzwelle short wave
das Ereignis event
nebenbei as well as doing something else
der Stau traffic jam
der Kopfhörer headphone
empfangen receive
wo immer wherever
rund um die Uhr round the clock
ausführlich detailed
verzichten auf do without

Viele Leute finden es erstaunlich, daß nach einem halben Jahrhundert Fernsehen das Radio immer noch seine Anziehungskraft behält. Wir haben einen Rundfunkjournalisten gefragt, warum sich im Zeitalter des Kinos, Fernsehens und Videos der Hörfunk so lange und so gut gehalten hat. Hören Sie sich an, wie er das erklärt.

- *Der Journalist zählt sechs Vorteile des Hörfunks gegenüber dem Fernsehen auf. Welche sind es?*
- *Finden Sie, das Radio hat noch andere Vorteile?*
- *Ist auch für Sie Radio sehr wichtig, oder ziehen Sie Fernsehen auf alle Fälle vor?*

Vielleicht bevorzugen viele das alte Dampfradio, weil es unmittelbarer ist: Der Fernsehschirm trennt den Zuschauer von dem, was gesendet wird. Vielleicht ist das Radio auch beliebter, weil es von seinem Publikum mehr Phantasie verlangt als das Fernsehen. Manche Leute machen auch selbst Radio. Zum Beispiel diese in Ostfriesland:

Stück vom Schwein

Sie nennen sich Piraten, haben aber keine schwarze Klappe auf dem Auge, sondern ein Mikrofon vor dem Mund. Statt Fregatten kapern sie Frequenzen.

„Seit 14 Jahren geht das hier schon", weiß Annemarie Röhrsch, die im ostfriesischen Ostrhauderfehn bis vor gar nicht langer Zeit mit ihrem „Radio Ostfriesland" im Wohnzimmer, „je nachdem, wie wir Zeit und Lust hatten", auf Sendung ging. Und nicht sie allein: „Wenn der eine anfängt, zieht der andere hinterher."

Sporadisch und unregelmäßig, aber eben immer wieder sind in Ostfriesland, vor allem rund um Leer an der Ems, mehr als 250 Piratensender in Betrieb. Sie verbreiten im Umkreis von rund 20 Kilometern volkstümliche Klänge wie „Das beste Stück vom Schwein" oder „Ein Lied für Oma" sowie Glückwünsche in unverständlichem Ostfriesen-Platt. Damit verstoßen die Kleinsender gegen das Gesetz über Fernmeldeanlagen. Danach kann, wer einen Sender ohne Genehmigung errichtet oder betreibt, bis zu fünf Jahre ins Gefängnis kommen.

Zwar gab und gibt es Piratensender auch anderswo. Am Oberrhein versorgt „Radio Dreyeckland" die politische Szene mit Informationen, im katholischen Breitenberg bei Duderstadt im Eichsfeld läßt sogar der Dorfpastor seinen Segen über einen selbstgebauten Sender auch Gemeindemitgliedern zukommen, die krank oder alt zu Hause bleiben müssen.

Nirgends aber sind Schwarzfunker, die für ihr Sendegerät bis zu 10 000 Mark ausgeben, so flächendeckend wie im Ostfriesischen . . .

▶

die Klappe (here) patch
kapern capture
auf Sendung gehen (colloq.) broadcast
unregelmäßig irregularly
der Umkreis radius
volkstümlich traditional
der Klang tune
das Platt(deutsch) Low German
verstoßen gegen contravene
die Fernmeldeanlage telecommunications installation
der Segen blessing
das Gemeindemitglied parishioner
der Schwarzfunker pirate broadcaster
flächendeckend thick on the ground

- *Warum sind Piratensender in einer Gegend wie Ostfriesland wohl so beliebt?*

Besprechen Sie diese Frage zuerst mit Ihrer Partnerin/Ihrem Partner und danach zusammen in der Klasse.

- *Was meinen die Experten dazu? Lesen Sie nun den Artikel zuende:*

die Volkskunde folklore
sich beschäftigen mit (here) study
das Moor marsh
abringen wrest
bescheinigen confirm
die Zusammengehörigkeit belonging together
die Mitteilung (piece of) news
loslegen get going
zur Sendezeit whilst on air
sich stark machen für put one's weight behind
die Gebühr licence fee
genehmigen give permission (for)
die Staatskanzlei Minister-President's office
sog. (= **sogenannten**) so-called
rundfunkrechtlich relating to broadcasting law
die Veranstaltung (here) broadcasting
erteilen grant

▶ . . . „Das ist ein Volk für sich", sagt Marron Fort, der sich an der Universität Oldenburg mit ostfriesischer Sprache und Volkskunde beschäftigt.

Den Einheimischen im Fehngebiet bei Leer, das vor 300 Jahren dem Moor abgerungen wurde, an den Kanälen im Saterland, im Oberledingerland und im Moormerland bescheinigt Fort „ein starkes Gefühl der Zusammengehörigkeit". Die „gemütlichen Mitteilungen", die sie absenden, sollen, so meint er, nichts anderes besagen als: „Wir sind unter uns, wir bleiben unter uns, und wir wollen gute Nachbarn sein."

Tatsächlich, sobald Annemarie Röhrsch in Ostrhauderfehn mit ihrer Kennmelodie „Ich bin ein Stück Ostfriesland" loslegte, klingelte schon das Telefon. „200 bis 300 Anrufe in drei Stunden" hat Frau Röhrsch zuweilen gezählt. Bei „Radio Albatros" von Käthe und Hermann Groen in Neermoor stand zur Sendezeit das Telefon kaum eine Minute still. „Wenn die uns gehört haben, also die haben alle geweint vor Freude", vor allem wohl, „weil wir nicht in Deutsch, sondern in Platt gesendet haben."

„Sie sehen nichts Unrechtes darin", sagt Friesenforscher Fort, „und sie fragen sich, warum die Regierung ihnen das verbieten sollte." Für die Piraten machte sich sogar Bürgermeister Harm Weber im Moormerland stark. Er schrieb nach Bonn und Hannover: „Sie wären bereit, dafür Gebühren zu zahlen, wenn man ihnen diese Sendungen genehmigen würde." Die hannoversche Staatskanzlei antwortete, daß die Regierung „noch keine Möglichkeit" sehe, „sog. Piratensendern eine rundfunkrechtliche Erlaubnis zur Veranstaltung ihrer Programme zu erteilen".

Der Spiegel

„Sie sehen nichts Unrechtes darin."

Und Sie? Versuchen Sie zuerst, diese Leute und ihre Piratensender zu verteidigen, ehe Sie sich darüber eine Meinung bilden. Diskutieren Sie dann Ihre Meinungen und Ansichten in der Klasse.

✻ Ausdrücke zum Einprägen

die **bis vor gar nicht langer Zeit** im Wohnzimmer auf Sendung ging

zwar gab und gibt es Piratensender auch anderswo

sie fragen sich, warum die Regierung ihnen das verbieten sollte

für die Piraten **machte sich** Bürgermeister Harm Weber **stark**

sie wären bereit, dafür Gebühren zu zahlen

Einheit 18 Vom Trabi zum Solarmobil

1

Sie stehen im Stau, wahrscheinlich irgendwo auf der Autobahn, und denken (u.a.): „Was wir brauchen, sind mehr und bessere Straßen." Das denken Deutschlands Straßenbauer auch:

Deutschlands Straßen tragen Europas Last

Durch den EG-Binnenmarkt steigt das Güterverkehrs-Aufkommen in unserem Land um 40%. Engere Handelsbeziehungen zwischen Ost und West verachtzehnfachen den Transitverkehr. Unsere Straßen werden die Hauptlast tragen.

Veränderte Arbeitsbedingungen bringen weitere Verkehrsprobleme. Immer kleinere Versandposten müssen „just in time" transportiert werden. Und ein immer größerer Teil der wachsenden Freizeit wird auf der Straße zugebracht.

Die Antwort auf die Herausforderung der Zukunft ist ein modernes, umweltgerechtes und integriertes Verkehrssystem, das alle Verkehrsträger einbezieht. Und dieses System kann auf bessere Straßen nicht verzichten.

Um den Verkehrsinfarkt im Herzen Europas zu verhindern, muß jetzt gehandelt werden. Jetzt!

Bessere Straßen sind die beste Antwort.

Deutschlands Straßenbauer.

die Last burden
der Binnenmarkt internal market
das Güterverkehrs-Aufkommen rise in goods traffic
eng close
die Handelsbeziehung trade relation
die Arbeitsbedingung working condition
der Versandposten quantity of goods for despatch
zubringen spend
die Herausforderung challenge
umweltgerecht environmentally sound
der Verkehrsträger traffic
einbeziehen include
verzichten auf do without
der Verkehrsinfarkt 'traffic thrombosis'

* Ausdrücke zum Einprägen

die Antwort auf die Herausforderung der Zukunft ist ein modernes Verkehrssystem

dieses System **kann auf** bessere Straßen **nicht verzichten**

um den Verkehrsinfarkt zu verhindern, **muß jetzt gehandelt werden**

Die Bundesbahn allerdings hat andere Ideen – verständlicherweise!

WIR ALLE WOLLEN MOBIL BLEIBEN. WIR BRAUCHEN DIE BAHN.

Wir wissen alle, was wir dem Auto zu verdanken haben. Es hat uns persönliche, individuelle Mobilität gebracht. Doch heute ist sein ursprünglicher Nutzen oft ins Gegenteil verkehrt: Wir stehen im Stau.

Es ist kein Gewinn, wenn Benzin in endlosen Staus nutzlos verbrannt wird. Schließlich ist Öl ein wertvoller Rohstoff. Und unsere Luft, die unnötig mit Schadstoffen belastet wird, ist es noch mehr. Da hilft auch modernste Technik nicht mehr weiter. Es muß in unserem Interesse sein, ein besseres Verkehrskonzept zu entwickeln, mit dem wir alle leben können.

Die Zeit drängt. Nur ein verantwortungsbewußtes Denken zwischen dem Automobil, der Bahn, dem öffentlichen Nahverkehr, der Luft- und Schiffahrt führt zu einer Partnerschaft, die uns alle „fließender" voranbringt.

Deutsches Verkehrsforum

✻ Ausdrücke zum Einprägen

wir wissen alle, **was wir** dem Auto **zu verdanken haben**

heute **ist** sein ursprünglicher Nutzen **ins Gegenteil verkehrt**

es ist kein Gewinn, wenn Benzin in endlosen Staus nutzlos verbrannt wird

es muß in unserem Interesse sein, ein besseres Verkehrskonzept zu entwickeln

die Zeit drängt

ursprünglich original
verkehren in turn into
nutzlos uselessly
der Schadstoff harmful chemical
drängen be pressing
verantwortungsbewußt responsible
der öffentliche Nahverkehr local public transport
fließender (here) more smoothly
voranbringen get on the move

Lesen Sie noch einmal – eines nach dem anderen – die Argumente in diesen beiden Reklamen durch.

- *Welche finden Sie gut, welche schlecht, welche unwichtig oder nicht überzeugend? Welche fehlen? Was verstehen Sie unter einem „besseren Verkehrskonzept"?*

2

Aber auch in Deutschland wollen die wenigsten auf ihre Autos verzichten. Viele fahren selbst dann mit dem Auto zur Arbeit, wenn gute Bahn- oder Busverbindungen vorhanden sind.

A Lesen Sie den folgenden Text und machen Sie sich Notizen (nur) zu den Zahlen. Machen Sie nun das Buch zu und erklären Sie **B**, worum es in diesem Artikel geht.

B Lesen Sie den Text noch nicht, sondern hören Sie zu, was Ihnen **A** über den Artikel erzählt. Stellen Sie Fragen, wenn Sie etwas nicht verstehen.

Lesen Sie anschließend beide den Text.

- *Was kann man tun, damit diese Leute ihre Autos zuhause lassen?*

Der Weg zur Arbeit

Jeder dritte Berufstätige arbeitet nicht an seinem Wohnort. Um Betriebe, Büros, Schulen und Universitäten zu erreichen, setzen täglich 8,3 Millionen Menschen ihre Autos in Gang. Das sind gut siebzig Prozent der fast zwölf Millionen Pendler in der Bundesrepublik. Selbst die zunehmend verstopften Straßen und die wachsende Parkplatznot konnten bisher nur ein Viertel von ihnen bewegen, in öffentliche Verkehrsmittel einzusteigen. Dabei droht immer mehr Städten der Verkehrsinfarkt. Gut ein Drittel aller Pendler ist regelmäßig – morgens wie abends – zwischen dreißig Minuten und einer ganzen Stunde unterwegs. Sieben Prozent brauchen sogar noch länger. Leider ist jedoch nicht bekannt, wieviel Zeit die Autofahrer unter ihnen davon in Staus verschwenden.

Die Zeit

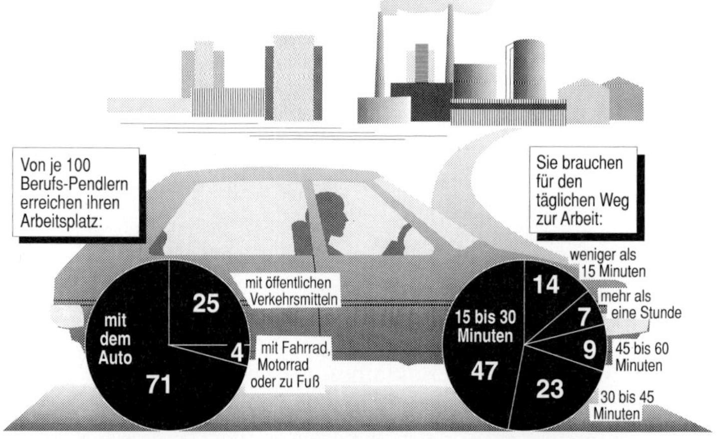

die/der Berufstätige working person
der Pendler commuter
zunehmend verstopft increasingly congested
die Parkplatznot parking trouble
verschwenden waste

der Kreis (administrative) district
die Vorortbahn suburban railway
zum Funk to the radio station
günstig convenient
rechtzeitig in time
der Stellplatz space (for parking)
unter Umständen possibly
gelegentlich occasionally
die Mehrzahl majority
ansonsten otherwise

3

Wir haben mit einem Kölner gesprochen, der jeden Tag vom Stadtrand mit seinem Auto in die Stadt pendelt, wo er im Funkhaus arbeitet. Wir haben ihn gefragt, warum er mit dem Auto fährt und was er jeden Tag unterwegs erlebt. Hören Sie sich das Interview an und beantworten Sie dann folgende Fragen:

- *Warum fährt dieser Herr nicht mit den öffentlichen Verkehrsmitteln?*
- *Warum fährt er nicht immer mit dem Fahrrad?*
- *Wie oft in der Woche steht er im Stau?*
- *Wenn Sie in seiner Lage wären, würden Sie auch mit dem Auto fahren?*

* Ausdrücke zum Einprägen

deshalb muß ich mit dem Auto fahren, **weil** das günstiger ist

so daß ich manchmal, **wenn es das Wetter erlaubt** . . .

weil das **unter Umständen** sogar **schneller ist, als wenn** ich . . .

das kommt darauf an

ansonsten geht das fast die ganze Woche durch

aber **trotz allem** geht das immer noch schneller

Rollenspiel:

A Stellen Sie sich vor, Sie sind der Pendler. Verteidigen Sie die Tatsache, daß Sie mit dem Auto zur Arbeit fahren. Sie sind der Meinung, daß Sie trotzdem umweltbewußt sind.

B Stellen Sie sich vor, Sie sind Umweltschützerin/Umweltschützer und besitzen kein Auto, würden sich auch nie eines kaufen. Greifen Sie den Pendler an.

In den neuen Bundesländern ist die Lage noch schlimmer. Da gab es nach der Wende einen regelrechten Autohunger – weil jahrelang Autos nicht zu bekommen waren (nach der Anmeldung mußte man durchschnittlich 14 Jahre auf die Lieferung eines Autos warten). Was man bekam, wenn man Glück hatte, war ein Wartburg, wenn nicht, ein Trabant. Doch nach vierzehn Jahren war man froh, überhaupt ein Auto zu haben!

Den Trabant sieht man immer noch auf deutschen Straßen. Er ist aber ein äußerst gefährliches Fahrzeug!

Trabi, das Fluchtauto des Jahres

Der Trabi ist 32 Jahre alt. Es gibt ihn 1,5millionenmal. Er wurde von der BUNTE-Autoredaktion kritisch, aber liebevoll getestet.

Scheinwerfer: nach 100 Metern keine Kraft

Seine Lampen haben die Leuchtkraft einer 50-Watt-Birne, die einen mittelgroßen Raum erleuchtet. Das Fernlicht reicht gerade 100 Meter.

Motor: nur Zufußgehen ist langsamer

595-ccm-2-Zylinder-Zweitakt. Hört sich kompliziert an, funktioniert aber so einfach wie eine Wasserpumpe. Beschleunigung: Er braucht eine Minute, um von 0 auf 100 zu kommen (der schwächste VW Polo schafft es in 14,5 Sekunden).

Verbrauch: ein Säufer

Er schluckt etwa 8,0 Liter auf 100 km. Der Sprit des Trabi besteht aus 1 Liter Normalbenzin, dem 0,02 Liter Öl beigemischt ist. Reichweite des 26-Liter-Tanks: 325 km – einmal durch die DDR.

Karosserie aus Sägemehl

Sie besteht aus Sägespänen und Plastikmasse. Wenn zwei Trabis zusammenstoßen, gibt es nie Beulen, gleich Löcher. Viele Verletzte, weil keine Knautschzone.

Schaltung: ja

Die rechte Hand des Westlers fällt ins Nichts. Fährt der Trabi ohne Schaltung? Nein. Das, was wie ein dicker Blinkerhebel am Lenkrad aussieht, ist die Schaltung. Modell: 50er Jahre, Schema H.

Türen: Heulen ab 80

Wenn Sie eine Tür zuschlagen, klingt das, als wenn Sie einen Pappkartondeckel zumachen. Sie schließen nicht richtig. Zwischen Tür und Karosserie bleibt ein fingerdicker Spalt, in dem sich ab Tempo 80 heulend der Wind fängt.

Federung: antik

Sie stammt aus dem Kutschenwagenbau. Es ist eine querliegende Blattfeder. Beim Automobilbau wurde sie schon bei den meisten in den 40er Jahren abgeschafft. In den neuesten Modellen sind Schraubfedern.

Innenraum: keine Freiheit

Der Trabi hält den Weltrekord an Unfreiheit. Für Beine, Knie, Kopf. Er ist mit 3,50 Meter Länge das winzigste deutsche Auto, das es gibt. Viele Trabi-Besitzer klagen über Kreuzschmerzen, Kopfschmerzen, eingeschlafene Füße.

Trommelbremsen: Nervensache

Rundum Trommelbremsen. Im Westen fährt kein Auto mehr mit Trommelbremsen vorne. Man braucht starke Muskeln, um das Bremspedal durchzutreten, und dazu unglaubliche Nerven. Reicht der Bremsweg oder reicht er nicht?

Auspuff: ein einmaliger Geruch

Die dicken blauen Wolken, die aus ihm kommen, verbreiten diesen besonderen Geruch . . . Dabei ist der beißende Geruch noch das Harmloseste am Trabi. Seine blauschwarzen Qualmwolken sind krebserregend.

. . . Aber trotz allem ist der Trabant auf seine Weise das Auto des Jahres. Er nahm die Zielgerade. An der Tribüne stand das Wort „Freiheit".

das Fluchtauto get-away car
der Scheinwerfer headlight
das Fernlicht full beam
die Karosserie bodywork
das Sägemehl sawdust
die Sägespäne (pl.) wood shavings
die Beule dent
die Knautschzone crumple zone
die Kreuzschmerzen (pl.) lower-back pain
die Trommelbremse drum brake
die Nervensache a question of nerves
der Zweitaktmotor two-stroke engine
die Beschleunigung acceleration
heulen howl
der Spalt slit
der Verbrauch consumption
der Säufer boozer
schlucken guzzle
der Sprit (colloq.) fuel
die Schaltung gears
der Blinkerhebel indicator lever
die Federung suspension
der Kutschenwagenbau coach building
querliegend transverse
die Blattfeder leaf spring
abschaffen abolish
die Schraubfeder helical spring
der Auspuff exhaust
die Qualmwolke cloud of smoke
krebserregend carcinogenic
die Zielgerade finishing straight
die Tribüne grandstand

Rollenspiel:

A Stellen Sie sich vor, Sie sind ein westdeutscher Gebrauchtwagenhändler und haben einen recht gut erhaltenen Trabant in Ihrem Angebot. Sie möchten ihn der/dem offensichtlich reichen Amerikanerin/Amerikaner verkaufen, die/der gerade hereingekommen ist und einen Kleinwagen sucht. Sie/er spricht (leider) sehr gut deutsch. Sie müssen sich sehr anstrengen und den Trabi in den höchsten Tönen preisen!

B Stellen Sie sich vor, Sie sind die Kundin/der Kunde beim Gebrauchtwagenhändler. Sie wollen einen Kleinwagen kaufen, aber Sie sind schlauer, als der Händler annimmt. Sie haben einiges über den Trabant gehört – und außerdem den Artikel auf Seite 168 gerade vorher gelesen!

5

Der Trabi ist mit Sicherheit das Auto der Vergangenheit. Ist der Futura aber wirklich das Auto der Zukunft?

Die Zukunft fuhr im Futura zur Messe vor

Auf der seit 1947 alljährlich veranstalteten Hannover Messe Industrie war in diesem Jahr die Zukunft vorgefahren. Im Ausstellungszentrum Forschung und Technologie präsentierte die Volkswagen AG das mögliche Auto des Jahres 2000. Besucher wie Fachleute ließen sich vom VW Futura gleichermaßen in den Bann ziehen.

So stellt die kleinste Parklücke für das funktionstüchtige Forschungsmodell kein großes Problem dar. Per Knopfdruck manövriert sich das Gefährt mit seinen vier lenkbaren Rädern automatisch in die Lücke. Laser- und Ultraschallsensoren sorgen dafür, daß der VW Futura bei seinem „Seitensprung" nicht aneckt. Während der Fahrt, speziell im dichten Stadtverkehr, wird dem Fahrer durch ein Abstandsmeßsystem optisch signalisiert, wenn der Abstand zum Vorausfahrenden „brenzlig" geworden ist. Über zwei Farbdisplays werden zudem die günstige Geschwindigkeit und Motordrehzahl empfohlen und der aktuelle Treibstoffverbrauch angezeigt. Letzterer reduziert sich durch einen direkt einspritzenden Benzinmotor im Stadtverkehr um 20 bis 30 Prozent gegenüber herkömmlichen Motoren. Die Emission von Schadstoffen sinkt unter die heute gültigen strengen US-Normen. Mit dem Futura setzt VW Zeichen, wie das Auto in ökologische Verkehrssysteme von morgen integriert werden kann.

Junge Welt

vorfahren drive up
die Ausstellung exhibition
die Fachleute (pl.) experts
gleichermaßen equally
sich in den Bann ziehen lassen come under the spell
funktionstüchtig working
das Gefährt vehicle
der Ultraschallsensor ultra-sound sensor
der Seitensprung leap to the side (literally: extramarital affair)
anecken (here) hit something
das Abstandsmeßsystem gap-measurement system
brenzlig (here) dangerous
die Motordrehzahl rpm; engine revs.
der Treibstoffverbrauch fuel consumption
einspritzen inject
herkömmlich traditional
Zeichen setzen point the way

* Ausdrücke zum Einprägen

Besucher wie Fachleute **ließen sich** vom VW Futura **gleichermaßen in den Bann ziehen**

so **stellt** die kleinste Parklücke **kein großes Problem dar**

per Knopfdruck manövriert sich das Gefährt automatisch in die Lücke

Machen Sie eine Liste der Vorteile dieses Autos der Zukunft. Machen Sie dann zu zweit eine zweite Liste von anderen Dingen oder Vorteilen, die Sie gern an diesem Auto gesehen hätten.

Der Futura wird erst im Jahre 2000 zu kaufen sein, wenn überhaupt. Die Solarmobile sind aber schon da. Strom von der Sonne – also umweltfreundliche Autos, die man bereits benutzen kann?

B Lesen Sie sich die folgenden zwei kurzen Artikel durch und machen Sie sich Notizen (nur) zu den Zahlen. Machen Sie nun das Buch zu und erklären Sie **A**, worum es in diesen beiden Artikeln geht.

A Lesen Sie die folgenden zwei Artikel noch nicht, sondern hören Sie zu, was Ihnen **B** über sie erzählt. Stellen Sie Fragen, wenn Sie etwas nicht verstehen.

Lesen Sie anschließend beide die Artikel.

Der „Mini-el City" – das Elektro-/ Solarmobil der Zukunft

Daß aus seinem Kabinenroller einmal ein Solarmobil wird, hätte sich Willy Messerschmitt sicher nicht denken können, als 1948 der erste gebaut wurde.

Dieses Motorrad wird im Normalfall über ein Batterie-Netzgerät aufgeladen. Es kann jedoch zusätzlich oder ergänzend über Solarzellen „aufgetankt" werden.

Verbrennungsmotoren belasten nicht nur die Umwelt, sondern verbrauchen auch die begrenzten fossilen Energieressourcen. Der Einsatz alternativer Technologien kann die Umwelt entscheidend entlasten. Bereits heute befinden sich zahlreiche solarbetriebene Geräte und Fahrzeuge im Einsatz. In Hessen werden erstmals in einem deutschen Ministerium Solarautos eingesetzt, die im Nahverkehr für Kurier- und Botenfahrten genutzt werden.

Hürther Stadtblatt

Solarfahrzeuge können jetzt in der Schweiz gemietet werden. In Basel werden sowohl ein- als auch mehrplätzige Elektro-Pkw angeboten, die den Strom von einer Solarzellenanlage beziehen. Sie können bis zu 100 Kilometer fahren, ehe sie zum Aufladen an eine „Solartankstelle" angeschlossen werden müssen. Diese neue umweltfreundliche Dienstleistung soll bis 1995 an allen Schweizer Bahnhöfen angeboten werden.

Berliner Zeitung

begrenzt limited
entlasten relieve the pressure on
sich im Einsatz befinden being used
der Bote messenger

mieten rent
aufladen recharge
anschließen plug in
die Dienstleistung service

- *Sind Sie beide der Meinung, daß das Solarmobil das Auto der Zukunft ist? Oder sehen Sie einen (oder gleich mehrere) Haken?*

Leider sieht es in der Praxis oft anders aus als in der Theorie. Lesen Sie nun, was eine Baslerin mit ihrem Solarmobil erlebt hat:

Wie es tatsächlich zugeht im fahrerischen Alltag eines Solarmobils, berichtete die schweizerische Ärztin Ruth Gonseth. Sie hatte nach 3000 Kilometern mit ihrem „Sulky" bereits den zweiten Satz Batterien verschlissen. Im Gegensatz zur Prospektangabe (40 Kilometer) gewährte ihr Auto nur jeweils 30 Kilometer Fahrstrecke.

Alternativfahrerin Gonseth hat Sonnenzellen auf dem Dach ihres 40 km/h schnellen Vehikels, glaubt aber, „daß diese auch bei schönem Wetter nur minimal zum Laden der Batterien beitragen". Daß ein Geflecht von Sonnenzellen auf dem Dach des Autos allein so gut wie nichts bringt, hatten schon BMW-Ingenieure bei ihren Entwicklungsarbeiten gelernt. Sie installierten ein Schiebedach aus Solarzellen. Die so gewonnene Energie war, so ein Ingenieur, „sogar für den läppischen Antrieb einer Standentlüftung zu schwach".

Frau Gonseth zapft ihren Fahrstrom an einer für 32 000 Franken errichteten „Solartankstelle", an der sie beteiligt ist. Letzten Mittwoch wurde in Kassel die erste öffentliche Solartankstelle des Bundesgebietes, eine Versuchsanlage, eröffnet. Ein auf einem Mast installierter Solargenerator kann jährlich etwa 650 Kilowattstunden liefern, vorausgesetzt, die Sonne scheint 1000 Stunden über Kassel. Die Anlage kann innerhalb von zwei Stunden jeweils zwei Solarmobile – Kassel hat 25 – mit Energie versorgen. Falls die Sonne schmollt, hilft – wie bei anderen Solartankstellen auch – das städtische Stromnetz aus.

Der Spiegel

der Satz set
verschleißen wear out
die Prospektangabe information in the brochure
gewähren allow
das Geflecht network
die Entwicklung development
läppisch feeble
der Antrieb (here) drive
die Standentlüftung ventilation system (when stationary)
zapfen (here) draw
beteiligt sein have a share (in)
die Versuchsanlage trial installation
vorausgesetzt given that
schmollen (here) refuse to shine (literally: sulk)

✻ Ausdrücke zum Einprägen

wie es tatsächlich zugeht, berichtete Ruth Gonseth

ein Geflecht von Sonnenzellen auf dem Dach des Autos **bringt** allein **so gut wie nichts**

Einige umweltbewußte Leser des Spiegels *empörten sich über den obigen Artikel:*

Man könnte meinen, Sie besäßen Aktien bei BMW! Die heutige Generation der Solarmobile ist für Pendler- und Park-and-Ride-Verkehr bestimmt, nicht für Ferienreisen nach Sizilien oder Hammerfest!
Dr. Jacques Dreyer,
Präsident der Regionalgruppe Sonnenenergie,
Basel

die Aktie share

Da der Trend in unserer Gesellschaft ohnehin zum Zweit- und Drittwagen geht, ist es nicht absurd, wenigstens die Fahrten innerhalb der Städte mit einem kleinen, umweltfreundlichen Fahrzeug zu unternehmen. Alle Versuche, aus unserem Autodesaster auszusteigen, sollten jedenfalls sehr ernst genommen werden.
Christine Hartl,
München

aussteigen aus (here) escape from
ernst nehmen take seriously

Haben Sie schon einmal bedacht, wie Strom erzeugt wird? Wissen Sie nicht, daß bei der Verbrennung von Kohle zum Beispiel CO^2 (Treibhauseffekt) und SO^2 entsteht? Oder wollen Sie den gesamten Strom mittels Kernkraftwerken erzeugen?
Stefan Krebs,
Haßloch (Rhld.-Pf.)

das Treibhaus greenhouse
mittels with the help of

Der Spiegel

* Ausdrücke zum Einprägen

man könnte meinen, Sie besäßen Aktien bei BMW

da der Trend in unserer Gesellschaft ohnehin zum Zweit- und Drittwagen **geht,** . . .

alle Versuche, aus unserem Autodesaster auszusteigen, **sollten jedenfalls sehr ernst genommen werden**

wollen Sie den gesamten Strom **mittels** Kernkraftwerken erzeugen?

Versuchen Sie nun, alle Argumente pro und kontra Solarmobil in einem kurzen Aufsatz zusammenzufassen. Und *Sie* – sind Sie dafür oder dagegen? Begründen Sie Ihren Standpunkt.

7

Vielleicht liegt die Antwort nicht darin, wie das Auto betrieben wird, sondern wie es gebraucht wird?

Stattauto statt Auto

Karen Bernsmann aus Berlin-Kreuzberg hat ihren alten VW Käfer verkauft. Wenn die 25jährige Beschäftigungstherapeutin größere Besorgungen machen oder Patienten transportieren will, radelt sie in die einige Minuten entfernte Methfesselstraße. Dort ist ein Mini-Tresor in eine Mauer eingelassen. Karen schließt auf, nimmt einen Autoschlüssel heraus, geht zu einem in der Nähe geparkten Opel Kadett Kombi mit der Aufschrift „Stattauto" und braust los. Das zahlt sie mit einer Nutzungsgebühr.

Empfänger ist die „Stattauto Car-Sharing GmbH" mit ihren geschäftsführenden Gesellschaftern, den Brüdern Oswald, Markus und Carsten Petersen. Sie gehen gegen die Verstopfung der Straßen an – indem sie in den nächsten Wochen 16 neue Autos auf Berlins Straßen schicken.

7 „Stattautos" gibt es bereits, verteilt auf 3 Standorte. Ihre 65 Fahrerinnen und Fahrer haben eines gemeinsam: keinen eigenen Pkw. Wer Mitglied werden will, muß dem privaten PS-Glück entsagen. Dafür erfreuen sie sich eines guten Gewissens, meint jedenfalls Markus Petersen. „Es gibt keinen anderen Autovermieter, der gegen Autos ist."

Eine Schwäche des Systems: Im Schnitt jede zehnte gewünschte Fahrt muß mangels freier Kapazitäten ausfallen oder verschoben werden. Um Frustrationen bei den Mitgliedern zu vermeiden, wurde in einem zum Standplatz nahegelegenen Hotel an der Rezeption eine Buchungsstelle eingerichtet, dic rund um die Uhr besetzt ist.

Acht Teilnehmer haben bisher ihr Gefährt wegen „Stattauto" abgeschafft, weitere acht, die vor dem Kauf eines Wagens standen, überlegten es sich noch anders. Ihnen und allen anderen droht der Rauswurf aus der Initiative, sollten sie beim Anblick eines neuen Autos schwach werden.

Der Spiegel

der Käfer beetle
der/die Beschäftigungstherapeut(in) occupational therapist
die Besorgung purchase
der Tresor safe
die Aufschrift label
losbrausen roar off
die Nutzungsgebühr utilisation fee
der Empfänger recipient
geschäftsführend executive
der Gesellschafter partner
der Standort site
das PS-Glück (PS = Pferdestärke) 'horse-power happiness'
entsagen renounce
das Gewissen conscience
die Schwäche weakness
mangels for lack of
verschieben postpone
der Rauswurf being thrown out
die Initiative action group

* Ausdrücke zum Einprägen

eine Schwäche des Systems: jede zehnte Fahrt muß mangels freier Kapazitäten ausfallen

weitere acht, die vor dem Kauf eines Wagens standen, **überlegten es sich noch anders**

Eine Stattauto-Kundin beim Öffnen des Autoschlüssel-Tresors

Zu zweit:

A Machen Sie eine Liste der Vorteile dieser Idee des Stattautos. In der anschließenden Diskussion mit **B** verteidigen Sie das Konzept des Stattautos.

B Machen Sie eine Liste der Nachteile dieser Idee des Stattautos. In der anschließenden Diskussion mit **A** greifen Sie das Konzept des Stattautos an.

Das Stattauto-Gründertrio: Oswald, Markus und Carsten Petersen

8

Das Auto wird trotz allem bleiben und sich vermehren, nicht aus logischen Gründen, sondern weil es einem Traum der Freiheit, der Flucht in ein neues Leben entspricht . . . Und es ist dieser Traum, den uns der Autohändler verkauft.

Beim Kauf eines Gebrauchtwagens aber kann der Traum leicht zum Alptraum werden (siehe nächste Seite) . . .

das Blech sheet metal
verheißen promise
schleusen pass through
der Anbieter supplier
gut in Schuß in good shape
der Ärger annoyance
der Schlosser mechanic
aufbieten call
die Torschlußpanik last-minute panic
einlenken give in
losschlagen (here) get rid of
der Schrotthändler scrap merchant
ergattern manage to grab
aufmöbeln do up
im Angebot on offer
der Schleuderpreis knock-down price
die Probefahrt test drive
der üble Bursche villain
madig machen run down
jemandem etwas abschwatzen talk s.o. out of something
der Aufschlag mark-up
mit Schrottwert with no more than scrap value
die Edelkarosse (colloq.) high-grade limousine
getarnt disguised
an den Mann bringen find a taker for
schrottreif geprügelt beaten-up ready for the scrapheap
genüßlich with relish
aufbereitet embellished
eingeschworen sworn-in
feilschen haggle

El Dorado in Blech

Samstag morgen, 9.30 Uhr. Hinter der Billig-Tankstelle und der Waschanlage verheißen Schilder den Weg ins El Dorado der Autokäufer und -verkäufer, in den „Privaten Automarkt". Durch die Kassenanlage wird eine schier endlose Schlange geschleust. Drei Mark Eintritt für Kauflustige, 2.000 bis 3.000 Personen jeden Samstag, und 30 Mark für Anbieter.

Martina aus Bergheim hat einen Golf Diesel zu verkaufen, gut in Schuß. 10.000 Mark steht auf dem Schild im Fenster. Der Preis ist, wie alle Preise hier, VB – Verhandlungsbasis. Mehr als 500 Mark will sie nicht runtergehen. Sehr zum Ärger von Klaus. Der 30jährige Schlosser bietet seit einer Stunde alle seine Überredungskünste auf und hat den Preis von 10.000 auf 9.500 Mark „gedrückt". Martina bleibt hart. Als jetzt weitere Interessenten mitbieten, bekommt Klaus Torschlußpanik. Kurz danach ist der Handel perfekt – Klaus hat eingelenkt.

Neben Martina steht Holger, um einen Fiesta loszuschlagen. Er arbeitet bei Ford und macht hier oft eine schnelle Mark. Den Fiesta hat er bei einem Schrotthändler für 1.000 Mark ergattert, ein wenig aufgemöbelt und jetzt für 4.000 Mark im Angebot. Mit dem Geld sieht er sich dann auf dem Markt kurz vor Schluß noch mal um. „Dann verkaufen die Leute ihre Wagen zu Schleuderpreisen." Das Finanzamt weiß nichts von seinen Deals . . .

Von unehrlichen und halbkriminellen Käufern und Verkäufern wissen die meisten Besucher des Automarktes zu berichten. Etwa die Geschichte von der Probefahrt, bei der, mitten auf der Autobahn nach Bonn, der verkaufswillige Besitzer plötzlich gezwungen wurde, den Wagen zu verlassen. Mit der Polizei suchte er den üblen Burschen zu finden – erfolglos. Oder die Story von der Händler-Mafia, die in drei Gruppen arbeitet und dem unerfahrenen Besitzer so lange das Auto madig macht, bis er es sich billig abschwatzen läßt. Drei Meter weiter wird es dann, noch am selben Tag, mit 1.000 Mark Aufschlag weiterverkauft. Oder die Geschichte vom korrupten Händler, der ein Auto mit Schrottwert als Edelkarosse getarnt zum Traumpreis an den Mann brachte – und dann von Freunden des Betrogenen selbst schrottreif geprügelt wurde.

Geschichten, die, wahr oder auch nur halbwahr, genüßlich aufbereitet werden – irgendwie gehört das zu dieser eingeschworenen Gemeinschaft, die vom Bluffen und Feilschen lebt.

Kölner Illustrierte

* Ausdrücke zum Einprägen

Martina hat einen Golf Diesel zu verkaufen, **gut in Schuß**

sehr zum Ärger von Klaus

mit dem Geld sieht er sich dann **kurz vor Schluß** noch mal um

er **brachte** ein Auto zum Traumpreis **an den Mann**

Schreiben Sie eine Kurzgeschichte, in der Sie als Heldin/Held in diesem privaten Automarkt einen Gebrauchtwagen kaufen wollen. Sie haben 3000 Mark und träumen von einem weißen Sportwagen . . .

Einheit 19

Die deutschsprachigen Nichtdeutschen

Vorbildcharakter haben serve as a model
die Hinsicht respect
verschieden; unterschiedlich different
festhalten (here) emphasize; stress
nebensächlich of minor importance

1

Bis vor nicht allzu langer Zeit konnte man von vier deutschsprachigen Ländern Europas sprechen (Liechtenstein nicht gerechnet!). Die Bundesrepublik Deutschland war zwar größer als die drei anderen, aber nicht so sehr viel größer. Jetzt, seit der Eingliederung der ehemaligen DDR in die Bundesrepublik, liegen die zwei kleinen Staaten im Süden – Österreich und die Schweiz – wie Zwerge dem Bundesriesen zu Füßen.

Martina Rieder ist Wienerin. Wie betrachtet sie jetzt „den großen Bruder" im Norden? Hören Sie sich die kurze Aufnahme an und beantworten Sie dann folgende Fragen:

- *War Deutschland früher für Martina „der große Bruder"?*
- *In welcher Hinsicht?*
- *Haben die Österreicher die DDR als ein Land für sich betrachtet oder als die eine Hälfte eines geteilten Landes?*
- *Welche Art Kontakte hatten sie zu der ehemaligen DDR?*
- *Findet Martina das neue Deutschland irgendwie gefährlich?*
- *Was findet sie wichtig für Europa?*

* Ausdrücke zum Einprägen

das war immer unser großer Bruder, **würd' ich sagen**

das neue Deutschland **betrachte ich sehr positiv**

ich denk', es ist sehr wichtig für Europa, **daß** Deutschland . . .

2

Wenn man Österreich sagt, denkt man wohl zuerst an Berge und Musik, an Schlagsahne („Schlagobers") und Kuchen, an Skiurlaub und Wiener Eleganz. Und vielleicht auch an freundliche Leute, die das Wort Streß anscheinend nicht kennen. Aber das ist nicht ganz gerecht. Österreich ist zum Beispiel auch ein moderner Industriestaat.

unwillkürlich instinctively
die Friedlichkeit peaceableness
die Behäbigkeit ponderousness
der Schlendrian slovenliness
nähren nurture
die Opernball-Schlacht annual Viennese opera-ball (literally: opera-ball 'bash')
die Unrast restlessness
zu schaffen machen cause trouble
schwelend smouldering
die Note mark
vorweisen produce
die Gestalt form
der Vollbeitritt full accession
der bessere Marktanteilgewinn winning of a better share of the market
nicht unbeträchtlich not inconsiderable
der Haken an der Sache catch
erahnen guess
heraufbeschwören provoke
die Haltung attitude
eindeutig unambiguous

Österreich klopft an die Tore der EG

Österreich – ein Begriff, den man unwillkürlich mit Friedlichkeit und Wohlstand, Ordnung und Sauberkeit, auch mit Behäbigkeit und einem gewissen Schlendrian assoziiert. Eine Vorstellung, die die Einheimischen gern und nicht ganz zu Unrecht selber nähren. Schaut man näher, zeigt sich, daß neben der jährlichen, obligatorischen Opernball-Schlacht noch manch andere Unrast den sieben Millionen Alpenländlern zu schaffen macht. Dazu gehört der nun schon seit Jahren schwelende Konflikt um einen Beitritt Österreichs zur Europäischen Gemeinschaft.

Fakt ist: Bisher konnte die Alpenrepublik ganz gut außerhalb der Gemeinschaft existieren. Die Wirtschaft kann überaus gute Noten vorweisen. Dennoch fürchtet sie, seitdem die EG-Binnenmarkt-Idee konkrete Gestalt annimmt, eines Tages vor der Tür zu stehen. Die Unternehmen versprechen sich durch einen Vollbeitritt bessere Marktanteilgewinne, und – was unter der Bevölkerung für eine breite EG-Popularität sorgt – durch den Beitritt ist ein nicht unbeträchtlicher Preisfall für eine ganze Reihe von Gütern zu erwarten.

Doch da läßt sich schon der Haken der ganzen Sache erahnen. Mit den „vier Freiheiten" des Binnenmarktes (freier Verkehr von Personen, Waren, Kapital und Dienstleistungen) wird auch ein eisiger Konkurrenzwind durchs Land wehen. Subventionen, die die bäuerliche Produktion am Leben erhalten, werden früher oder später wegfallen. Ein völlig freier Transitverkehr beschwört in Westösterreich eine ökologische Katastrophe herauf. Die Haltung der Regierung ist jedoch eindeutig: „Wir wollen möglichst bald in den Binnenmarkt. Das Wasser wird tiefer und kälter, je später man springt."

Berliner Zeitung

✻ Ausdrücke zum Einprägen

ein Begriff, den man unwillkürlich mit Friedlichkeit **assoziiert**

eine Vorstellung, die die Einheimischen **nicht ganz zu Unrecht** selber nähren

schaut man näher, zeigt sich, daß neben der jährlichen Opernball-Schlacht . . .

dazu gehört der schwelende Konflikt . . .

Fakt ist: Bisher konnte die Alpenrepublik . . .

durch den Beitritt **ist ein nicht unbeträchtlicher Preisfall** für eine ganze Reihe von Gütern **zu erwarten**

da läßt sich schon der Haken der ganzen Sache **erahnen**

- *Wie viele Einwohner hat Österreich?*
- *Welche österreichischen Tugenden und Laster werden hier erwähnt?*
- *Kennen Sie Österreicher – entspricht dieses Bild der Wirklichkeit?*

Machen Sie je eine Liste von den Vor- und den Nachteilen für die EG-Mitgliedschaft von Österreich.

- *Warum wäre ein völlig freier Transitverkehr in Westösterreich eine ökologische Katastrophe? (Suchen Sie auf einer Europakarte die Fernstraßen heraus.)*

3 [cassette]

Die Assoziation mit Österreich ist also Gemütlichkeit, Friedlichkeit und Behäbigkeit –? Anscheinend nicht im Alltag!

Hören Sie sich den folgenden Artikel zweimal an, ohne ihn jedoch zu lesen, und machen Sie sich Notizen dabei. Versuchen Sie dann (alle zusammen), alle darin enthaltenen Informationen und Fakten aufzuzählen und den Artikel aus ihnen zu rekonstruieren.

Lesen Sie anschließend den Artikel.

Versuchen Sie, das, was gesagt wird, vom entgegengesetzten Standpunkt aus zu sehen. Zum Beispiel: Wenn 45 Prozent der Österreicher Streß als Hauptbelastung angeben, fühlen sich ja eigentlich die anderen 55 Prozent (also die Mehrheit) ungestreßt . . .

die Gemütlichkeit easy-goingness
auf der Strecke bleiben fall by the wayside
zunehmend increasingly
verdrängen displace
der Arbeiter- und Angestelltenbund Association of Workers and Salaried Staff
die Hauptbelastung principal burden
überfordert overtaxed
Überstunden leisten work overtime
der/die Beschäftigte employee

Österreich: Bild der Gemütlichkeit bleibt auf der Strecke

Die Vorstellung vom gemütlichen Österreicher wird zunehmend verdrängt vom Bild des hektischen Alpenländers. Trotz 40-Stunden-Arbeitswoche leiden immer mehr unter Streß und klagen über zuwenig echte Freizeit.

Eine Umfrage des Arbeiter- und Angestelltenbundes ergab, daß 45 Prozent Streß als Hauptbelastung am Arbeitsplatz betrachten. Während sich bald jeder vierte zumindest teilweise überfordert fühlt, würden allerdings fast ebenso viele bei entsprechender Bezahlung noch länger an der Werkbank stehen.

Mehr arbeiten gehört ohnehin zum österreichischen Alltag. Fast ein Viertel der Männer und rund ein Neuntel der Frauen, so das Statistische Zentralamt, leisten ständig Überstunden. Dabei gaben etwa die Hälfte der männlichen Beschäftigten und ein Drittel der weiblichen eine wöchentliche Arbeitszeit von 46 Stunden an.

Hinzu kommt, daß ohnehin nicht einmal die Hälfte der Österreicher einmal im Jahr wegfährt, um Urlaub zu machen.

Berliner Zeitung

Wien ist vor allem auch für seine gemütlichen Kaffeehäuser berühmt.

✻ Ausdrücke zum Einprägen

bald jeder vierte **fühlt sich zumindest teilweise überfordert**

mehr arbeiten **gehört ohnehin zum** österreichischen **Alltag**

hinzu kommt, daß nicht einmal die Hälfte einmal im Jahr wegfährt

der Sonderfall special case
die Eidgenossenschaft Swiss Confederation
der Vermittler mediator
ehern iron
der Wehrwille will to defend oneself
die Abgeschiedenheit isolation
das Anzeichen sign
die Bewahrung preservation
beschleunigt accelerated
die Schärfe sharpness
der Abstrich concession
weitgehend extensive
bestimmen determine
derweil meanwhile
die Entspannung détente
der Abbau dismantling
das Feindbild concept of the enemy
förmlich literally
die Klammer (here) bond
die Abwehr resistance
das Staatswesen state system
der Wehrdienst military service
die Pflicht duty
der Eidgenosse Swiss
die Abschaffung abolition
die Milizarmee citizen army
aufbrechen break down
der Stammwortschatz everyday vocabulary
die Überlastung overburdening
Nichtberufs- non-professional
die Fülle abundance
anstehend to be dealt with
zügig rapid
die Bundesverfassung (Swiss) federal constitution

* Ausdrücke zum Einprägen

sie **stellen** die Bewahrung dieses Sonderfalls Schweiz **zunehmend in Frage**

die größten Herausforderungen für das Schweizer Staatswesen **erwachsen aus** der Dynamik . . .

mit aller Schärfe stellt sich die Frage: Einpassung oder Isolation?

Abstriche am Schweizer Föderalismus **werden unvermeidbar sein**

derweil **sehen sich** Regierung und Parlament **unter Druck gesetzt**

4

Die Schweiz: Geld und Wohlhaben, Unabhängigkeit und Neutralität, Volksdemokratie und die allgemeine Wehrpflicht. Und außerdem?

Gefahr für den Sonderfall Schweiz?

Die Schweizerische Eidgenossenschaft gilt als hochmoderner Industriestaat, als europäischer Finanzplatz und als neutraler Vermittler. Den politischen „Sonderfall" des Bundesstaates machen sein einzigartiges Demokratiemodell, der eherne Wehrwille seiner Staatsbürger, die innere Ruhe und die Abgeschiedenheit aus. Seit Ende der 80er Jahre mehren sich allerdings Anzeichen, die die Bewahrung dieses internationalen „Sonderfalls Schweiz" zunehmend in Frage stellen.

Die größten Herausforderungen für das Schweizer Staatswesen erwachsen aus der beschleunigten Dynamik der europäischen Integration. Mit aller Schärfe stellt sich die Frage: Einpassung in die EG-Entwicklung oder Isolation in Europa?

Abstriche am Schweizer Föderalismus und an der „direkten Demokratie" sowie an der Neutralitätspolitik werden unvermeidbar sein. Das weitgehende Referendumsrecht des Schweizer Volkes wird zumindest eingeschränkt, die Kompetenzen der Kantone werden neu bestimmt werden müssen.

Derweil sehen sich Regierung und Parlament zusätzlich innenpolitisch unter Druck gesetzt. Die Entspannung im Ost-West-Verhältnis, der Abbau der Feindbilder und der unerwartet rasche Wandel in Osteuropa berauben den Bundesstaat förmlich seiner wichtigsten nationalen Klammer – der äußeren Bedrohung. War den Schweizern die gemeinsame Abwehr wechselnder Feinde bei der Gründung ihres Staatswesens und über die Jahrhunderte das am meisten verbindende Element im so heterogenen Land und der Wehrdienst heilige Pflicht, so stimmten im Herbst 1989 in einer Volksabstimmung überraschend über 35 Prozent der Eidgenossen für die völlige Abschaffung der Milizarmee. Damit ist ein innenpolitischer Konsens aufgebrochen.

Begriffe wie „Identitätskrise" und „Staatskrise" gehören neuerdings zum Stammwortschatz der Medien des Alpenlandes. Landesweit wird eine Reformierung des politischen Systems diskutiert. Dabei geht es auch um die seit langem beklagte Überlastung der nur siebenköpfigen Regierung und des Parlaments von Nichtberufsparlamentariern. Die Fülle der anstehenden Probleme stärkt diejenigen, die für eine zügige und weitgehende Totalrevision der Bundesverfassung aus dem Jahre 1874 plädieren.

Berliner Zeitung

- *Welche Probleme würde der Beitritt zur EG für die Schweiz mit sich bringen? (Im Artikel wurden fünf erwähnt.)*
- *Warum wurde der Wehrdienst so lange als „heilige Pflicht" betrachtet?*
- *Was ist der Beweis dafür, daß er jetzt nicht mehr so gesehen wird? Und warum nicht?*
- *Welche Reformen des politischen Systems werden verlangt?*
- *Wozu sollen diese Reformen – für einige – schließlich führen?*

In einer Volksabstimmung, die am 6. Dezember 1992 stattfand, entschied sich die Bevölkerung (49,7 %:50,3%) gegen den Beitritt der Schweiz zum EWR (Europäischen Wirtschaftsraum).

5

Die politische und gesellschaftliche Lage der Schweizerin war früher der des Schweizers untergeordnet. Das hat sich allerdings vor einigen Jahrzehnten in den meisten Bereichen geändert – trotzdem gibt es hier und da noch Überbleibsel dieser ehemaligen Untertänigkeit . . .

A Lesen Sie den Artikel (unten) gründlich durch. Machen Sie dann das Buch zu und erzählen Sie **B**, worum es in diesem Artikel geht.

B Lesen Sie den Artikel (unten) noch nicht, sondern hören Sie sich an, was Ihnen **A** darüber erzählt. Stellen Sie Fragen, wenn Sie etwas nicht verstehen.

Lesen Sie anschließend beide den Artikel.

Die Aufsteigerin

Wenn eine Frau die Karriereleiter erklimmt, haben die Männer meist Probleme – und sei es nur des Titels wegen. 1992 wird erstmals eine Frau an der Spitze der Schwyzer Regierung stehen. Im Kanton erregen sich die männlichen Gemüter. Denn für den traditionsreichen Begriff des *Landammanns* läßt sich keine vernünftige weibliche Form finden. Die Anrede *„Frau Landammann"* werde dem Prinzip der sprachlichen Gleichberechtigung nicht gerecht. Voraussichtlich wird man(n) der künftigen Amtsinhaberin den Titel „Regierungspräsidentin" zusprechen. Bei dieser Vorstellung bangt sich aber schon so mancher Amtskollege: Der althergebrachte Landammann dürfte keinesfalls aus dem Vokabular verschwinden. Bei soviel männlichem Traditionsbewußtsein stellt sich unweigerlich die Frage: Muß denn unbedingt eine Frau regieren?

Die Zeit (Zeitspiegel)

erklimmen reach the top of
die Gemüter erregen rouse the feelings
der Landammann (Swiss) highest cantonal official
die Gleichberechtigung equal rights
voraussichtlich it is anticipated that
der/die Amtsinhaber/ (in) office-holder
die Vorstellung idea
sich bangen be anxious
althergebracht traditional
unweigerlich inevitably

*** Ausdrücke zum Einprägen**

die Männer haben Probleme **– und sei es nur des** Titels **wegen**

bei soviel Traditionsbewußtsein **stellt sich unweigerlich die Frage:** Muß eine Frau regieren?

- *Hätten Sie etwas gegen den Ausdruck „Regierungspräsidentin"? Fällt Ihnen vielleicht ein besserer Name ein?*

Die Amtskollegen hatten anscheinend das letzte Wort: Die Regierungschefin der Schweiz, Frau Margrit Weber-Röllin, wird offiziell als Frau Landamann angesprochen und unterzeichnet auch sämtliche Korrespondenz so.

In Appenzell-Innerrhoden war die Sache noch wesentlich komplizierter – hier ging es nicht um einen Namen, sondern um das Wahlrecht der Frau.

B Lesen Sie sich den Artikel (auf Seite 180) gründlich durch. Machen Sie dann das Buch zu und erzählen Sie **A**, worum es in diesem Artikel geht.

A Lesen Sie den Artikel (Seite 180) noch nicht, sondern hören Sie sich an, was Ihnen **B** darüber erzählt. Stellen Sie Fragen, wenn Sie etwas nicht verstehen.

Lesen Sie anschließend beide den Artikel.

entscheiden (gegen) decide (against)
auf Bezirksebene at district level

In Innerrhoden haben Frauen nichts zu sagen

Im Schweizer Halbkanton Appenzell-Innerrhoden ist die Politik für ein weiteres Jahr reine Männersache. Bei dem jährlichen Abstimmungsritual am letzten Aprilsonntag entschieden sich die Männer der Region mit großer Mehrheit gegen das Stimm- und Wahlrecht ihrer Mitbürgerinnen auf Kantons- und Bezirksebene. Damit ist Appenzell-Innerrhoden weiterhin der letzte Schweizer Kanton, in dem die Frauen politisch nicht gleichberechtigt sind.

Berliner Zeitung, 30. April 90

Das gehört der Vergangenheit an: die Vollversammlung in Innerrhoden, an der nur Männer teilnehmen durften.

Aber knapp sieben Monate später geschah das (für die Männer) Unmögliche in Appenzell-Innerrhoden . . .

Lesen Sie den folgenden Artikel (Seite 181) gründlich durch und machen Sie sich Notizen dazu. Machen Sie dann das Buch zu und schreiben Sie das Wesentliche der Geschichte in nicht mehr als zweihundert Wörtern auf.

einstimmig unanimously
das Bundesgericht (here) Swiss Federal Court
die Angelegenheit matter
der Spruch (here) ruling
das Trauerspiel tragedy
der Souverän (Swiss) electorate
der Verfassungsgrundsatz constitutional principle
mühsam laboriously
sich dahinschleppen drag oneself along
starrsinnig pig-headed
trotzig defiant
die Landsgemeinde (Swiss) annual assembly of all citizens in the canton
die Mitwirkung collaboration
die Teilnahme participation
simpel simple-minded
das Vieh livestock
einwenden object
der Degen sword
sich gürten gird oneself
mittun participate
stur obstinate
der Hinterwäldler backwoodsman
hager gaunt
verschmitzt roguish
der Spott ridicule
für alles Alte steif sein have a staunch belief in tradition
gebildet educated
störrisch stubborn
stoßen kick
das Gebot decree
anpassen conform
die Gnadenfrist reprieve
retten save
der Säbel sabre
locker without any trouble
überstimmen outvote

✻ Ausdrücke zum Einprägen

in Innerrhoden **haben** Frauen **nichts zu sagen**

der klare Spruch **bereitete** einem politischen Trauerspiel **ein Ende**

mal hieß es, zuhause müßten Vieh und Kinder versorgt werden

das Festhalten an ihrem Männerritual **bestärkte** die übrigen Schweizer **in der Ansicht, daß** die Appenzeller . . .

Die letzte Bastion der Männerherrschaft

Einstimmig entschied das Bundesgericht in Lausanne am letzten Dienstag: Ab sofort haben die Frauen in Appenzell-Innerrhoden, einem Halbkanton mit 13 500 Seelen, in kantonalen Angelegenheiten das Stimm- und Wahlrecht.

Der klare Spruch bereitete einem politischen Trauerspiel ein Ende, das sich seit 1981, als der Schweizer Souverän die Gleichberechtigung von Mann und Frau zum Verfassungsgrundsatz erhob, mühsam dahinschleppte. Starrsinnig und trotzig, wie sie sich gern selbst sehen, stimmten die Innerrhödler seit 1973 auf ihrer Landsgemeinde, der Vollversammlung aller Männer, dreimal gegen die Mitwirkung der Frauen an der kantonalen Politik. Gegen die Teilnahme an eidgenössischen Wahlen und Abstimmungen konnten sie nichts unternehmen: Die gilt seit 1971 landesweit.

Um unter sich zu bleiben, war den Appenzeller Männern kein Argument zu simpel. Mal hieß es, auch am Landsgemeinde-Tag müßten zuhause Vieh und Kinder versorgt werden – von der Frau. Mal wandten sie ein, der „Ring", der Marktplatz in Appenzell, sei zu klein, um auch noch Frauen aufzunehmen. Und was sollte wohl mit dem Degen geschehen, mit dem sich die Herren bei der Landsgemeinde gürten, wenn die Weiber mittun dürften? Sollte man ihnen Damenmodelle machen lassen?

Das sture Festhalten an ihrem Männerritual bestärkte die übrigen Schweizer in der Ansicht, daß die Appenzeller aus Innerrhoden tatsächlich jene Hinterwäldler und Witzfiguren seien, die man immer schon in ihnen sah.

Meist klein und hager von Gestalt, mit großem Kopf und verschmitzten Augen, sind sie seit jeher dankbare Opfer eidgenössischen Spotts. Daß sie konservativ bis in die Knochen, „für alles Alte steif", seien, steht schon in Reiseberichten des 18. Jahrhunderts. Damals kritisierten auch die wenigen Gebildeten unter ihnen, daß „Neuerungen ins gemein bey ihnen verhaßt" seien.

Diesmal mußte sogar das oberste Gericht des Landes nachhelfen und die störrischen Landsleute ins 20. Jahrhundert stoßen. Die obersten Richter stellten fest, daß die Appenzeller fast zehn Jahre Zeit gehabt hätten, ihre Ordnung dem Gleichheitsgebot der Bundesverfassung anzupassen. Nun sei die Gnadenfrist vorbei.

„So nützt die Landsgemeinde nichts mehr. Das ist nur noch Theater," schimpfte Landwirt Hans Koller, 35. Wenn viele Männer so denken, müßten die freudig überraschten Bürgerinnen die Landsgemeinde nun retten, und das sollte ihnen, mit oder ohne Säbel, nicht schwerfallen.

Denn nun könnten sie die Männer locker überstimmen: Zur Zeit sind in Innerrhoden 4560 Männer und 4625 Frauen wahlberechtigt.

Der Spiegel

Einheit 20 Schule und Ausbildung

1

Jedes Bundesland in Deutschland ist für sein Schulsystem verantwortlich, und die Lehrer werden auch von jedem Land eingestellt. Die regelmäßig stattfindende Konferenz der Landeskultusminister aller Länder sorgt jedoch dafür, daß das System in Bayern nicht viel anders ist als das System in Bremen. Die Berliner Zeitung *klärte ihre Ostleserschaft (und nun auch uns) nach der Wende darüber auf, wie dieses System (das nun auch in der ehemaligen DDR eingeführt ist) funktioniert (siehe nächste Seite).*

Bildungswesen in der Bundesrepublik: ein mehrgliedriges System

Im Unterschied zu den USA, Japan, der Sowjetunion, Frankreich, England oder Schweden, die eine Einheitsschule haben, ist das Schulwesen in der BRD in zweifacher Hinsicht gegliedert: Es baut sich nach Stufen und Schultypen auf.

Die Schulstufen beginnen mit dem Elementarbereich – dem Kindergarten oder der Vorschule für Kinder von drei bis sechs Jahren. Allerdings besucht nur ein kleiner Teil dieser Altersgruppe diese Einrichtungen, da das Angebot gering und auch nicht billig ist.

Dem Elementarbereich schließt sich der Primarbereich an. Er umfaßt die Klassenstufen 1 bis 4. Fast alle besuchen eine der 13 608 Grundschulen. Man bevorzugt die Grundschule am Ort, auch wenn sie einklassig ist.

In der 5. Klasse beginnt die erste Sekundarstufe, die sich bis zum Ende der Schulpflicht erstreckt und je nach Bundesland mit dem 9. oder 10. Schuljahr abschließt. Die zweite Sekundarstufe umfaßt die Oberstufe des Gymnasiums, die bis zur 13. Klasse führt. Auch die Klassen 11 und 12 der Fachoberschulen, der Berufsfachschulen, Berufsschulen oder betrieblichen Ausbildungsstätten zählen dazu.

Diese Schulstufen können in drei Schultypen durchlaufen werden: die Hauptschule (Klasse 5 bis 9 oder 10), die Realschule (Klasse 5 bis 10) und das Gymnasium (Klasse 5 bis 13). Der Besuch der Realschule und der des Gymnasiums setzt eine Empfehlung der Grundschule voraus.

In der Hauptschule wird eine allgemeine Bildung für eine anschließende praktische Berufsausbildung vermittelt. Etwa 36 Prozent der Schüler gehen diesen Weg. Die Realschule endet ebenfalls mit der 10. Klasse, bietet aber eine über das Hauptniveau hinausgehende allgemeine Bildung. 29 Prozent der Schüler absolvieren sie und können mit dem Abschluß eine Fach-, Fachober- oder Ingenieurschule besuchen.

In der zweiten Sekundarstufe, die zum Abitur führt, hebt sich der Klassenverband ab 11. Klasse weitgehend auf und wird durch ein Kurssystem ersetzt. Es gibt Grund- und Leistungskurse. Etwa 28 Prozent der Schüler erwerben durch den Besuch des Gymnasiums die Hochschulreife. Es bietet z. B. altsprachliche, neusprachliche, mathematisch-naturwissenschaftliche, wirtschafts- und sozialwissenschaftliche sowie musische Ausbildung an.

Der Versuch, eine Gesamtschule zu entwickeln, begann Ende der 60er Jahre mit dem Gesamtschulversuch an der Westberliner Walter-Gropius-Schule. Er blieb aber in den Anfängen stecken. Heute gibt es 365 solcher Schulen. Besonders in sozialdemokratisch geleiteten Bundesländern wurde die Gesamtschule gefördert.

Berliner Zeitung

mehrgliedrig multiform
die Einheitsschule (GDR) comprehensive school
in zweifacher Hinsicht in two respects
gliedern organize; (sub)divide
die Stufe stage
die Vorschule nursery school
sich anschließen (+ dat) (here) be followed by
umfassen comprise
die Grundschule primary school
bevorzugen prefer
am Ort local
die Schulpflicht compulsory schooling
das Gymnasium grammar school
die Fachoberschule specialist college
die Berufsfachschule vocational college
die Berufsschule vocational school
die betriebliche Ausbildungsstätte factory training centre
die Hauptschule = secondary modern
die Realschule = technical school
voraussetzen presuppose
anschließend subsequent
die Berufsausbildung vocational training
vermitteln impart
absolvieren complete
der Abschluß leaving examination
die Fachschule technical college
das Abitur = A levels
der Klassenverband class unit
sich aufheben come to an end
der Grundkurs basic course
der Leistungskurs specialist course
die Hochschulreife = university matriculation
altsprachlich classical
musisch art and music
die Gesamtschule comprehensive school
in den Anfängen steckenbleiben never get beyond the early stages

Machen Sie eine schematische Aufstellung des Bildungssystems der Bundesrepublik. Hier ist der Anfang:

Schuljahr	*Alter*	*Schulart*
0	3	Kindergarten

✱ Ausdrücke zum Einprägen

im Unterschied zu den USA, Japan . . .

man bevorzugt die Grundschule am Ort

. . . und **je nach** Bundesland mit dem 9. oder 10. Schuljahr abschließt

er blieb aber **in den Anfängen stecken**

Das deutsche System ist dem früheren englischen System sehr ähnlich. Die DDR hatte ihr eigenes System von Gesamtschulen („Polytechnische Oberschulen"). In der Bundesrepublik konnte sich die Idee der Gesamtschule aber nicht durchsetzen. Was glauben Sie, warum wohl nicht?

- *Würden Sie Ihre Schul- und Berufsausbildung lieber im deutschen System durchlaufen als in Ihrem eigenen?*
- *Warum?/Warum nicht?*

2

In Deutschland selbst wird das Schulsystem mehr und mehr kritisiert – vor allem deshalb, weil Schule und Studium so lange dauern. Wenn man am Ende eines Schuljahrs schlechte Zensuren hat, muß man „sitzenbleiben", d.h. das Jahr wiederholen. So kommt es, daß Zwanzigjährige oder noch ältere immer noch die Schulbank drücken. Und das Studium an der Universität dauert viel länger als zum Beispiel bei uns.

Nirgends wird länger gepaukt – und mehr gebummelt

Udo Jung, 28, ist von der schnellen Truppe. Mit 19 Jahren und einem Super-Abitur ging er zur Bundeswehr; nach zwei Jahren verließ er sie als Offiziersanwärter. Knappe acht Semester studierte er Betriebswirtschaft in Marburg, dazu noch zwölf Monate in den USA. Wiederum in Rekordzeit, nämlich nach nur zwei Jahren, wurde Jung jetzt promoviert – mit einer „tollen Arbeit", wie sein Doktorvater beteuert.

230 Kilometer weiter südlich sitzt Markus Juza im Chemie-Fachschaftszimmer der Uni Stuttgart. Juza, ebenfalls 28, studiert im 13. Semester Chemie und ist noch lange nicht fertig mit seinem Diplom: „Unter 17 Semestern", sagt er, „wird es wohl nicht abgehen." Mit den 17 Semestern wird es nicht getan sein: Wie fast alle Diplomchemiker wird Juza auch noch promovieren; weitere drei Jahre werden also ins Land gehen, bis er mit 33 Lebensjahren die Uni verlassen kann – 32 Jahre vor der Rente, höchstens.

Die Studiosi Jung und Juza stehen für zwei Extreme. Der bundesdeutsche Durchschnittsstudent braucht stolze 14 Semester bis zum ersten Uni-Abschluß. Nirgendwo müssen Pennäler länger die Schulbank drücken als in der Bundesrepublik; auch der obligatorische Wehr- und Zivildienst ist international nicht die Regel. Mit im Schnitt 28 Jahren sind studierte Berufsanfänger in Westdeutschland so alt wie in keinem anderen Land der Welt.

Amerikaner und Engländer, aber auch viele Franzosen verdanken ihren frühzeitigen Einstieg in den Beruf einem zumeist stark verschulten Kurzstudium von etwa vier Jahren. An dessen Ende steht mit dem „Bachelor" ein akademischer Grad, den die bundesdeutschen Universitäten gar nicht verleihen dürfen. Nur Fachhochschulen bieten ähnliche kurze Studiengänge. International allerdings sind deren Abschlüsse nicht so anerkannt wie der „Bachelor" angelsächsischer Hochschulen.

Der Spiegel

pauken swot
bummeln idle; fritter one's time about
von der schnellen Truppe (colloq.) a fast worker
die Bundeswehr (federal) Armed Forces
der Offiziersanwärter officer cadet
die Betriebswirtschaft business management
promovieren do/be awarded a doctorate
die Arbeit (here) thesis
der Doktorvater (thesis) supervisor
beteuern assert
das Fachschaftszimmer student common room
das Semester (half-year) term
das Diplom first degree (in a science)
ins Land gehen go by
die Rente retirement
der Studiosus (colloq.) student
stolz (here) a hefty
der Pennäler (colloq.) grammar school boy
stark verschult intensively organized
der Grad degree
verleihen award
die Fachhochschule specialist higher education college
anerkennen recognize

✻ Ausdrücke zum Einprägen

wiederum in Rekordzeit, nämlich nach nur zwei Jahren, wurde Jung promoviert

er ist noch lange nicht fertig mit seinem Diplom

an dessen Ende steht ein akademischer Grad

- *Ist ein so langes Studium eine Zeitverschwendung? Verleitet das nicht gerade zum Bummeln?*
- *Braucht man so viele Akademiker mit Doktorwürde?*
- *Ist es nicht etwas spät, erst mit 28 Jahren einen Beruf anzufangen? Oder gehört es zum wirtschaftlichen Erfolg Deutschlands, daß die Schul- und Universitätsausbildung so solide sind?*
- *Wird es nicht immer wichtiger, eine gute und solide Ausbildung zu haben?*
- *Wenn ein Land offensichtlich reich genug ist, so viele seiner Bürger so lange auszubilden, dann kann das doch nur dem allgemeinen Wohl dienen – oder?*

Besprechen Sie diese Fragen zuerst gemeinsam in der Klasse und schreiben Sie dann einen kurzen Aufsatz über die Vorteile und Nachteile des deutschen Bildungssystems.

3

Schon in der Grundschule ist – wie überall – auch in Deutschland der Computer König. Vor vierzig Jahren aber war das noch anders. Es waren schwere Zeiten, mit Schiefertafel statt einem Textverarbeitungssystem . . .

Die Textverarbeitung der frühen Jahre

Das Schreiben ist heute in keinem Fall mehr das Fach, das es einmal war, als wir es Buchstabe für Buchstabe, Silbe für Silbe und schließlich Wort für Wort in der Grundschule auf unserer kleinen Schiefertafel lernten. Linien auf der einen, Kästchen auf der Rückseite: die Hardware zur Textverarbeitung in den frühen fünfziger Jahren. Natürlich gab es auch eine integriert mechanische Korrektureinrichtung: Das Schwämmchen baumelte seitlich an einem Bindfaden. Das Taschentuch und ein bißchen Spucke taten es natürlich auch. Löschen war überhaupt kein Problem; Speichern allerdings schon schwieriger. Denn die Software konnte man nicht kaufen. Alles war im wahrsten Sinn des Wortes geritzt, wenn der harte Griffel die aufgegebenen zwölf Reihen große Bs in steiler Schönschrift unter schrillem Gequietsche auf den Schiefer gekritzelt hatte: Graffiti in Reinkultur. Erinnerungen an das erste Schuljahr, an eine – so weit das Gedächtnis reicht – doch sorglos glückliche Kinderzeit. Bevor jener unendlich lange Abschnitt wirklich begann, in dem wir angeblich fürs Leben geschult werden. Schwamm drüber.

Rolf Heggen,
Frankfurter Allgemeine Magazin

die Textverarbeitung word processing
das Fach subject
die Schiefertafel slate
das Kästchen little square
die Korrektureinrichtung correction device
das Schwämmchen little sponge
baumeln dangle
der Bindfaden piece of string
die Spucke spit
löschen erase
speichern store
geritzt (a) scratched; (b) fixed
der Griffel slate pencil
aufgeben (here) set (as homework)
das Gequietsche squeaking
kritzeln scribble
in Reinkultur pure and simple
sorglos carefree
der Abschnitt phase
angeblich supposedly
Schwamm drüber! forget it!

* Ausdrücke zum Einprägen

das Schreiben ist heute **in keinem Fall mehr** das Fach, das es einmal war

Löschen war **überhaupt kein Problem;** Speichern **allerdings schon schwieriger**

alles war **im wahrsten Sinn des Wortes** geritzt

eine – **so weit das Gedächtnis reicht** – sorglos glückliche Kinderzeit

Rolf Heggen hat einige ungewöhnliche Ausdrücke/Sätze in seinem Bericht verwendet. Wie verstehen Sie folgende Textstellen – bzw. wie könnte man es auch anders sagen?

„die Hardware zur Textverarbeitung in den frühen fünfziger Jahren"
„eine integriert mechanische Korrektureinrichtung"
„Löschen war überhaupt kein Problem; Speichern allerdings schon schwieriger"
„Graffiti in Reinkultur"
„Schwamm drüber."

- *Warum verwendet man keine Schiefertafeln mehr? Sie sind viel umweltfreundlicher als Papier, sehr viel billiger als ein Computer – und die Lehrer benutzen sie ja auch noch, die große „Schiefertafel" an der Wand. Warum nicht auch die Schüler?*

4

Für viele – auch deutsche – Schüler(innen) ist der Wechsel auf eine andere Schule nicht ganz einfach. Für Michael war der Gedanke daran ein Alptraum . . .

Panik vor der neuen Penne

Die letzte Ferienwoche war für Michael ein einziger Alptraum. Nachts warf der Zehnjährige sich unruhig im Bett herum, wachte oft weinend auf. Nach langem Zögern verriet er seiner Mutter den Grund: „Ich habe solche Angst vor der neuen Schule."

Nach den Sommerferien sollte Michael Gymnasiast werden. Das heißt: Ein weiterer Schulweg mit dem Bus, mehr Hausarbeiten und Fächer, viele fremde Lehrer und der Abschied von Klassenkameraden und Freunden aus der Grundschule.

Psychologe Bernd Kleinke kennt die Panik vor der neuen Penne aus der Kölner Praxis des schulpsychologischen Dienstes: „Bei I-Dötchen wird sie mit der Zuckertüte versüßt und durch Neugier gedämpft. Schulwechsler sind neuen Belastungen ausgesetzt. Nach dem Motto: „Jetzt wird es richtig ernst."

Die größte Belastung ist oft der falsche Ehrgeiz der Eltern. Kleinke: „Zu viele Kinder werden heute auf das Gymnasium geschickt, ohne Rücksicht auf ihre wirklichen Begabungen." Einige Grundschullehrer wollen viele I-Dötchen in Gymnasien unterbringen, um ihren Lehr-Erfolg zu beweisen. „Sogar Kinder mit einem Sechser in Rechtschreibung wurden schon auf Gymnasien angenommen. Ihr Scheitern und ihre wachsende Schulangst waren programmiert."

Express

die Penne (colloq.) school
das Zögern hesitation
das I-Dötchen (colloq.) primary-school child
die Zuckertüte large conical bag of sweets (given on first day of primary school)
die Neugier curiosity
dämpfen cushion
der Schulwechsler pupil changing schools
die Belastung pressure
aussetzen (+ dat) expose to
der Ehrgeiz ambition
ohne Rücksicht auf with no regard for
der Sechser six (lowest grade possible)
die Rechtschreibung spelling
das Scheitern failure

* Ausdrücke zum Einprägen

die letzte Ferienwoche **war ein einziger Alptraum**

nach langem Zögern verriet er seiner Mutter den Grund

Schulwechsler **sind neuen Belastungen ausgesetzt**

ohne Rücksicht auf ihre wirklichen Begabungen

- *Erinnern Sie sich an Ihren Wechsel auf die neue Schule, als Sie (wahrscheinlich) elf Jahre alt waren?*
- *Wie haben Sie sich damals gefühlt? Entspricht das, was im obigen Bericht steht, Ihren eigenen Erfahrungen?*

Erzählen Sie, einer nach dem anderen, ganz kurz vor der Klasse, wie es damals für Sie war.

Stellen Sie sich vor, Sie sind Michael – oder Michaela. Nach dem ersten Tag in der neuen Schule liegen Sie im Bett und denken über diesen ersten Tag nach. Schreiben Sie Ihre Gedanken auf.

5

Zur Schule gehören natürlich auch die Lehrkräfte. Auch in Deutschland sind sie oft Zielscheibe des Spotts . . .

„Haben Sie auch mal daran gedacht, daß dieses Zeugnis ein denkbar schlechtes Licht auf Ihre pädagogische Qualifikation wirft?"

Man macht es sich zu leicht, den Lehrer oder die Lehrerin als Sündenbock hinzustellen, wenn die Kinder schlecht in der Schule sind. Aber es gibt Lehrer, die durchaus eine gewisse Einstellung zu ihrem Beruf haben. Eine bestimmte Art Lehrer(in) ist leicht zu erkennen – siehe nächste Seite!

Die Lehrerin

Der letzte Platz wurde in Augsburg besetzt. Ungeachtet der Ablehnung, ja Drohung in den Blicken der Reisenden, hatte die Frau energisch die Abteiltür geöffnet und mit einem zurechtweisenden „Verzeihung" sich an dem dicken Mann vorbeigeschoben, der gerade ein belegtes Brot zur Hälfte in den Mund steckte. Sie hatte sich trotz üppiger Formen behend gedreht, gewendet, Hut, Mantel, Schal abgelegt, hatte Platz für ihr Gepäck und die Entfernung eines Kleidungsstücks gefordert und sich schließlich gesetzt. „Läßt sich die Heizung nicht abdrehen", sagte sie, kaum daß sie saß. „Machen Sie doch mal die Tür auf, ja." Sie faßte den dicken Mann ins Auge, der, bereits wieder mit vollem Mund, blöde lächelte und die Tür öffnete. Ihr Blick traf ein Papiertuch am Boden. „Sie haben ein Taschentuch verloren", sagte sie zum Mann am Fenster, ihm streng ins Gesicht schauend, bis er sich danach bückte. Kein Zweifel, die Frau war Lehrerin.

Der dicke Mann hatte Brot auf Brot geschluckt, als ging es darum, die eigene Füllmenge auszumessen. Die Frau an der Tür, dem Dicken gegenüber, schlief. Die anderen lasen. Ich betrachtete die Lehrerin. Sie blickte auf. „Können Sie Ihre Beine wohl etwas zurücknehmen, sie behindern mich", sagte sie . . .

Selbstverständlich gibt es sie, ich kenne sie, die Großherzigen und Zugeneigten, die Phantasie- und Humorvollen, die mit dem wärmenden, verständnisvollen Blick. Es gibt die geliebten Lehrer, jene Statthalter kindlichen Glaubens an das Gute, die den zerrenden Wunsch nach Liebe erfüllen, die Gärtner, die Wachstum und Entfaltung ermöglichen, doch, die gibt es. – „Lassen Sie mich mal durch", sagte die Lehrerin zum dicken Mann, der aß, wie jemand liest, aufmerksam, hingegeben, stetig. Sie verließ das Abteil, ohne die Tür zu schließen. Auf ihrem Platz blieben eine konkave Verformung und ein Buch zurück. „Curriculumplanung Theorie und Praxis" las ich. Die junge Frau las es auch. Sie blickte wehmütig lächelnd zum Mann ihr gegenüber und sagte halblaut: „Ach, Schule ist eine schlimme Sache . . ."

Sibylle Tamin,
Frankfurter Allgemeine Magazin

ungeachtet (+ gen) despite
die Ablehnung disapproval
zurechtweisend reprimanding
üppig (here) well-developed
behend deftly
abdrehen turn off
sich bücken bend down
die Füllmenge capacity
ausmessen measure
großherzig large-hearted
zugeneigt affectionate
verständnisvoll understanding
der Statthalter governor
zerren tug
das Wachstum growth
die Entfaltung development
aufmerksam attentively
hingegeben devotedly
stetig continuously
die Verformung distortion
wehmütig lächelnd with a melancholy smile

* Ausdrücke zum Einprägen

ungeachtet der Ablehnung, ja Drohung in den Blicken der Reisenden

„Läßt sich die Heizung nicht abdrehen", sagte sie, **kaum daß sie saß**

kein Zweifel, die Frau war Lehrerin

. . . Brot auf Brot geschluckt, **als ging es darum,** die eigene Füllmenge auszumessen

Ist es nicht etwas voreingenommen, diese Lehrerin als typisch hinzustellen? Um auch die andere Seite zu Wort kommen zu lassen, haben wir mit einer Hürther Lehrerin gesprochen. Hören Sie sich die Aufnahme an und beantworten Sie dann die Fragen auf der rechten Seite (oben).

zunächst mal at first
angenehm pleasant
die Korrektur correction
die Vorbereitung preparation
der Fachlehrer subject specialist
bezweifeln question
gesellschaftlich social
angesehen respected
sich aufs Ohr legen (colloq.) get one's head down
der Parasit parasite
das Gehalt salary
enorm viel (colloq.) a lot
ein anderes Kapitel another story
sich vorstellen imagine
aufpassen pay attention
der Durchschnittsschüler average pupil
ordentlich properly
sich auseinandersetzen über etwas argue something out

- *Finden Sie, daß das Leben eines deutschen Lehrers angenehmer ist als das eines englischen? Warum?/Warum nicht?*
- *Wie lange dauert Frau Kösters Schultag?*
- *Was tut sie nachmittags – und wo tut sie das?*
- *Was für einen Status hat ein Lehrer heute in Deutschland im Vergleich zu früher? Was denken manche Leute über Lehrer? Warum?*
- *Wieviel Ferien hat ein deutscher Lehrer pro Jahr?*
- *Wie beschreibt Frau Köster – ironisch – ihren Idealschüler?*
- *Was wäre aber der wirkliche Idealschüler für sie?*

- *Vergleichen Sie diese Lehrerin mit der Lehrerin im Artikel von Sibylle Tamin. Welche wäre Ihnen lieber?*
- *Welche Assoziationen haben Sie bei dem Begriff „Lehrerin/Lehrer"?*
- *Wenn Sie Lehrerin/Lehrer wären, würden Sie es lieber hierzulande oder in Deutschland sein? Warum?*

* Ausdrücke zum Einprägen

ja, **wie sieht** das Leben eines Lehrers in Deutschland **aus?**

das bedeutet aber nicht, daß er nachmittags nicht arbeiten muß

es bedeutet nur, **zum Beispiel in meinem Fall**, daß . . .

das muß ich natürlich bezweifeln, denn ich weiß . . .

das können Sie sich vorstellen, daß das auch sehr unterschiedlich ist

Zu zweit:

„Schule ist eine schlimme Sache . . ."
„eine – so weit das Gedächtnis reicht – sorglos glückliche Kinderzeit"
„jener unendlich lange Abschnitt, in dem wir angeblich fürs Leben geschult werden"

- *Wie haben Sie Ihre eigenen Schuljahre empfunden?*
- *Waren sie „eine schlimme Sache"? Und wenn ja, was oder wer war daran schuld?*
- *Waren die Grundschuljahre „sorglos"?*
- *Waren das Schlimme die späteren Jahre, wo man „angeblich fürs Leben geschult" wurde?*
- *Oder war es umgekehrt: Wurde die Schule erst wirklich interessant, als es sozusagen ernst wurde, da man bis zu einem gewissen Grad selbst wählen konnte, was man lernen wollte?*

Besprechen Sie diese Fragen zusammen und schreiben Sie anschließend einen Aufsatz mit dem Titel „Meine Schuljahre".

Einheit 21 Gute Reise!

1 

Ganz gleich, wo man in der Welt Urlaub macht, die Deutschen sind schon da (oder sind schon da gewesen!). Sie fahren hauptsächlich ins Ausland und hauptsächlich in den Süden. Wo machen sie also Urlaub – und wie gefällt es ihnen am Urlaubsort?

Urlaubsziele der Deutschen

Von 100 Bundesbürgern reisen nach:		Note 1 = sehr gut 2 = gut
Inland		
Allgäu/Oberbayern	10	1,7
Nordsee	6	1,7
Schwarzwald	5	1,6
Deutsche Mittelgebirge	3	1,5
Süddeutsche Feriengebiete	2	1,6
Bodensee	2	1,6
Norddeutsche Feriengebiete	2	1,8
Ausland		
Spanien	16	1,9
Italien	12	1,9
Österreich	10	1,7
Griechenland	6	1,8
Frankreich	5	1,6
Türkei	5	1,7

Alle übrigen ausländischen Reiseziele lagen unter 4% der Nennungen

BAT Freizeit-Forschungsinstitut

Um diese Zahlen etwas zu ergänzen, haben wir mit der Leiterin eines westdeutschen Reisebüros gesprochen. Welche Art von Ferien bevorzugen ihre Kunden, wo fahren sie hin? Hören Sie sich das Interview an.

überwiegend mainly
die Balearen the Balearic Islands
die Kanaren the Canaries
das Busunternehmen coach company
die Änderung change
Zypern Cyprus
erschlossen opened up
die Nachfrage demand
das Angebot supply
die Unterkunft accommodation

- *Welchen Unterschied finden Sie zwischen der Statistik auf der linken Seite und dem, was die Leiterin des Reisebüros über deutsche Reiseziele sagte?*

Machen Sie eine Liste der Reiseziele, die die Leiterin des Reisebüros nennt. Würden Sie hierzulande eine ähnliche Liste erwarten? Oder gäbe es Unterschiede – und welche?

2

Die Menschen in den neuen Bundesländern hatten – zumindest gleich nach der Wende – ganz andere Reiseziele. Sie fuhren vor allem in den Westen, wohin sie vierzig Jahre lang nicht reisen durften.

Wo man im Urlaub DDR-Bürger trifft

79,6 Prozent der DDR-Bürger wissen ganz sicher, daß sie in diesem Jahr [1990] mindestens eine Urlaubsreise (ab 5 Tage) unternehmen werden. Ein Großteil von ihnen verreist mehrmals, nur 45,8 Prozent verbringen aber ihren Urlaub in der DDR.

Favorit unter den Reisezielen im westlichen Ausland ist mit großem Abstand die BRD, hier werden besonders häufig Hamburg, Oberbayern/Allgäu, Nordsee und Schwarzwald genannt. Damit unterscheiden sich die Reiseziele unserer Bürger von denen der BRD-Bürger. Sie scheinen weniger von der Landschaft bestimmt, vielmehr ist der Ort, an dem Verwandte oder Bekannte wohnen, für die Wahl des Reiseziels ausschlaggebend.

Hoch im Kurs stehen auch Kurzreisen in den Westen. 78,6 Prozent aller DDR-Bürger beabsichtigen, eine Kurzurlaubsreise (2–4 Tage) zu unternehmen. Ins Auge gefaßt werden dabei vor allem die BRD (rund 90 Prozent), Frankreich, Österreich und Skandinavien.

Berliner Zeitung

* Ausdrücke zum Einprägen

Favorit unter den Reisezielen ist **mit großem Abstand** die BRD

vielmehr **ist** der Ort, an dem Verwandte wohnen, **für die Wahl ausschlaggebend**

hoch im Kurs stehen auch Kurzreisen in den Westen

ins Auge gefaßt werden dabei vor allem die BRD, Frankreich . . .

verreisen to go away (on a trip or journey)
der Abstand distance
bestimmt determined
ausschlaggebend decisive
hoch im Kurs stehen be very popular
beabsichtigen plan
ins Auge fassen contemplate

Was für ein Gefühl ist das, wenn man nach so vielen Jahren endlich in Länder reisen darf, die man nur aus Film und Fernsehen kannte? Ein ehemaliger DDR-Bürger hat es uns erzählt. Hören Sie sich an, was er sagt, und beantworten Sie dann folgende Fragen:

- *Was für Reisen konnte Peter vor der Wende unternehmen?*
- *Wohin führten diese Reisen?*
- *Welche Länder hat er nach dem Fall der Mauer besucht?*
- *Kannte er diese Länder? Woher?*
- *Welchen Eindruck machte Frankreich auf ihn? Was sagt er über Paris?*
- *Warum reist er jetzt soviel?*

bisherig previous
beschränkt limited
in der Regel normally
die Reisegenehmigung travel permit
die Wirtschafts- und Währungsunion economic and monetary union
ausnützen (here) make use of
auf gut Glück trusting to luck
verschlossen bleiben be a closed book
beeindrucken impress
heimlich secret
nachholen catch up on

* Ausdrücke zum Einprägen

viele von uns sind **auf gut Glück** losgefahren, wie auch ich

ganz besonders beeindruckt hat mich Frankreich

nach allem, was ich bisher gesehen habe, denke ich, daß Paris . . .

Viele Jahre lang war Italien das Lieblingsziel der Deutschen. Schon Goethe nannte es „das Land, wo die Zitronen blühen", und für viele Deutsche gehört es immer noch zu den Traumländern. Aber nicht mehr für alle. Bis 1988 gab es steigende Urlauberzahlen: Rund 7 Millonen Deutsche besuchten in dem Jahr Italien. Zwei Jahre später rechnete man nur mit 5 Millionen (zum Vergleich: Spanien 5,1 Millionen). Warum?

A Lesen Sie Ihrer Partnerin/Ihrem Partner den Bericht über Italien (rechte Seite) vor – zweimal, wenn nötig. Stellen Sie ihr/ihm anschließend diese Fragen:

- *Welches Auto wird zur Zeit in Italien am häufigsten gestohlen?*
- *Lohnt es sich, eine Alarmanlage einzubauen?*
- *Wo sind Taschendiebe vor allem tätig?*
- *Was ist der Trick mit der Tasse Kaffee?*
- *Gibt es italienische Gegenden, für die die Buchungszahlen immer noch ansteigen?*

B Lesen Sie den Text (unten) noch nicht, sondern hören Sie **A** zu, die/der ihn Ihnen vorliest, und machen Sie sich dabei Notizen. Notieren Sie vor allem die Gründe, warum Italien bei den Deutschen nicht mehr so beliebt ist. Beantworten Sie dann die Fragen von **A**.
Lesen Sie anschließend den Artikel.

Am Strand von Bella Italia . . .

Italien und die Deutschen

„Komm ein bißchen mit nach Italien . . ." Dieser Caterina-Valente-Schlager aus den fünfziger Jahren gilt aber immer noch für Italiens „grüne Zonen". Steigende Buchungszahlen melden die Reiseunternehmen für Inseln wie Ischia und Sardinien, für die Ligurische Küste, die Toscana und die oberitalienischen Seen: Comer See, Gardasee, Lago Maggiore.

Rund fünf Millionen Bundesbürger wollen in diesem Jahr über die Alpen fahren. Nicht nur Sonne, Seen und Sehenswürdigkeiten locken, dazu Opernfestspiele in Verona, Ravenna, Rom, Konzertfestivals in Florenz, Trient, Fermo . . .

Aber jetzt häufen sich die Katastrophenmeldungen aus Italien. Die Kriminalität ist so schlimm wie nie. Meistbegehrtes Auto der Diebe ist zur Zeit der VW Golf. Eine ausgelöste Alarmanlage erschreckt niemanden mehr, keiner ruft die Polizei. Die Taschendiebe haben sich vor allem auf die Bahn spezialisiert. Neuester Trick: Ein freundlicher Italiener bietet dem Reisenden eine Tasse Kaffee gratis an. Erfreut über soviel Gastfreundschaft greift er zu . . . und sinkt kurz darauf in Tiefschlaf, weil im Kaffee ein Schlafmittel war. Wacht der Reisende auf, hat er nichts mehr als die Kleidung.

Auto & Reise

gelten (für) be valid (for)
locken attract (them)
Comer See Lake Como
das Opernfestspiel opera festival
die Meldung report
meistbegehrt most sought-after
auslösen go off
der Taschendieb pick-pocket
zugreifen help oneself
das Schlafmittel sleeping drug

*** Ausdrücke zum Einprägen**

rund fünf Millionen Bundesbürger

die Kriminalität ist **so schlimm wie nie**

. . . bietet dem Reisenden eine Tasse Kaffee **gratis** an

Katastrophenmeldungen? Nichts im Vergleich zu dem, was ein Leser der Zeitschrift Auto & Reise *über seine Reise nach Italien schrieb – und über das, was er auf dem Weg in die Sonne verlor! Etwas mehr als seine Brieftasche . . .*

Hören Sie sich seinen Bericht erst an, ehe Sie ihn lesen. Machen Sie sich dabei Notizen und versuchen Sie (alle zusammen) anschließend, die Geschichte mündlich zu rekonstruieren. Die folgenden Stichpunkte werden Ihnen dabei helfen:

- 10 Jahre lang keine Italien-Reise
- Autobahnraststätte nördlich von Florenz
- Wohnwagen vom Auto abgehängt und entwendet
- Polizei versteht weder Deutsch noch Englisch
- 2.30: Sie müssen die Polizeistation verlassen
- kein Geld, wenig hilfsbereites Konsulat
- die Rückfahrt

Bella Italia

Vermutlich hätten wir dieses Jahr wieder einen interessant-erholsamen Urlaub genießen können, wenn ich bei der Reiseplanung konsequent geblieben wäre. Immer wiederkehrende Horrormeldungen über Diebstähle, Autoaufbrüche, Überfälle und ähnliches hatte eine gesunde Abneigung gegen das Urlaubsland Italien in mir aufgebaut, so daß ich es schaffte, 10 Jahre lang einen weiten Bogen um „Bella Italia" zu machen. Der Überredungskunst meiner lieben Frau, die mir in den schillerndsten Farben eine Toskana-Reise ausmalte, ist es zu verdanken, daß ich meine guten Vorsätze über den Haufen warf und am Sonntag, dem 18. Juni, erwartungsvoll in Richtung Süden aufbrach.

Pkw und Caravan sind seit 13 Jahren unser geliebtes Urlaubsgefährt, mit dem wir auch am Abend des 18. Juni gegen 22.00 Uhr die Autobahnraststätte „Area Servicio Aglio Ovest" zirka 25 km nördlich von Florenz aufsuchten, um dort zu Abend zu essen. Um 22.30 Uhr verließen wir das Restaurant – und mußten feststellen, daß unser Wohnwagen vom Zugfahrzeug abgehängt und entwendet worden war.

Die sofort benachrichtigte Polizei, die zirka 30 Minuten später eintraf, lotste uns zur Polizeistation Florenz-Nord, wo mit großen Verständigungsschwierigkeiten (kein Wort Deutsch oder Englisch möglich) ein Protokoll aufgenommen wurde. Gegen 2.30 Uhr nachts wurde uns zu verstehen gegeben, wir sollten uns eine Übernachtungsmöglichkeit suchen. Da mit dem gestohlenen Caravan neben Videokamera, Fotoausrüstung, Schmuck, Euroschecks usw. auch die gesamte Reisekasse weg war, standen wir praktisch völlig mittellos da. Trotzdem mußten wir die Polizeistation räumen und uns mitten in der Nacht ein Hotel suchen.

Das deutsche Konsulat in Florenz ▶

vermutlich presumably
erholsam restful; refreshing
konsequent consistent
die Meldung report
der Überfall attack
die Abneigung gegen aversion for
schillern shimmer
der Vorsatz intention
über den Haufen werfen throw overboard
aufbrechen start out
zirka approximately
das Zugfahrzeug towing vehicle
abhängen uncouple
entwenden steal
lotsen pilot
ein Protokoll aufnehmen take a statement
die Übernachtungsmöglichkeit somewhere to spend the night
die Ausrüstung equipment
der Schmuck jewelry

sollte uns am nächsten Morgen aus der finanziellen Misere helfen. Weit gefehlt! Nach drei Stunden Wartezeit wurden uns gegen Quittung (aus Deutschland zurückzuüberweisen) je Person 19,93 DM (= 14 550 L) ausgehändigt. Die Hotelrechnung von 220 DM konnten wir damit natürlich nicht bezahlen, was ein paar Tage später von Deutschland aus erledigt wurde. Ein kurzer Besuch anschließend bei den „freundlichen" Polizisten der Nacht; die Frage nach dem Verbleib unseres Caravans wurde mit einem vielsagenden Achselzucken beantwortet.
Ausgerüstet mit einer Flasche warmer Limonade, zwei überreifen Bananen, einem Müsli-Riegel und drei Päckchen Zigaretten machten wir uns am Montagnachmittag gegen 13.00 Uhr „soli" auf die Rückfahrt nach Hause, wo wir um 22.00 Uhr eintrafen ... Persönliche Konsequenz: Länder wie „Bella Italia" spielen mit Sicherheit keine Rolle mehr in meinen künftigen Reiseplanungen.

M.H., Auto & Reise

die Misere distress
weit gefehlt far from it
überweisen transfer
erledigen deal with
das Achselzucken shrug
der Riegel bar
mit Sicherheit certainly

Was meinen *Sie?*

Kann man in einem solchen Fall erwarten,

- *daß die Polizisten schneller am Tatort sind?*
- *daß sie eine Fremdsprache sprechen?*
- *daß sie helfen, eine Übernachtungsmöglichkeit zu finden – oder in der Polizeiwache eine anbieten?*
- *daß das Konsulat schneller reagiert (und auch die Hotelrechnung bezahlt)?*
- *daß die Polizisten noch in der Nacht die Suche nach dem gestohlenen Fahrzeug eingeleitet hätten?*

Kann man sagen,

- *daß das Land Italien daran schuld ist?*
- *daß die Reisenden daran schuld sind?*

✻ Ausdrücke zum Einprägen

wenn ich bei der Reiseplanung **konsequent geblieben wäre**

meiner lieben Frau **ist es zu verdanken, daß** ich meine guten Vorsätze über den Haufen warf

das deutsche Konsulat sollte uns aus der Misere helfen. **Weit gefehlt!**

nach drei Stunden Wartezeit wurden uns je Person 19,93 DM ausgehändigt

die Frage **wurde mit einem Achselzucken beantwortet**

Länder wie „Bella Italia" **spielen mit Sicherheit keine Rolle mehr** in meinen künftigen Reiseplanungen

5

Aber es muß nicht immer der Süden oder das Ausland sein. Immer mehr Deutsche scheinen inzwischen Urlaub auf dem Bauernhof zu machen – zum Beispiel auf dem der Familie Roßmann in Modautal-Lützelbach.

Urlaub auf dem Bauernhof

Einmal, erzählt Ilse Roßmann, habe der kleine Sohn einer Gastfamilie die ganze Nacht nicht geschlafen, weil am nächsten Tag ein Schwein geschlachtet werden sollte. Die ganze Nacht habe er gehofft und gebetet, daß das verletzte Tier wieder gesund werde und dem Schicksal, zu Schnitzel zu werden, entgehen könnte. Daß man Tiere tötet, auch wenn es Schweine sind, das habe er nicht begreifen können. Am nächsten Tag war das Tier tot und der Junge traurig. Schnitzel aß er trotzdem gern.

Ilse und Adam Roßmann haben 80 Stück Rindvieh, fast 100 Schweine, zwei Ponys, einen jungen Hund und meistens zwischen zehn und 20 Gäste. Die schauen sich an, wie Rinder zur Weide getrieben und Jungbullen gemästet werden, wie Muttersauen Ferkel säugen und Ferkel dann zu Mastschweinen heranwachsen und wie daraus dann Bierschinken, Jagdwurst oder Lyoner wird. Wenn sie wollen. Wenn sie das nicht wollen, gehen sie auf den Wanderwegen um Lützelbach spazieren (vier Schutzhütten, 80 Ruhebänke), oder sie gehen in Lützelbach aus (320 Einwohner, drei Gasthäuser, ein Café), oder sie bleiben gleich in Roßmanns Ferienhaus mit Balkon, kurzgeschnittenem Rasen und ordentlichem Blumenbeet hinterm Jägerzaun.

Urlaub auf dem Bauernhof klingt nach glücklichen Kühen und nach Bauerntöchtern, die, rotbäckig wie Äpfel, Melkeimer unter diese Kühe schieben. Roßmanns verfügen über eine Melkmaschine, ein automatisches Förderband für Heu und haben ihre Ferienwohnungen mit Farbfernsehen und Fußbodenheizung ausgestattet. Dieter Roßmann, der Sohn, ist Metzgermeister und arbeitet in blitzsauberen, modernen Schlachträumen, während seine Frau Marion vorne im Laden steht und Wurst verkauft. Roßmann hängt das Fleisch in einen Räucherofen mit Digitalanzeige; altbackene Romantik kann er sich nicht leisten.

Urlaub in der Nähe von Wald und Feld und Tieren scheint im Trend zu liegen. Ein Grund ist sicherlich die Suche nach intakter Umwelt, ein anderer das Mißtrauen gegenüber Lebensmitteln; viele wollen sehen, woher Brot und Wurst kommen. Direktvermarktung, vor allem im Ökobetrieb, läuft unheimlich gut. Rund 20 Prozent der Urlaubshöfe bieten selbstgebackenes Brot, und mindestens ebensoviel haben Hausschlachtung. Einige geben sogar Anleitung und Gelegenheit zum Selbstbacken . . .

Frankfurter Allgemeine Sonntagszeitung

schlachten slaughter
beten pray
verletzt injured
das Schicksal fate; destiny
entgehen avoid
begreifen understand
sich anschauen have a look at
mästen fatten
das Ferkel piglet
säugen suckle
das Mastschwein fattened pig
der Bierschinken slicing sausage with ham in it
die Jagdwurst like **Bierschinken**, but with more fat and rougher
die Lyoner slicing pork sausage
die Schutzhütte shelter
ordentlich tidy
der Jägerzaun fence to keep out wild animals
rotbäckig red-cheeked
der Melkeimer milking pail
verfügen über have at one's disposal
die Anzeige display
altbacken outdated
sich leisten afford
unheimlich (here) incredibly
die Anleitung instructions

* Ausdrücke zum Einprägen

altbackene Romantik **kann er sich nicht leisten**

Urlaub in der Nähe von Wald und Feld **scheint im Trend zu liegen**

ein Grund ist sicherlich die Suche nach intakter Umwelt

Direktvermarktung, vor allem im Ökobetrieb, **läuft unheimlich gut**

Stellen Sie sich vor, Sie sind Ilse oder Adam Roßmann und wollen eine Reklame für Ihren Bauernhof entwerfen. (Sie soll in eine Werbebroschüre kommen: *Urlaub auf dem Bauernhof*.) Schreiben Sie die Druckvorlage – in nicht mehr als hundert Wörtern. Vergessen Sie nicht, daß Ihre Konkurrenz (andere Bauernhöfe) auch in dieser Broschüre inseriert! Was bieten Sie Spezielles an?

6

Für die Leute, die in der Urlaubsbranche arbeiten, sind Ferien kein Urlaub. Ferien-Animateur erscheint vielen als ein Glamour-Job – wie Stewardeß oder Fotomodell. Weit gefehlt!

Ferien-Animateure

Für wenige Minuten ist Tanja, 25, ein Star, allein im weißen Scheinwerferkegel auf nachtdunkler Freiluftbühne.

Marlene Dietrichs Stimme ertönt aus zwei Lautsprecherboxen, und Tanja wird, von Kopf bis Fuß, zum blauen Engel. Kokett fallen die blonden Locken in den Nacken, weit öffnen sich ihre rotgeschminkten Lippen zum Vollplayback, lasziv schlägt sie die mageren, netzbestrümpften Beine übereinander.

Es ist der Höhepunkt, wenngleich nicht das Ende ihres heutigen Arbeitstages. Vormittags, am Swimming-Pool, hat sie Tennisbälle in Trinkbechern auffangen lassen und den Geschicktesten einen Curaçao spendiert. Spätabends, nach der Theatershow, tanzt sie noch mit nachtschwärmenden ▶

der Ferien-Animateur holiday host
die Freiluftbühne open-air stage
der blaue Engel the Blue Angel (title of Dietrich's most famous film)
mager thin; slim
netzbestrümpft with net stockings
geschickt skilful

Singles in der Disco. Ihr Feierabend: um Mitternacht.

Tanja hat, im Club Aldiana auf Kreta, einen sogenannten Traumjob. Als festangestellte Animateurin des Frankfurter NUR-Touristik-Konzerns ist sie wie ihre derzeit 163 Kollegen wichtigster Faktor im Konzept des Kluburlaubs, das einer stetig wachsenden Kundschaft vor allem Geselligkeit und pausenloses Entertainment verspricht.

Was einst, leicht und französisch, vom Club Méditerranée erdacht wurde, haben die beiden deutschen ▶ Marktführer gründlich perfektioniert. Mit Hilfe der Animateure vermarkten die Hannoversche Touristik Union International (TUI), in ihren 15 Robinson Clubs, und NUR, in 8 Aldiana-Filialen, erfolgreich ein soziales Defizit. Die professionellen Muntermacher ersetzen für viele Urlauber die rare Spezies des anregenden, unternehmungslustigen Mitmenschen.

Nachwuchsprobleme kennen NUR und TUI nicht. 1989 bewarben sich bei ihnen etwa 6000 Interessenten, viele mit der blauäugigen Vorstellung von bezahltem Müßiggang unter südlicher Sonne. Doch angesichts der vor Ort üblichen 15-Stunden-Schichten, an sechs Wochentagen, gewährleistet nur rigorose Zucht eine gleichbleibende Qualität der Dienstleistung Animation. Durchschnittlich zwei bis drei Jahre dauert die Karriere eines Animateurs. Anschließend, sagt ein Ehemaliger, „fühlt man sich, als ob die einen Schwamm ausgedrückt haben".

Unter Beifall verschwindet Tanja hinter der Kulisse des klubeigenen „Amphitheaters", zum Abschluß der einstündigen Touristen-Gala betritt der Aldiana-Clubchef federnden Schrittes die Bühne und präsentiert noch einmal, sichtlich stolz, sein gesamtes Ensemble. „Bleibt, wie ihr seid – natürlich!" sagt er, und seine sonore Stimme bebt vor Schmelz: „Wir wollen doch einfach nur Spaß."

Der Spiegel

der Feierabend finishing time
festangestellt on the permanent staff
die Geselligkeit good company
vermarkten market
die Filiale branch
das Defizit deficiency
der Muntermacher jollifier
anregend stimulating
das Nachwuchsproblem recruitment problem
sich bewerben apply for a job
blauäugig naive
der Müßiggang idleness
vor Ort (here) on the job
gewährleisten ensure
die Zucht discipline
federnden Schrittes with a spring in his step
beben tremble
der Schmelz sugariness

* Ausdrücke zum Einprägen

es ist **der Höhepunkt, wenngleich nicht das Ende** ihres heutigen Arbeitstages

Tanja hat . . . **einen sogenannten Traumberuf**

unter Beifall verschwindet Tanja hinter der Kulisse

Rollenspiel:

B Sie sind der *Spiegel*-Reporter und interviewen den Club-Chef. Sie stehen der Freizeit-Unterhaltung durch Animateure ziemlich skeptisch gegenüber.

A Sie sind der Club-Chef. Sie wissen, daß viele Leute abfällig über Ihre Clubs und Ihre Animateure sprechen. Aber Sie machen, was das Publikum verlangt. Und die Gäste sind zufrieden, das Unternehmen rentiert sich – warum sollten Sie es also anders machen?

Zu zweit: Stellen Sie sich vor, Sie sind Tanja. Schreiben Sie einen Brief aus Kreta an eine gute Freundin/einen guten Freund in Deutschland, in dem Sie Ihren Job ausführlich (und ehrlich) beschreiben.

7

Es gibt immer mehr Deutsche, die den Gedanken an Urlaub – oder zumindest ans Reisen – unerträglich finden. Warum nicht einfach zuhause bleiben?

Traum-Urlaub daheim

Reisen muß nicht immer Erholung sein. So manchen packt das Grausen, wenn er an Beton-Burgen längs von Spaniens Sonnenküsten denkt. Und wer hat sich noch nicht, eingezwängt in die stickige Staulawine vorm Alpenpaß, zurückgesehnt in seinen heimischen Garten. Tatsache ist: Die deutsche Reisewelle ebbt ab, Urlaub zu Haus holt auf.

13,3 Millionen NRW-Bürger über 14 Jahre packen in diesem Jahr [1990] den Reisekoffer, immerhin 8,1 Millionen bleiben zu Hause. Eine davon ist Chefsekretärin Susanne Berken (29) aus Köln: „Ich war früher ständig auf Achse. Disco-Marathons auf Ibiza, Cuba-Libre-Sessions in Spanien oder Streß-Safaris in Kenia. Danach mußte ich mich zu Haus erst richtig erholen. Da hab' ich gemerkt, hier kann ich viel besser faulenzen. Mal bis 12 Uhr schlafen, im Bett frühstücken, bis vier Uhr morgens schmökern."

Auch Familie Kroning aus Düsseldorf bleibt diesmal zu Hause. Ingrid Kroning (38): „Ich finde es viel erholsamer, ein bißchen im Garten zu arbeiten. Mein Mann ist froh, nicht immer den Fremdenführer spielen zu müssen. Für das Geld, das wir sparen, erfüllt sich jeder einen Wunsch. Ich kaufe mir endlich ein Modellkostüm, die Kinder sparen auf den Führerschein." Bankkaufmann Herbert Kroning (43): „Unsere Bekannten freuen sich bestimmt, daß wir sie nicht mit Urlaubsdias langweilen werden."

Heidi Hahn, Sprecherin des Studienkreis für Tourismus, bestätigt die Tendenz zum Heimurlaub: „Immer mehr Deutsche bleiben zu Hause. Besonders die, die einen Garten haben oder ein Naherholungsgebiet vor der Haustür. Auch wer viel gereist ist, zieht geruhsame Wochen zu Hause vor."

Heidi Hahn gibt auch Tips, wie man daheim richtig ausspannt. „Gammeln sie mal so richtig. Das hält die Seele fit. Die Deutschen sind das Volk der Frühaufsteher und Kaltduscher. Tun Sie das Gegenteil. Schlafen Sie mal bis in die Puppen."

Express

das Grausen horror
eingezwängt hemmed in
stickig suffocating
die Staulawine enormous tailback
sich zurücksehnen long to be back
abebben recede
aufholen catch up
auf Achse on the move
Cuba Libre white rum and cola
faulenzen laze about
schmökern bury oneself in a book
der Fremdenführer travel guide
das Urlaubsdia holiday slide
das Naherholungsgebiet local recreation area
geruhsam peaceful
ausspannen (here) take a break
gammeln loaf around
der Kaltduscher taker of cold showers
bis in die Puppen until all hours

Zu zweit: Sie besprechen Ihren Urlaub mit einer Freundin/einem Freund.

A Sie haben sich entschlossen, dieses Jahr zuhause zu bleiben – hauptsächlich, um Geld zu sparen. Das möchten Sie aber auf keinen Fall als Grund angeben. Sie wollen Ihren Entschluß so positiv wie möglich darlegen: Sie können wirklich nicht verstehen, wie man mit dem Auto in Urlaub fahren kann.

B Sie wollen dieses Jahr mit dem Auto nach Italien fahren. Sie haben allerdings Zweifel, ob es eine so gute Idee ist. Sie haben kürzlich so viel Schlechtes über Italien gelesen, wollen das aber um keinen Preis verraten. Der Urlaub wird natürlich toll werden! Sie können nicht verstehen, wie man zuhause bleiben kann.

* Ausdrücke zum Einprägen

und **wer hat sich nicht zurückgesehnt** in seinen heimischen Garten

Tatsache ist: Die deutsche Reisewelle ebbt ab

Heidi Hahn **bestätigt die Tendenz** zum Heimurlaub

Einheit 22 Wiedervereinigung: das neue Deutschland

1

Noch lange nachdem in den Nachbarstaaten im Ostblock das kommunistische Weltreich zerbröckelt und zerfallen war, versuchten Erich Honecker und seine Genossen, ihren kaputten und, wie man heute weiß, korrupten Staat zu erhalten. Das Volk der DDR wollte es aber anders. Es folgt die Geschichte der „sanften Revolution", Herbst 1989 bis Herbst 1990.

Zuerst kam die Wende . . .

Zu zweit: Hören Sie sich zuerst die Aufnahme des Artikels an und versuchen Sie dann zusammen, folgende Fragen zu beantworten:

- *Wo liegt Bad Liebenwerda?*
- *Was ist an diesem Ort so bemerkenswert?*
- *Was waren die zwei ersten Zeichen der Wende in Bad Liebenwerda?*
- *Wie veränderte sich die lokale Zeitung?*
- *Was verstehen Sie unter „die weltabgewandte Seite der DDR"?*
- *Was passierte mit den Straßenschildern?*
- *Weshalb hat sich die Wende hier so reibungslos vollzogen?*

Bad Liebenwerda in der Lausitz

Lesen Sie nun den Artikel (unten) und beantworten Sie alle Fragen, die Sie vorher eventuell nicht beantworten konnten.

Die Wende in einer ostdeutschen Kleinstadt

Bad Liebenwerda, eine kleine Stadt in der Lausitz – 6000 Einwohner, knapp ein Dutzend Kneipen, zwei Kirchen, ein Storchennest, demnächst ein Aldi-Markt. Eine freundliche, langweilige Kleinstadt, mit landwirtschaftlichem Umfeld am Rande des Lausitzer Braunkohlereviers. Das Bemerkenswerteste an Bad Liebenwerda sind die heilkräftigen Schlammbäder und der VEB Robotron Reiß, in dem die berühmten Reißbretter hergestellt werden.

Der Urknall, aus dem die neue Republik entstand, hatte hier ein behäbiges Echo. Die Perforation des Systems war zunächst auch nur für Eingeweihte sichtbar.

Irgendwann wurden falsch parkende Autos vorm Stasi-Hauptquartier an der Leninstraße nicht mehr abgeschleppt. Irgendwann kam auch der Spitzel vom Dienst nicht mehr wieder, der früher – zur Belustigung der Stammgäste – oft stundenlang an der Theke im „Goldenen Stern" an seinem Glas Bier herumgenuckelt hatte. Und im früheren SED-Blatt Lausitzer Rundschau, das bei den Abonnenten „Lügen-Rudi" hieß, standen irgendwann plötzlich wahre Artikel über die SED.

Bad Liebenwerda liegt auf der weltabgewandten Seite der DDR. Vieles ist hier beim alten geblieben. Sogar die alten Straßenschilder haben überlebt. Nur die besseren Stücke haben Souvenirsammler aus dem Westen für ihre Partykeller abgeschraubt. An der Straße der deutsch-sowjetischen Freundschaft sind sämtliche Straßenschilder bis auf zwei geklaut.

Daß die Wende so glatt ging, sei, wie Pastor Arnim Haase ausführt, „ein Wunder Gottes gewesen". Wahr ist: Die sanfte Revolution wäre in Liebenwerda nicht so sanft ausgefallen, wenn Haase dem Wunder nicht auf die Sprünge geholfen und vom Volkszorn nicht immer Schaum abgeschöpft hätte. Die Kirche war in Liebenwerda die Zitadelle der Bewegung . . .

Der Spiegel

das Umfeld surroundings
heilkräftig medicinal
das Schlammbad mud bath
VEB (Volkseigener Betrieb) (GDR) nationalized company
das Reißbrett drawing board
der Urknall big bang
behäbig easy-going
der Eingeweihte initiate
die Stasi (= **Staatssicherheit**) (GDR) secret police
abschleppen tow away
der Spitzel vom Dienst duty informer
die Belustigung entertainment
der Stammgast regular (customer)
die Theke bar
herumnuckeln (colloq.) sip away
SED-Blatt (SED = Sozialistische Einheitspartei Deutschlands) (GDR) Communist-party newspaper
der Abonnent subscriber
weltabgewandt isolated; remote
abschrauben unscrew
klauen (colloq.) pinch; nick
auf die Sprünge helfen help on its way
Schaum abschöpfen von cream off
die Bewegung movement

✻ Ausdrücke zum Einprägen

das Bemerkenswerteste an Bad Liebenwerda **sind** die Schlammbäder

vieles ist hier **beim alten geblieben**

sämtliche Straßenschilder **bis auf zwei** sind geklaut

wahr ist: Die sanfte Revolution wäre so sanft . . .

2

Was wollte das Volk? Nach dem Fall der Mauer wollten sehr viele Menschen in der DDR das, wofür Herr Linke in folgendem Leserbrief an die Berliner Zeitung *plädierte:*

In den fast 30 Jahren meines Berufslebens habe ich eigentlich nur gearbeitet, um meine Familie zu ernähren. Wenn ich die Stunden addieren könnte, die ich vor den Geschäften gestanden habe, um für meine Familie mal was Gutes zu bekommen, dann würden Jahre herauskommen. Dann der ganze Ärger, der mit dieser Steherei verbunden war. Soll das so weitergehen?

Ich habe keine Hoffnung mehr für diesen Staat und sehe den einzigen Ausweg nur in einer Wiedervereinigung. Ich bin für ein friedliebendes, demokratisches, wiedervereinigtes Deutschland, das seine Nachbarn nicht bedroht. Und ich glaube, daß die Mehrheit des deutschen Volkes dafür ist.

Wolfgang Linke, Berlin 1017

Berliner Zeitung, 6. Januar 90

das Berufsleben working life
ernähren feed
der Ärger anger and annoyance
die Steherei standing around

* Ausdrücke zum Einprägen

ich habe keine Hoffnung mehr für diesen Staat

ich sehe den einzigen Ausweg nur in einer Wiedervereinigung

die Mehrheit des deutschen Volkes **ist dafür**

Herr Linke sagte, er sei für Frieden, Demokratie und die Wiedervereinigung – beklagt hat er sich aber nur über das lange Anstehen und Warten vor den Geschäften.

- *Hängt das eine mit dem anderen zusammen?*
- *Hätte die Revolution vielleicht nicht stattgefunden, wenn die Läden voll gewesen wären?*
- *Glauben Sie, daß die Menschen nur an ihre Mägen dachten? Oder hatten die Leute auch Hunger auf etwas anderes?*
- *„Erst kommt das Fressen, dann kommt die Moral“, sagte Brecht. Glauben Sie, daß das auch für das Entstehen der Revolution in der DDR zutrifft? Oder nicht?*

*Wie entstand das vereinigte Deutschland? Es folgen eine Reihe von Berichten (Seite 203 - 208) aus der (Ost-)*Berliner Zeitung, *die die Geschichte von Tag zu Tag erzählen.*

Zu zweit: Lesen Sie die Artikel – einen nach dem anderen – und besprechen Sie sie gemeinsam. Im nachhinein kann man manchmal eine gewisse Ironie in dem finden, was damals geschrieben und gesagt wurde.

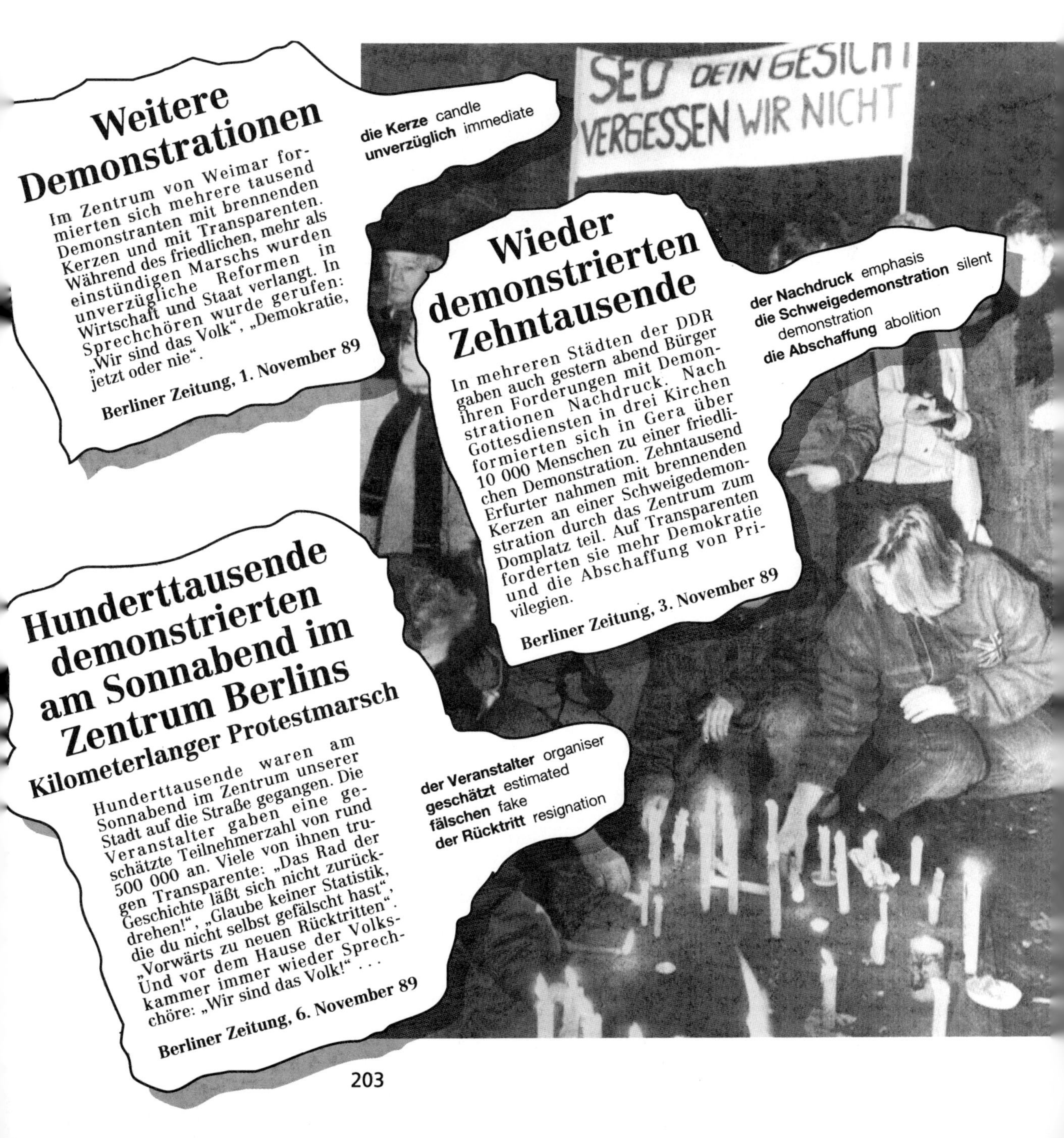

Weitere Demonstrationen

Im Zentrum von Weimar formierten sich mehrere tausend Demonstranten mit brennenden Kerzen und mit Transparenten. Während des friedlichen, mehr als einstündigen Marschs wurden unverzügliche Reformen in Wirtschaft und Staat verlangt. In Sprechchören wurde gerufen: „Wir sind das Volk", „Demokratie, jetzt oder nie".

Berliner Zeitung, 1. November 89

die Kerze candle
unverzüglich immediate

Wieder demonstrierten Zehntausende

In mehreren Städten der DDR gaben auch gestern abend Bürger ihren Forderungen mit Demonstrationen Nachdruck. Nach Gottesdiensten in drei Kirchen formierten sich in Gera über 10 000 Menschen zu einer friedlichen Demonstration. Zehntausend Erfurter nahmen mit brennenden Kerzen an einer Schweigedemonstration durch das Zentrum zum Domplatz teil. Auf Transparenten forderten sie mehr Demokratie und die Abschaffung von Privilegien.

Berliner Zeitung, 3. November 89

der Nachdruck emphasis
die Schweigedemonstration silent demonstration
die Abschaffung abolition

Hunderttausende demonstrierten am Sonnabend im Zentrum Berlins

Kilometerlanger Protestmarsch

Hunderttausende waren am Sonnabend im Zentrum unserer Stadt auf die Straße gegangen. Die Veranstalter gaben eine geschätzte Teilnehmerzahl von rund 500 000 an. Viele von ihnen trugen Transparente: „Das Rad der Geschichte läßt sich nicht zurückdrehen!", „Glaube keiner Statistik, die du nicht selbst gefälscht hast", „Vorwärts zu neuen Rücktritten". Und vor dem Hause der Volkskammer immer wieder Sprechchöre: „Wir sind das Volk!" . . .

Berliner Zeitung, 6. November 89

der Veranstalter organiser
geschätzt estimated
fälschen fake
der Rücktritt resignation

Inzwischen hatten Ungarn und etwas später dann die Tschechoslowakei ihre Grenzen geöffnet. Die Bürger verließen in Strömen die DDR in Richtung Bundesrepublik.

Sie gingen in Strömen . . .

Tausende verließen wieder die DDR

Der Strom von DDR-Bürgern, die ihre Heimat über die CSSR in die BRD verlassen, hielt auch gestern weiter an. Ein Sprecher des Bundesgrenzschutzes teilte am Nachmittag mit, daß in der Nacht zu Mittwoch und im Laufe des Tages 8000 DDR-Bürger mit ihren Pkws in Bayern eingereist seien. Am Grenzübergang Schirnding würden stündlich 300 Autos abgefertigt. Es habe sich ein kilometerlanger Stau gebildet. Dazu kämen mit bis zu 1000 Passagieren besetzte Züge aus der CSSR. Die Zahl der seit Öffnung der CSSR-Grenze am vergangenen Freitagabend eingereisten DDR-Bürger wird der Nachrichtenagentur AP zufolge bis zum Abend auf etwa 45 000 geschätzt . . .

Berliner Zeitung, 9. November 89

CSSR Czechoslovakia
anhalten continue
der Bundesgrenzschutz (federal) Border Police
abfertigen deal with
zufolge (+ prec. dat) according to

Schließlich öffnete die DDR-Regierung auch ihre Grenzen – in der Hoffnung, sie könnte so die Flut der ausreisenden Bürger eindämmen. Wären die Grenzen einmal offen, würden die Menschen nicht mehr fliehen, und viele würden zurückkommen – so dachten sie. In Berlin wurden die Grenzübergänge in der Mauer auch für DDR-Bürger geöffnet. Sie gingen in Scharen.

Bloß mal übern Ku'damm bummeln

Seit dem späten Donnerstag abend können DDR-Bürger mit einem einfachen Stempel im Personalausweis die Grenzübergangsstellen nach Westberlin passieren. Ungezählte haben von dieser Möglichkeit Gebrauch gemacht. Über tausend Menschen waren am Übergang Sonnenallee. „28 Jahre haben wir darauf gewartet", „Bloß mal übern Ku'damm bummeln", „Ick kiek mir dett an", und „vielleicht reicht's für'n Bier" und anderes mehr bekommt man zu hören.

Hinter dem letzten Kontrollpunkt empfängt uns eine jubelnde Menge. Die Menschen haben Spalier gebildet und klatschen jedem der Besucher Beifall. Umarmungen, Händeschütteln und immer die Worte „Wahnsinn, es ist nicht zu glauben" . . .

Rückfahrt gestern abend. Die S-Bahn nach Friedrichstraße ist überfüllt. Ein Westberliner kommt mit einer DDR-Familie ins Gespräch. Wollen Sie wieder zurück? Natürlich, warum sollten wir hierbleiben, wenn wir jetzt doch jederzeit reisen können? Dann steigen sie Friedrichstraße aber doch nicht aus, sondern bleiben im Zug und fahren in den Westen zurück. Warum? Um der Tochter, sie ist fünf Jahre alt, noch mal die Mauer von der anderen Seite zu zeigen, eine Mauer, die nicht mehr länger eine unüberwindbare Barriere bildet.

Berliner Zeitung, 11. November 89

der Stempel stamp
ick kiek mir dett an (= **ich guck'/seh' mir das an**) I'll have a look at it
Spalier bilden form a guard of honour
der Wahnsinn madness
überfüllt overcrowded
unüberwindbar insuperable

Am Wochenende wurde es chaotisch. Millionen DDR-Bürger sahen zum ersten Mal, wie das andere Deutschland wirklich war.

Massenaufbruch führt zu Verkehrschaos

Der Massenaufbruch von Millionen von DDR-Bürgern zu einem Wochenendbesuch in der BRD hat gestern auf beiden Seiten der Grenze zu einer chaotischen Verkehrslage geführt. Nach Mitteilung des Bundesinnenministeriums in Bonn kamen allein zwischen 04.00 Uhr und 14.00 Uhr fast 480 000 DDR-Bürger in die Bundesrepublik.
Vor den Grenzübergängen reichten Autoschlangen bis 80 Kilometer tief in DDR-Gebiet hinein. Überfüllte Sonderzüge trafen mit mehrstündiger Verspätung in der Bundesrepublik ein. In vielen grenznahen Städten der BRD herrschte schon am frühen Morgen ein Verkehrschaos: Die Innenstädte waren völlig dicht. Reisende mußten bis zu sechs Stunden auf die Passage warten.

Berliner Zeitung, 18. November 89

die Mitteilung statement
das Bundesinnenministerium (federal) Ministry of the Interior
der Sonderzug special train
völlig dicht packed full

. . . und kamen in Strömen.

Im neuen Jahr (1990) wurde es immer deutlicher, daß viele, vielleicht sogar die Mehrheit, für die Wiedervereinigung waren und so leben wollten wie ihre Brüder und Schwestern im Westen. Und jetzt stellte sich auch langsam heraus, wie korrupt die alte Regierung wirklich war.

100 000 in Leipzig

Erneut sind in Leipzig rund 100 000 Messestädter zur traditionellen Montagsdemonstration auf dem Karl-Marx-Platz zusammengekommen. „Keiner wählt die SED" und „Deutschland einig Vaterland" waren die bestimmenden Akzente in Sprechchören sowie auf Transparenten.

Berliner Zeitung, 30. Januar 90

erneut once again
die Messestädter (pl.) 'trade-fair townees' (people of Leipzig)
einig united
der bestimmende Akzent decisive emphasis

Und dann kam es zu den ersten freien, demokratischen Wahlen in der DDR – allerdings dominiert von den westdeutschen Parteien. Doch auch Minderheiten sahen plötzlich ihre Chance . . .

Deutsche Biertrinker, vereinigt euch!

Beim Bier kommen manchem die besten Ideen. So hatten vielleicht auch Andreas Häse, 22jähriger Seefahrtsstudent, und seine Freunde ein bis viele Gläschen genascht, als ihnen der Gedanke kam, die Deutsche Biertrinker-Union zu gründen. Trotz Schwierigkeiten, die neue Parteien nun einmal haben, hat die Union es immerhin geschafft, auf die Wahlliste zum Parlament zu kommen.

Statut und Programm liegen vor. Danach bekennt sich die Union zur Einheit aller deutschen Biertrinker, fordert mehr und bessere Kneipen, Aufhebung der Polizeistunde in größeren Städten, die strikte Einführung des deutschen Reinheitsgesetzes bei Bierbrauern und nicht zuletzt ein Alkohollimit für Kraftfahrer von 0,6 Promille. Konsequent „wendet" die bisher 39köpfige DBU gegen Drogen, Alkoholmißbrauch und „ausländisches Dünnbier". Gemessen am letzteren müßten dann allerdings einige Gegenden der DDR schon zum Ausland gehören. Ansonsten muß jeder seine Zeche bezahlen, es sei denn, er gibt einen aus.

Berliner Zeitung, 13. März 90

der Seefahrtsstudent student at merchant navy college
ein bis viele one or perhaps several
naschen (colloq.) knock back
sich bekennen zu declare one's belief in
die Polizeistunde closing time
das Reinheitsgesetz beer purity law
die Zeche bill
ausgeben buy a round

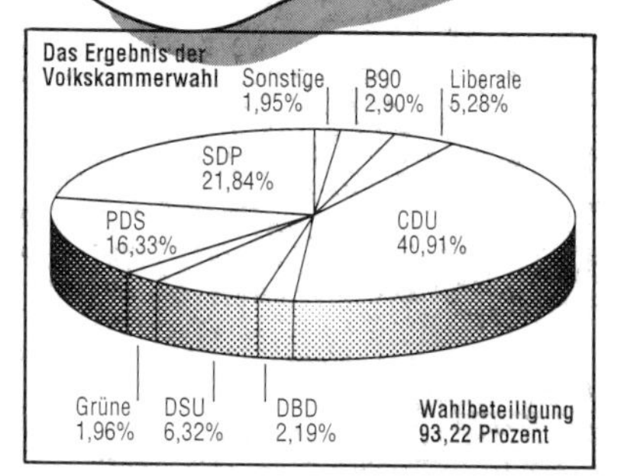

Und niemand (außer vielleicht die DBU!) wunderte sich dann, daß die CDU, die regierende Partei Westdeutschlands, die Wahl in der DDR gewann.

Eine klare Mehrheit für die schnelle deutsche Einheit

Als klarer Sieger ist aus den ersten freien Wahlen zur Volkskammer in der DDR nach dem vorläufigen Endergebnis die konservative Allianz für Deutschland hervorgegangen. Das aus den drei Parteien CDU, Deutsche Soziale Union (DSU) und Demokratischer Aufbruch (DA) gebildete Bündnis, das von den bundesdeutschen Schwesterparteien CDU und CSU massiv unterstützt worden war, ging nach den ersten Hochrechnungen überraschend deutlich in Führung und errang eine klare Mehrheit der Stimmen und damit der Sitze in der neuen Volkskammer. Auf die Sozialdemokraten als Zweitplazierte entfiel nur etwa jede fünfte Wählerstimme. An dritter Stelle rangiert die aus der SED hervorgegangene Partei des Demokratischen Sozialismus (PDS), mit großem Abstand folgen der Bund freier Demokraten und die Bürgerbewegung Bündnis 90.

Berliner Zeitung, 19. März 90

vorläufig provisional
das Endergebnis final result
CDU (= **Christlich-Demokratische Union**) Christian-Democratic Union
der Aufbruch awakening
das Bündnis alliance
CSU (= **Christlich-Soziale Union**) Christian-Social Union
unterstützen support
die Hochrechnung projection
in Führung gehen go into the lead
erringen gain
die Volkskammer (GDR) parliament
die Wählerstimme vote
hervorgehen aus spring from

Zwei Monate nach der Wahl im März 1990 wurde der Vertrag, der den Grundstein zur Wiedervereinigung legte, von beiden deutschen Staaten unterzeichnet.

Ein Tag von historischer Tragweite

Der Staatsvertrag zwischen der Bundesrepublik und der DDR zur Wirtschafts-, Währungs- und Sozialunion beider deutscher Staaten ist am Freitag [18. Mai 1990] in Bonn unterzeichnet worden.

Die Unterzeichnung des Staatsvertrages sei ein denkwürdiges Ereignis für alle Deutschen und Europäer, stellte Bundeskanzler Kohl fest. Vor den Augen der Welt finde hier die Geburtsstunde des freien und einigen Deutschlands statt. Gleichzeitig beginne mit diesem historischen Tag auch ein neuer Abschnitt der europäischen Geschichte.

Berliner Zeitung, 19. Mai 90

der Vertrag treaty
denkwürdig memorable
der Abschnitt phase

Anfang Juli folgte dann die Währungsunion – die DDR-Bürger bekamen West- für Ihr Ost-Geld. Wenige Tage später waren auch die Regale der Geschäfte gefüllt. Die Reaktionen darauf in der DDR waren durchaus positiv, doch einige Leute hatten schon große Bedenken, was die Zukunft bringen würde (siehe nächste Seite) . . .

Meinungen zum Einstieg in die Währungsunion

Torsten Merkel (28), Friseur: Auf den Tag habe ich lange gewartet. Endlich kann ich mir ein richtiges Wägelchen kaufen, einen Opel, natürlich gebraucht. Mal sehen, wie es mit der harten Mark auf Arbeit weitergeht. Meine Kundinnen werden sich überlegen, wie oft sie nun zum Friseur gehen, denn die Preise bleiben nicht die alten. Die Trinkgelder wahrscheinlich auch nicht.

gebraucht used

Peggy Haker (19), Konditorin: Ich habe gerade vor der Bankfiliale einen Sektkorken steigen lassen, denn ich finde es super, endlich Westgeld zu kriegen. Das ist ein Wahnsinn! Zukunftsängste habe ich nicht, ich bin ja privat.

ich bin ja privat I'm my own boss

Helios Mendiburu (54), Bürgermeister von Friedrichshain (Berlin Ost): Dieser Tag des Beginns der Währungsunion ist natürlich ein Einschnitt im Leben, aber keiner sollte jetzt den Kopf verlieren und bloß darauf los kaufen. Lieber erst mal abwarten, wie weit das Westgeld reicht.

der Einschnitt turning point
darauf los kaufen buy everything in sight

Peter Wanderer (32), Bahnarbeiter: Ich bin krisenfest, arbeite bei der Reichsbahn. Der Tag heute wird noch mit der Familie in Westberlin begossen, mit einem Kaffee bei Kranzler.

krisenfest unaffected by crises
die Reichsbahn (GDR) State Railway
begießen celebrate with a drink
das (Café) Kranzler famous café in (West-)Berlin

Walter Momper, Regierender Bürgermeister von Westberlin: Berlin wächst zusammen, wie man sieht. Die Anpassung der Löhne und Gehälter im Osten an das Niveau des Westens wird auch bald kommen.

die Anpassung adjustment

Ursula Schneider, WC-Wart am Alex: Ich bin nun schon seit 17 Jahren hier im WC, aber so freundliche und aufgeräumte Kunden habe ich noch nie erlebt. Ich freue mich, daß ich nun den Kühlschrank viel billiger kriegen kann als bisher, die Unterschiede bei solchen Haushaltsgeräten sind doch beträchtlich, und zwar zu meinen Gunsten.

der WC-Wart lavatory attendant
aufgeräumt cheerful
beträchtlich considerable
zu meinen Gunsten in my favour

Ray Große (25), Student: Neun Jahre haben unsere Brüder und Schwestern drüben nach eigenen Angaben gebraucht, um mit der sozialen Marktwirtschaft fertigzuwerden, und wir wollen's mit einem Sprung ins kalte Wasser schaffen. Schwer, mein Gefühl zu beschreiben, es liegt zwischen Wut und Ohnmacht, denn ich sehe nicht, daß ich mein Leben so gestalten kann, wie ich es eigentlich wollte.

nach eigenen Angaben according to their own account
fertigwerden mit cope; manage
die Ohnmacht impotence

Berliner Zeitung, 2. Juli 90

Zu zweit: Versuchen Sie, zusammen eine schematische Darstellung der dramatischen Ereignisse der „sanften Revolution" zu geben – und zwar in zwei Spalten: links die Daten, rechts die Ereignisse. Es war eine Revolution ohne Tote – aber könnte man heute, im Rückblick, vielleicht auch mit Ray Große sagen: eine Revolution „zwischen Wut und Ohnmacht"?

* Ausdrücke zum Einprägen

daß **in der Nacht zu Mittwoch** und **im Laufe des Tages** 8000 DDR-Bürger eingereist seien

überfüllte Sonderzüge **trafen mit mehrstündiger Verspätung** in der Bundesrepublik **ein**

als klarer Sieger ist aus den ersten freien Wahlen die Allianz für Deutschland **hervorgegangen**

das Bündnis **ging** überraschend deutlich **in Führung**

an dritter Stelle rangiert die PDS

mit großem Abstand folgen der Bund freier Demokraten und . . .

lieber erst mal abwarten, wie weit das Westgeld reicht

schwer, mein Gefühl zu beschreiben, es liegt zwischen Wut und Ohnmacht

4

Am 3. Oktober 1990 fanden die Feierlichkeiten zur Wiedervereinigung statt, Anfang Dezember gab es die ersten gesamtdeutschen Wahlen. Kanzler Kohl gewann wieder, und die meisten Leute waren immer noch recht optimistisch.

Zu zweit:

A Lesen Sie den Artikel unten und machen Sie sich Notizen zu den Zahlen. Machen Sie dann das Buch zu und erzählen Sie **B**, worum es in diesem Artikel geht.

B Lesen Sie den Artikel (unten) noch nicht, sondern hören Sie sich an, was **A** Ihnen darüber erzählt. Stellen Sie Fragen, wenn Sie etwas nicht verstehen.

Lesen Sie anschließend beide den Artikel.

- *Warum, glauben Sie, waren vor allem die Akademiker und die Bauern überwiegend pessimistisch, die Arbeiter und die Selbständigen aber optimistisch?*
- *War es im nachhinein richtig, optimistisch zu sein?*

der Angehörige member
skeptisch gegenüberstehen (+ prec. dat) be sceptical about
die/der Selbständige self-employed
der Befürworter supporter
altersmäßig according to age

Zukunftsblick überwiegend optimistisch

Die überwiegende Mehrheit (75 Prozent) der Bevölkerung der DDR bejaht die jetzige gesellschaftliche Entwicklung und blickt optimistisch in die Zukunft. Das geht aus einer soziologischen Untersuchung hervor, die Wissenschaftler des Berliner Instituts für sozialwissenschaftliche Studien Anfang Juni durchführten. Dazu befragten sie 2000 Bürger ab 18 Jahre. Allerdings gebe es auch eine „beachtliche Minderheit" (20 Prozent), die dem ganzen skeptisch gegenübersteht. Zu jenen gehören vor allem Angehörige der Intelligenz und Bauern, während überwiegend Arbeiter und Selbständige zu den starken Befürwortern zählen. Auch altersmäßig differieren in dieser Frage die Meinungen. Vor allem die 40- bis 49jährigen begrüßen die deutsch-deutsche Zukunft. Die 18- bis 20jährigen äußern sich demgegenüber weniger euphorisch.

Junge Welt

Doch der Optimismus verflog recht schnell. In der Ex-DDR waren marode Industrien und eine so gut wie nicht existierende Infrastruktur die Realität; und die ständig wachsende Zahl der Arbeitslosen im Osten brachte in beiden Teilen Deutschlands Ernüchterung.

der Auslandssender foreign service
der Redakteur editor
unterdrücken oppress
annehmen presume
die Vorstellung idea
je nach Dienstjahren according to years of service
nachgehen (here) pursue
die Umschulung retraining
die Prognose forecast
das Hinausschieben postponement
daraus ergibt sich, daß that results in the fact that
betroffen affected
entsprechend correspondingly
abbauen dismantle
überwinden overcome
die Fachleute (pl.) experts
übernehmenswert worth adopting
schließlich after all
die Charaktereigenschaft trait of character
sich hergeben für get involved in
belohnen reward

Wir haben mit drei Journalisten – einem aus Berlin (Ost) und zwei aus dem Westen – über ihre Hoffnungen und Bedenken bezüglich des neuen, vereinigten Deutschlands gesprochen. Sie hören zuerst Gisela, eine Ostberliner Rundfunkjournalistin, die am Tage der Deutschen Vereinigung als Sprecherin beim DDR-Rundfunk entlassen wurde und sechs Monate später noch immer keine Arbeit gefunden hatte. Danach hören Sie Matthias und Adrian, Fernseh- und Rundfunkjournalisten aus Köln.

Hören Sie sich an, was Gisela sagt, und beantworten Sie dann folgende Fragen:

- *Welche Arbeit machte Gisela bei „Radio Berlin International"?*
- *Fühlte sie sich dabei unterdrückt?*
- *Wann wurde sie entlassen? Bekam sie danach noch Geld?*
- *Was machte sie, als sie es satt hatte, untätig zuhause herumzusitzen?*
- *Hat sie Hoffnungen, nach der Schulung Arbeit zu bekommen?*
- *Was meint Gisela mit der „inneren Mauer"?*
- *Ist sie der Ansicht, daß in der alten DDR alles schlecht war?*
- *„Die sitzen zum Teil wieder oben", sagt Gisela. Wer sind „die"?*
- *Finden Sie es eher positiv oder negativ, was Gisela über die Vereinigung denkt?*

* Ausdrücke zum Einprägen

ich nehme an, daß sich auch viele falsche Vorstellungen machen

mit der Arbeit war es **von einem Tag zum anderen** Schluß

ich erlaube mir absolut keine Prognosen hier für die Zukunft

man muß das Beste draus machen

daraus ergibt sich natürlich, **daß** mein Standpunkt . . .

die Erfahrung, die ich gemacht hab', besagt, daß es zwar keine Mauer mehr gibt, **aber daß** doch die innere Mauer . . .

und das nun **von heute auf morgen** alles zu überwinden, das geht nicht

außerdem bin ich persönlich der Meinung, daß nicht alles über Bord geworfen werden muß

Hören Sie sich nun das Interview mit Matthias und Adrian an und beantworten Sie dann die Fragen auf der nächsten Seite.

zustande kommen happen
vollziehen take place
einhergehen mit accompany
die Verwirklichung realization
vonstatten gehen procede; happen
offenbaren reveal
die Auffassung view
das Deutschtum Germanness
erst allmählich only gradually
sich angleichen become alike
weitestgehend to a very great extent
großtümelnd puffed up

„Tut mir leid, Jungs, war nur so'ne IDEE von mir!"

Junge Welt

- *Hielt Matthias die Wiedervereinigung vorher für möglich? Was hat ihn dabei sehr überrascht?*
- *Wie dachte Adrian vorher darüber?*
- *Wie denkt Matthias über die politischen Aspekte der Vereinigung? Sieht er Probleme – warum/warum nicht?*
- *Nach Adrians Ansicht: Welchen Unterschied in der Mentalität der Bürger der zwei ehemaligen deutschen Staaten hat die Wiedervereinigung offenbart?*
- *Wie sehen diese jungen Leute die Zukunft des vereinigten Deutschlands? Finden Sie ihre Einstellungen eher positiv oder eher negativ?*

Vergleichen Sie jetzt das, was diese zwei jungen Kölner gesagt haben, mit dem, was die Ostberlinerin sagte.

- *In welcher Hinsicht unterscheiden sich ihre Ansichten?*
- *Wie groß sind die Unterschiede – und wo liegen sie?*

* Ausdrücke zum Einprägen

grundsätzlich denke ich, sage ich mal, **positiv über** die Wiedervereinigung

man hätte sich mehr Gedanken über die Vereinigung **machen müssen**

es ist etwas schnell vonstatten gegangen, **meines Erachtens**

die Wiedervereinigung offenbart **nach meiner Auffassung** auch eine unterschiedliche Mentalität

das ist im Moment noch **schwer abzusehen**

ich denke, **über kurz oder lang** wird es zu einem Deutschland zusammenwachsen

6

Zum Schluß:

- *Was halten Sie vom neuen Deutschland ? Zu groß? Zu gefährlich? Oder sind Sie der Meinung, daß es eine positive Entwicklung war – und ist?*
- *Ist Deutschland das neue Zentrum Europas? Oder ist es bloß das alte Deutschland geblieben – nur mit fünf neuen Problemen?*

Nachdem Sie soviel darüber gelesen und gehört haben, können Sie diese Fragen nun ja ganz leicht beantworten, nicht wahr? Wenn Sie sich Ihre Meinung gebildet haben, vergleichen Sie sie mit dem, was *Der Spiegel* (auf der nächsten Seite) über das neue Deutschland denkt.

Das neue Deutschland – eine Großmacht? Oder gar eine Weltmacht?

der Mittler mediator
verknüpfen link
gewichtig weighty
das Bruttosozialprodukt gross national product
die Volkswirtschaft national economy
erwirtschaften manage to produce
der Umsatz turnover

Das neue Deutschland – eine Großmacht, gleichen Rangs mit den beiden Supermächten und ein Mittler zwischen ihnen? Eine Weltmacht, die Europa dominiert und, in seiner Mitte gelegen, den Westen mit dem Osten verknüpft?

Weltmacht: Ohne atomare Waffen, ohne nennenswerte Rohstoffe, in schlechter strategischer Lage, abhängig von Exporten, auf Jahrzehnte durch die milliardenteure DDR belastet – bleibt da der neue Staat nicht, was der westliche Teil war: eine gewichtige Mittelmacht?

Nach der Vereinigung erstreckt sich Deutschland über 357 000 Quadratkilometer und gehört zu den mittelgroßen europäischen Staaten. Frankreich, Spanien oder auch Schweden sind größer.

Allerdings macht Fläche allein das Sozialprodukt nicht fett. Mit einem Bruttosozialprodukt von insgesamt rund 2,75 Billionen Mark erreicht das neue Deutschland knapp die Hälfte der japanischen Volkswirtschaft. Der größte deutsche Konzern, Daimler-Benz, erwirtschaftet mit einem Umsatz von 85 Milliarden gerade ein Fünftel vom Umsatz der größten japanischen Firmengruppe (Mitsubishi). „Bis zum Status einer Supermacht", urteilte die International Herald Tribune über das vereinte Deutschland, „wird es noch eine Weile dauern."

Es darf dauern.

Der Spiegel

So feierten sie am 3. Oktober 1990 in Berlin.

Language manipulation exercises

Einheit 1

1 Finden Sie ein einziges Verb für jeden der folgenden Ausdrücke (die Anfangsbuchstaben der Verben sind gegeben). Allen diesen Verben sind Sie in dieser Einheit begegnet.

1 ein ungewöhnliches Kostüm anziehen (sich v___)
2 in einer großen Gruppe zusammenkommen (sich v___)
3 veranstaltet werden (s___)
4 ein sanftes, wäßriges Geräusch verursachen (p___)
5 wie geplant gelingen (k___)
6 etwas (zum Beispiel eine Stadt) neu schaffen (g___)
7 etwas nicht haben können (e___)
8 mit einem Messer aus Holz formen (s___)
9 ein typisches Aussehen verleihen (p___)
10 sich im Kreis bewegen (sich d___)

2 Lesen Sie den Artikel aus der *Berliner Zeitung* (Abschnitt 6, S. 19). Legen Sie dann den Artikel weg und ergänzen Sie die Lücken im folgenden Text. (Der Anfangsbuchstabe des passenden Wortes ist gegeben.)

Ein Hauch w___ Atmosphäre war unbestritten schon zu spüren. Das l___ nicht nur am Meißener Glockenspiel, oder an den v___ Düften der zahlreichen Buden, s___ auch am Lichterglanz und den Verkaufsständen, die manch weihnachtliche Geschenkidee z___. So in der Handwerkergasse, wo bemaltes Glas, allerlei Handgewebtes oder Fotos vom alten Berlin zu finden s___.

Rund um die 30 Meter h___ Neustrelitzer Fichte haben sich außerdem rund 60 Schausteller mit ihren Geschäften aufgebaut. Dazu g___ Autoskooter, viele Spielbuden und Kinderkarussells. Für die J___ stehen bestimmt Ponyreiten oder eine F___ mit der Kindereisenbahn hoch im K___. Geschenke können im Bastelzentrum angefertigt w___.

Über 125 Veranstaltungen mit Solisten, Blasorchestern und Tanzgruppen sind v___. Der W___, mit bürgerlichem Namen Alfred Aulich, war auch schnell – vor a___ von den kleinsten Gästen – umringt, für die er m___ Bonbonüberraschung aus seinen Taschen beförderte.

3 Hören Sie sich die Aufnahme zu Abschnitt 4 noch einmal an. Ihre Lehrerin/Ihr Lehrer wird nach jedem der hier unvollständig gedruckten Sätze eine Pause machen, damit Sie jeden Satz schriftlich vervollständigen können. (Sie werden den Satz jedesmal zuende hören.)

1 Zwar gibt es den alten Brauch, daß der Osterhase meistens durch die Natur hoppelt oder läuft und buntgemalte Ostereier versteckt, die dann zumeist natürlich ......
2 Und so haben Kinder den Eindruck, daß ......
3 Da werden auch nachts Strümpfe aufgehängt, in die dann morgens ... wo ......
4 Der eigentliche Weihnachtstag ist am vierundzwanzigsten Dezember, da ......
5 Das Zimmer, wo das passiert, wird abgeschlossen vorher, die Kinder können dann nicht rein, ...
6 Und Silvester? – Ja, Silvester ist für Kinder ......
7 Die Erwachsenen machen sich sehr schick, ...
8 Punkt zwölf Uhr wird meistens mit Sekt oder in letzter Zeit auch mit Champagner angestoßen auf das neue Jahr, und ......

Einheit 2

1 Erklären Sie jedes der folgenden Substantive, denen Sie in dieser Einheit (Abschnitte 1 und 2) begegnet sind, auf deutsch. Zum Beispiel: *die Gaststätte – In einer Gaststätte kann man essen und trinken.*

die Jagd	das Enkelkind
die Theke	der Geburtstag
die Speisekarte	die Ausgaben
der Herd	der Bundesbürger
die Ruhepause	das Feinschmecker-Restaurant

2 Bilden Sie ein Adjektiv von jedem der folgenden Substantive (alle Adjektive sind in dieser Einheit zu finden):

die Spur	der Sonntag
der Umfang	der Klassiker
die Rauheit	die Gesundheit
die Popularität	die Zukunft
der Vegetarier	die Schärfe
die Industrie	der Westen
der Riese	Rußland
der Hunger	Bayern

3 Lesen Sie den Artikel aus der *Berliner Zeitung* auf Seite 28 und ergänzen Sie die Lücken im folgenden Text (die Anfangsbuchstaben der fehlenden Wörter sind gegeben):

Als D___ können künftig Gäste der B___ ihr benutztes Geschirr verzehren. Kein Härtetest für Z___, sondern ein delikater B___ zur Müllvermeidung. Wie die B___ mitteilt, laufen derzeit die Testserien. Dabei sollen beispielsweise S___ aus Brotteig beim Löffeln der Gulaschsuppe tatsächlich B___ für B___ mitverzehrt werden. Als Nachspeise werden außerdem T___ und T___ aus Oblatenteig serviert. Das P___: Noch haben die Knabber-Muster keinen G___, aber Noten von süß über pikant bis scharf seien bald möglich. Es wird jedoch nicht erwartet, verlautet aus B___, daß der gemeine F___ nun stets zum Telleresser wird.

Einheit 3

1 Den folgenden Substantiven sind Sie in dieser Einheit begegnet. Erklären Sie sie auf deutsch. Was ist/sind . . .

ein Fußballfan?	das Tor?
die Weltmeister?	ein Tunnel?
eine Mannschaft?	ein Skinhead?
der Jubel?	ein Heimspiel?
ein Pokal?	die Saftbar?

2 Lesen Sie die Texte über die verschiedenen Sportstypen (Abschnitt 6, S. 35 – 37) noch einmal. Ersetzen Sie dann die unterstrichenen Ausdrücke im folgenden Auszug mit den Originalausdrücken – ohne den Artikel anzusehen.

1 Maulhelden sind aber nicht oft dabei anzutreffen.
2 Sätze, die für Maulhelden typisch sind: „Ab jetzt wird reingeklotzt" oder „Gestern wieder geackert".
3 Da erfährt zum Beispiel eine Tennisspielerin, daß Ball, Schläger und Netz ein gleichschenkliges Dreieck zu bilden hätten.
4 Die Designer verstehen Sport vor allem als Möglichkeit, sich fashionlike zu präsentieren.
5 Bewegung, gar Anstrengung machen das perfekt gestylte Outfit schmutzig.
6 Man sieht sofort am verbissenen Gesicht, wer die Schinder sind.
7 Wenn er selber etwas falsch macht, schweigt er.
8 Ballverlust kommt einer persönlichen Kränkung gleich, die Hauer auf alle Fälle zu verhindern suchen.
9 Selber ungeschickt, mäkeln sie an den Aufschlägen der Profis herum.

3 Hören Sie sich die Aufnahme zu Abschnitt 1 noch einmal an. Ihre Lehrerin/Ihr Lehrer wird nach jedem der hier unvollständigen Sätze eine Pause machen, damit Sie jeden Satz schriftlich vervollständigen können.

1 Warum gewinnen die Deutschen so oft im Sport? – Also, ich denke, daß . . . . . .
2 Da kann man davon sprechen bei Olympischen Spielen, auch hauptsächlich dann im Bereich Leichtathletik und Turnen, ...
3 In anderen Sportarten stehen die Deutschen schon eher, sag' ich mal, ...
4 Wodurch kommen die guten Ergebnisse zustande? Durch die Einrichtungen oder die Einstellung der Spieler? – Ich glaube, daß . . . . . .
5 Und zwar beim Fußball liegt es daran, daß . . . . . .
6 Wie zum Beispiel Boris Becker oder Steffi Graf, die halt . . . . . .

7 Sondern daß es da darauf ankam, meinetwegen, für jetzt diese Politik auch zu kämpfen und da möglichst gut dazustehen, um zu sagen halt, ...
8 Nee, ich würde schon sagen, daß . . . . . .
9 Denn dort – wie zum Beispiel gerade genannt im Basketball, im Handball, im Eishockey auch – ist Deutschland nicht erstklassig, ...

Einheit 4

1 Versuchen Sie, die folgenden Verben (die Sie in den Artikeln auf Seite 39, 41 und 42 nachlesen können) auf deutsch zu erklären. Zum Beispiel: *schützen – Schützen bedeutet, auf jemanden oder auf etwas aufpassen, damit ihm nichts passiert.* Bilden Sie dann mit jedem Verb einen neuen Satz.

stören	schrumpfen
ablehnen	wiederherstellen
verlernen	erschweren
beurteilen	

2 Lesen Sie den Artikel aus *Brigitte* (Abschnitt 6, S. 47) noch einmal. Ergänzen Sie dann die fehlenden Lücken (**a** Adjektive/Adverbien und **b** Verben) im folgenden Text:

a An der Tür mahnt ein Schild zu ___ Barzahlung, und diese Tür öffnet sich und hereintritt ein ___ Herr, an der Leine den, wie er versichert, „___ Deckrüden von Südbaden". Es handelt sich um einen ___ Kloß mit ___ Quadratschädel, und die Dame mit der Perserkatze in der Plastiktasche rutscht ein ___ wenig weiter ab, fragt aber doch ___: „Was hatter denn?" Der Umfangreiche weiß nicht, daß das die Frau ist, die ___ Leserbriefe gegen Hundehäufchen schreibt und deren Herz nur hier im Wartezimmer ___ wird.

b Zwei Kinder ___ einen Karton mit Meerschweinchen Carmen. „Was hatter denn?" ___ die Dame. „Sie", ___ die Kinder, „es ___ Carmen." Carmen ___ also weiblich und ___ ein schlimmes Ekzem. „Da ___ man täglich einen Löffel Olivenöl ___, das ___ meiner auch mal. Olivenöl ___ immer gut", ___ prompt die Dame. Die Hunde ___ die Nasen flach auf den scharf riechenden Boden und ___ am liebsten tot.

3 Mit den folgenden Ausdrücken/Sätzen werden Substantive erklärt, denen Sie in dieser Einheit begegnet sind. (Der Anfangsbuchstabe jedes gesuchten Substantivs ist gegeben.)

1 Jemand, der für die Rechte der Tiere kämpft (der T___)
2 Tier, dessen Fell für Kleidung verwendet wird (das P___)
3 grasbewachsenes, oft überflutetes Land in der Nähe eines Flusses (die F___)
4 Jemand, der ständig überall in der Welt herumreist (der W___)
5 Teil des Ganzen (der B___)
6 Ein Mann, der eine Firma leitet (der G___)
7 absichtliche Brutalität (die G___)
8 unbearbeitetes Material, aus dem man Fertigprodukte herstellt (der R___)

Einheit 5

1 Versuchen Sie, folgende Wörter, denen Sie in dieser Einheit begegnet sind, zu erklären. Die Tips (in Klammern) werden Ihnen dabei helfen.

die Hafenrundfahrt *(um die Schiffe zu besichtigen)*
der Blumengroßmarkt *(en gros verkaufen)*
die Markise *(vor Regen oder Sonne schützen)*
die Sparkasse *(Geld zurücklegen)*
das Förderband *(endloses Band, auf das man . . .)*
die Mausefalle *(Mäuse fangen)*
das Fernglas *(weit sehen)*
der Flüchtling *(ins Ausland fliehen)*

2 Lesen Sie den folgenden Artikel über Störche in Norddeutschland und setzen Sie das jeweils passende der folgenden Wörter ein:

Winterquartieren; kehrten; Mäuse; beobachtet; Insel; Heimat; ersten; Tierfreunde; anzubieten.

Usedom: Weißstörche kamen früher als sonst

Zwei Wochen früher als sonst ___ aus ihren afrikanischen ___ jetzt die ___ Weißstörche auf die Wiesen der ___ Usedom zurück. Naturschützer dieser Region hatten in den Vorjahren ___, daß Frösche in Adebars Nahrungsrevieren nicht mehr die Hauptbeute-Tiere sind, sondern Regenwürmer und ___. ___ appellierten erneut an die Einwohner, Adebar Nisthilfen ___. So könnten Wagenräder, durchflochten mit Weiden, mehr Störchen eine ___ im Dorf bieten.

Berliner Zeitung

der Frosch frog
die Beute prey
durchflochten woven through
die Weide willow

3 Die folgenden Satzpaare haben Sie in dieser Einheit als je einen einzigen Satz gelesen. Versuchen Sie mit Hilfe der in Klammern gegebenen Tips, die Originalsätze wiederherzustellen.

1 Der preußische Prediger Freiherr von Seld bereiste in den 60er Jahren des letzten Jahrhunderts Ostfriesland. Er kam sich sehr fremd vor. *(als)*
2 Der heutige Leser ist durch eine Kategorie von Witzen wohltrainiert. Diese führen die Ostfriesen als die tumben Sonderlinge der Nation vor. *(die)*
3 Alkohol ist nun gar kein Thema. Das versteht sich. *(daß)*
4 Der um Mäßigung bemühte Christ greift dankbar zu jener Droge. Sie kommt aus dem fernen Osten. *(die)*
5 Der preußische König wurde nach dem Tod des letzten Grafen 1744 Herr der Ostfriesen. Dann machten ihnen die aufgeklärten neuen Herren den Tee mies. *(als)*
6 Das Teetrinken sei ausgesprochen gesundheitsschädlich und gefährlich. Das wiesen die aufgeklärten Mediziner nach. *(daß)*
7 Die Nibelungenstraße führt mitten durch die Stadt. Kriemhild, Günter und Hagen waren vom Rhein gegen Osten über diese Straße gezogen. *(über die)*
8 Dazwischen liegt ein zum Markt erweiterter Straßenzug. Darauf boten die durchreisenden Händler ihre Waren an. *(auf dem)*
9 Behalte ich recht? Die nächsten Tage werden es zeigen. *(ob)*

Einheit 6

1 Finden Sie für jeden der folgenden Ausdrücke ein einziges Verb (der Anfangsbuchstabe des jeweiligen Verbs ist gegeben; allen Verben sind Sie in dieser Einheit begegnet). Bilden Sie anschließend mit jedem Verb einen Satz.

sehr laut klingen und dabei vibrieren (d___)
unaufhaltsam und hart herunterkommen (wie zum Beispiel Regen) (p___)
dicht (und oft drohend) um etwas herumstehen (u___)
vom Wind: stärker werden (a___)
sich in eine andere Richtung drehen oder wenden (s___)

2 In den folgenden Sätzen aus den Texten auf Seite 63, 66 und 67 – 68 fehlen die Präpositionen. Setzen Sie die jeweils passende der folgenden Präpositionen ein:

über; nach; an; um; über; für; aus; an; mit.

1 Der 20jährige ___ Hamburg wurde in London zum Weltmeister der Diskjockeys gekürt.
2 Erst gegen Mitternacht kommt Leben ___ Bord.
3 Er macht eine halbe Körperdrehung, beugt sich ___ die Anlage und rotiert die Teller ___ den Schulterblättern hin und her.
4 In der Branche gilt er als einer, der auch ohne viel Werbung ___ die Spitze der Charts klettert.
5 Die Deutschen scheinen verrückt ___ ihm zu sein.
6 Nicht nachdenken ___ die Müllberge im Stadion.
7 Aber wehe, wir bitten unsere kleine Stadt mal ___ eine Bank.
8 Sie fordern und bekommen alles, stellvertretend ___ uns.

3 Hören Sie sich das Interview mit der Rocksängerin Gabi noch einmal an. Ihre Lehrerin/Ihr Lehrer wird nach jedem der hier unvollständigen Sätze eine Pause machen, damit Sie jeden Satz schriftlich vervollständigen können.

1 Man hat entweder Interesse, setzt sich dann zusammen mit Leuten aus der Schule, aus der Kneipe, ...
2 Und sucht sich erst mal einen Proberaum, irgendeinen alten Keller, den . . . . . .
3 Und dann fängt man erst mal an, ...
4 Wenn das dann halt läuft, dann kann man dazu übergehen, eigene Sachen zu schreiben, ...
5 Man muß schon sehr viel Substanz haben, ...
6 Dann werden die Programme gemischt, mit älteren Sachen, also mit den nachgespielten Sachen, und . . . . . .
7 Das ist ein Band, wo man . . . . . .
8 Und dafür gibt's kein Publikum, für so viele Bands? . . . . . .
9 Da muß erst wieder ein neuer gesucht werden, der muß eingearbeitet werden, und . . . . . .

Einheit 7

1 Folgende Satzanfänge sind dem Artikel aus dem *Express* auf Seite 69 entnommen (und teilweise etwas gekürzt). Unten (**a - g**) finden Sie die anderen Hälften der Sätze. Welche Hälften gehören zusammen?

1 Die Eingangstür splittert, . . .
2 Die vermutlich dreiste Verbrecher-Bande soll auf frischer Tat ertappt . . .
3 Nach und nach marschieren immer mehr Männer in das leerstehende Haus am Gereonswall, . . .
4 Als plötzlich ein riesiges Transparent aus einem Fenster im oberen Stockwerk flattert, . . .
5 Und was die Polizei anfangs für Einbrecher hielt, . . .
6 Wir fordern den Eigentümer auf, . . .
7 Um 13 Uhr bricht die Polizei ihre Zelte am Gereonswall ab . . .

a . . . ist es bereits zu spät.
b . . . mit einem Brecheisen knacken die Vermummten das Schloß.
c . . . sofort mit uns über Mietverträge zu verhandeln!
d . . . einige haben sogar ihren Hund dabei.
e . . . und fährt zurück zur Wache.
f . . . und mitsamt ihrer Beute festgenommen werden.
g . . . entpuppt sich als Hausbesetzer-Gruppe.

2 Suchen Sie in dem Artikel *Tatwaffe Computer* (S. 72) die Ausdrücke heraus, die den folgenden englischen Ausdrücken entsprechen:

$3^1/_2$ years each
apart from that
in 90% of all cases
they don't think about the future
upon arrival
silently and without trace
isn't a unique case
they wouldn't have had a chance
if need be

3 Hören Sie sich das Interview mit Pia (Abschnitt 5) noch einmal an. Schreiben Sie dann anhand der folgenden Sätze eine Zusammenfassung des Interviews:

Pia hat nicht immer Angst vor Gewalttaten in der Stadt.
Es ist in der Stadt nicht überall gefährlich.
Sie hat mehr Angst, wenn sie alleine ist.
Nicht alle öffentlichen Verkehrsmittel sind für Mädchen oder Frauen sicher.
Zum Glück ist ihr selbst noch nie etwas passiert.

Einheit 8

1 Lesen Sie den Artikel aus dem *Spiegel* auf Seite 79 noch einmal. Ersetzen Sie dann im folgenden Auszug des Textes die unterstrichenen Ausdrücke durch die Originalausdrücke:

Das alte Land bei Buxtehude an der Elbe ist <u>ein hübscher Landstrich</u>. Kleine Straßen führen zwischen <u>Häusern mit strohbedeckten Dächern</u> und knorrigen Obstbäumen hindurch. Kleine Vorgärten sind <u>dekoriert</u> mit kleinen Leuchttürmen und <u>farbenfreudig angemalten</u> Wagenrädern.

Seit kurzem ist der Teufel los. Drogenfahnder wühlen unter Apfelbäumen die Erde durch, leeren Obstkisten aus. Eltern beschützen ihre Kinder auf dem Schulweg. In einem Bewässerungsgraben hatten Arbeiter Mitte März einen Kanister gefunden, bis zum Überschwappen voll mit einem hellbraunen Pulver: Heroin. Man hatte das Erddepot eines Dealerrings entdeckt.

2 Lesen Sie die folgende englische Zusammenfassung des Berichts über Synanon. Lesen Sie dann den Artikel aus der *Jungen Welt* auf Seite 80 noch einmal und machen Sie sich Notizen darüber. Übersetzen Sie nun den folgenden Text ins Deutsche:

A small group founded Synanon in 1971. They offer shelter and work to about 280 addicts, and the opportunity to come off the drug – whether heroin or alcohol. All Synanon residents must work. They begin with tasks in the house and garden: then they can help earn the necessary money for the association in its printing-works, its pottery or on its farm. Here they have the opportunity to learn a trade.

3 Lesen Sie den Artikel aus der *Zeit* auf Seite 84 – 85 noch einmal. Unten finden Sie für jeden der sieben Paragraphen des Artikels einen Satz, der den Paragraphen zusammenfaßt. Welcher Satz paßt zu welchem Paragraphen? (Vorsicht! Es folgen mehr Sätze, als Sie brauchen – d.h. nicht alle passen!)

1 „Long-Evity" ist der Name eines Fitneßprogramms.
2 Zweimal in der Woche sieht man Filme in der Bibliothek.
3 Die Ernährungsberaterin prüft mein Übergewicht.
4 Ein individuelles Trainingsprogramm sorgt dafür, daß man zuhause weitermacht.
5 Sofort nach dem Frühstück beginnt die Wassergymnastik und danach das „Muskeltoning".
6 Man hört auch Vorträge über die Philosophie der Methode: Sie scheint bei den Teilnehmern erfolgreich gewesen zu sein.
7 Am Vormittag unterzieht man sich verschiedener Arten von Training und Gymnastik.
8 Der Autor fühlt sich am Nachmittag sehr müde.
9 Zuerst wird man medizinisch untersucht und dann individuell beraten.
10 Die Nachmittagsaktivitäten finden wenn möglich im Grünen statt.

Einheit 9

1 Den folgenden Ausdrücken oder Wörtern sind Sie in dieser Einheit begegnet. Erklären Sie sie auf deutsch. (Die Tips in Klammern werden Ihnen dabei helfen.) Zum Beispiel: *die Grenze – Eine Grenze ist die Trennungslinie zwischen zwei Staaten oder Ländern.*

die Ostsee *(... im Norden zwischen ...)*
die Halbinsel *(... durch eine Landenge verbunden)*
die Düne *(... ein Hügel aus ...)*
der sanfte Tourismus *(... nicht stören)*
die Feuchtwiese *(... überflutet)*
hinter dem Mond *(... nicht auf dem neuesten Stand)*
das Kloster *(... Mönche oder Nonnen)*
Venedig *(... für Kanäle berühmt)*
der Reisegefährte *(... mitfahren)*

2 Folgende Definitionen oder Synonyme passen zu verschiedenen Wörtern in dem Artikel *Zwickauer Alltag* auf Seite 92. Zu welchen?

1 beinahe
2 Teil der Stadt, wo Fahrzeuge verboten sind
3 jemand, dem jeder Wunsch erfüllt wird, ist ...
4 gemeinsame Eingangshalle in einem Wohnblock
5 an die Stelle (einer Sache oder einer Person) treten
6 angestrichen
7 der Fernsprecher
8 vorher vereinbartes Treffen
9 Schimpfwörter gebrauchen
10 Kohlenstoff, der sich bei der Verbrennung niederschlägt

3 Hören Sie sich noch einmal an, was Frau Stefan über die Residenzstadt Dresden sagt.

Setzen Sie dann die folgenden Sätze in der direkten Rede in die indirekte Rede. Zum Beispiel:
Dresden ist eine alte Stadt an beiden Ufern der oberen Elbe.
Frau Stefan sagt, Dresden **sei** *eine alte Stadt an beiden Ufern der oberen Elbe.*

1 Ein zweiter Hauptteil ist in Dresden in der bürgerlichen Zeit entstanden, als man die Stadt industrialisierte.
2 Dresden ist am Ende des 2. Weltkriegs zu 80% zerstört worden.
3 Es gab 35 000 registrierte Tote, doch die wahre Zahl war doppelt so hoch.
4 Die Stadt hat viele Jahre in einem wüsten Trümmerfeld gelegen, denn niemand hatte Mut und Geld, sie wieder aufzubauen.
5 Es gab trotzdem viele Leute, die zum Spaten gegriffen haben.
6 Dresden ist nicht mehr so schön, wie es einmal war.
7 Es sind sehr viele alte Gassen verschwunden.
8 Es hat diese Stadt in der allgemeinen politischen Wende auch eine Wende erlebt, die uns jetzt neue Aussichten eröffnet.
9 Diese Sammlungen sind heute in den ehemaligen königlichen Schlössern und in einer Gemäldegalerie untergebracht.
10 1871 bis 78 wurde von Gottfried Semper das weltberühmte Opernhaus gebaut.

Variationen für sagen:

Sie erzählt, . . .
Sie fährt fort, . . .
Sie sagt außerdem, . . .
Sie berichtet, . . .
Sie erklärt, . . .
Sie betont, . . .
Sie bedauert, . . .

Einheit 10

1 Lesen Sie die ersten drei Paragraphen des Artikels *Auf den wings der fantasy* auf Seite 95 noch einmal. Setzen Sie dann im folgenden Auszug die Verben in ihren entsprechenden Zeitformen ein. (Vorsicht – es ist nicht immer dieselbe Zeitform!)

Hilflos (stehen) die Kundschaft im Hamburger Amerikano-Eissalon vor den Köstlichkeiten. (bestellen) mit dem Zeigefinger: Vor „brandied black cherry" und „Swiss almond choc" (kapitulieren) selbst der Kenner und (können) nicht mehr aussprechen, was er (schlecken).

Deutsch (sein) out. „Rasend schnell wie noch nie (steigen) die Zahl der Wortimporte aus Amerika", das (feststellen) Broder Carstensen, Sprachwissenschaftler von der Uni Paderborn. In Wirtschaft, Technik, Wissenschaft, im Freizeit-, Sport- oder Mediendeutsch (geben) es, (sagen) der Wissenschaftler, seit 1945 „keinen solchen Boom".

Auch außerhalb der Universitäten (auffallen) die Neusprach. Harschen Beschwerden (sehen) sich kürzlich beispielsweise ein Münchner Kaufhaus ausgesetzt, das in einer Zeitungsanzeige für Jeans aus Amerika (werben): Auf 10 Zeilen (unterbringen) die Texter 25mal Anglo-Deutsch, darunter Kauderwelsch wie „Trendcolors", „Jeans-Dressing" und „Fashion-Varianten".

2 Den folgenden Substantiven und Verben sind Sie in dieser Einheit begegnet. Kombinieren Sie jeweils ein Substantiv mit einem Verb, um zehn Sätze Ihrer eigenen Erfindung zu bilden.

die Köstlichkeit *(delicacy)*	feststellen *(establish)*
die Beschwerde *(complaint)*	erwerben *(acquire)*
der Reiz *(attraction)*	zunehmen *(increase)*
das Vorbild *(model)*	streichen *(cancel)*
der Inhalt *(content)*	fördern *(promote)*
die Bude *(hut)*	verraten *(give away)*
der Kleingärtner *(allotment-holder)*	leiden unter *(suffer from)*
die Mehrwertsteuer *(value-added tax)*	neigen *(tend)*
die Besonderheit *(peculiarity)*	ersetzen *(substitute)*
die Dienstreise *(business trip)*	verzichten auf *(refrain from)*

3 Lesen Sie den folgenden englischen Text. Lesen Sie anschließend die drei letzten Paragraphen des Artikels *Deutsch exklusiv* auf Seite 97 noch einmal und übersetzen Sie dann den folgenden Text ins Deutsche:

As a model France is often praised. The French find the protection of their language just as important as the Germans the protection of the environment. International expressions such as 'software' are substituted by French ones like 'logiciel'. Should Germans then speak of 'Weichware' because it sounds more German? Such an attempt to break the predominance of English is simply naive. Isn't a common language more important than national pride?

Einheit 11

1 In diesem *Spiegel*-Artikel geht es um Probleme der heutigen modernen Technologie. Setzen Sie jeweils das passendste der Wörter ein, die in Klammer zur Auswahl stehen.

Filter gegen Fax-Flut

Noch sind die rund 400 000 deutschen Telefax *(-Maschinen/-Teilnehmer/-Liebhaber/-Lautsprecher)* wehrlos gegen *(die Annahme/das Zerkleinern/die Flut/die Wiederherstellung)* von Reklamebotschaften: Bis zu 100 Werbeattacken täglich *(blockieren/besetzen/befreien/bewerten)* die Fax-Geräte der Empfänger, die *(glücklicherweise/obendrein/trotzdem/nichtdestoweniger)* die Papierkosten für die meist unerwünschten Texte zu tragen haben. Das muß nicht so bleiben: „Fax-Police" heißt ein elektronisches Abwehrgerät, das *(Gewünschtes/Gefaxtes/Gebrauchtes/Geheimes)* nur noch durchläßt, wenn der *(Absender/Empfänger/Polizist/Fax-Gebraucher)* nach der Fax-Nummer zusätzlich eine vierstellige Kode-Nummer wählt. Der Schutzapparat kann per *(Adresse/Anhalter/Stecker/Eilbote)* an jedes Fax-Gerät angeschlossen werden. Absender, die den *(Polizei-/Blockade-/Fax-/Teilnehmer-)* Kode nicht kennen, werden von der elektronischen Fax-Police regelmäßig mit *(Speisekarten/ Elektrotechnikern/Vorladungen/Besetztzeichen)* abgespeist.

Der Spiegel

die Reklamebotschaft advertizing message
unerwünscht unwanted
das Abwehrgerät protection device
zusätzlich additionally
anschließen connect
abspeisen fob off

2 Den folgenden Substantiven sind Sie in dieser Einheit begegnet. Erklären Sie sie auf deutsch. Zum Beispiel: *die Verkehrszentrale – In der Verkehrszentrale wird der Verkehr zentral geregelt.*

der Vertreter	der/die Flugerfahrene
der Vorgänger	der Nachwuchs
der Anrufbeantworter	die Gebrauchsanweisung
der Fluggast	die Bekanntschaft
das Bodenpersonal	der Erfinder

3 Hören Sie sich das Interview mit Christiane und Frank (Abschnitt 4) noch einmal an. Ihre Lehrerin/Ihr Lehrer wird nach jedem der hier unvollständigen Sätze eine Pause machen, damit Sie jeden Satz schriftlich vervollständigen können.

1 Und dann die Knöpfe nicht findet und auch so nicht ... wirklich nicht mehr zurechtkommt: . . . . . .
2 Da geht man am besten, ...
3 Aber ... alleine da was zu reparieren oder überhaupt nur etwas richtig einzustellen, ...
4 Ich versuche, wenn das Gerät nicht zu schwierig ist, ...
5 Weil die meisten Frauen, die ich kenne, sich auch nicht an Sachen selber herantrauen, sondern meistens dann . . . . . .
6 Und Gott sei Dank sind eben sehr viele Geräte ähnlich aufgebaut, so daß . . . . . .
7 Ich glaub' nicht, daß es eine Frage des Geschlechtes ist: . . . . . .
8 Man muß sich einmal trauen, ...
9 Viele Leute trauen sich einfach nicht, an solche Geräte 'ranzugehen, ...

Einheit 12

1 Diesen Auszug aus dem Artikel auf Seite 117 – 118 (Abschnitt 6) haben wir aus Höflichkeit in der Sie-Form umgeschrieben. Verwandeln Sie ihn wieder in die ihr-Form und vergleichen Sie ihn anschließend mit dem Originaltext.

Sie sorgen dafür, daß ich nicht einschlafe im Zugabteil. Sie haben keine Geheimnisse. Ihre Unterhaltungen sind herrlich laut. Durch Sie lerne ich die Welt kennen. Sie waren in Asien und in Afrika und neulich schon wieder in China. Sie wissen, wie die Schwarzen sind und wie man die Japaner händelt und die Araber. Sie schlagen sich auf die Schenkel und lachen Tränen. Sie sind zu Ethnologen herangereift. Ihr Wissen erreicht mich auch, wenn ich sieben Reihen hinter Ihnen sitze. Ich partizipiere von Ihrer Lautstärke – danke, Männer.

Sie zeigen mir mit jeder Reise, wem die Welt gehört und wie sie funktioniert. Sie verkaufen Eisschränke nach Grönland und Wolldecken nach Afrika. Sie holzen ab und graben aus und stapeln hoch und steigern rastlos und selbstlos die Umsätze. Das macht mich schwindlig. Sie reisen nicht in Zügen und Flugzeugen, Sie reisen in Öl und Software. Sie sind schneller als die Konkurrenz. Sie boxen sich durchs Leben. Sie hetzen von Geschäftsessen zu Geschäftsessen – daher der Kugelbauch. Sie trinken schon morgens im Flugzeug Whisky. Vielleicht sterben Sie mit fünfzig am Herzinfarkt. Das täte mir leid, Männer.

Sie arbeiten immer und überall. Stets liegt auf Ihren gespreizten Schenkeln der Aktenkoffer. Ich liebe das Geräusch der aufspringenden Zahlenschlösser, klack, klack. Sie lesen Geschäftsberichte mit zwei Brillen. Sie glauben nicht, was da steht. Sie greifen zum Taschencomputer. Sie rechnen nach und hoch und ab. Dann schließen Sie die Augen. Satisfaction – ich gönn' Ihnen das.

2 Die folgenden Satzpaare sind als je ein einziger Satz in dieser Einheit zu finden. Machen Sie aus diesen Satzpaaren wieder je einen einzigen Satz.

1 Eines Tages wird jeder seinen Namen behalten können. Ich habe mir geschworen, erst dann zu heiraten.
2 Zur Zeit hat man gewisse Möglichkeiten bei uns. Die finde ich ausreichend.
3 Dieses Problem ist bei mir sehr aktuell. Ich werde im August heiraten.
4 „Er" kommt von der Arbeit nach Hause. Dann fällt er erst mal in den Sessel.
5 Die Männer lassen es mit 12,2 Stunden wöchentlicher Hausarbeit genug sein. Ihre Arbeitswoche hat also nur 61,5 Stunden.
6 Die Beiträge, die von den Redakteuren geliefert werden, müssen eine gute Bildqualität haben. Meine Aufgabe ist es, dafür zu sorgen.
7 Wie soll der Film „geschnitten" werden – verwenden wir zum Beispiel eine Trickblende? Das müssen wir gemeinsam überlegen.
8 Die Maurer sind fertig. Nun kommen die Stukkateurinnen.
9 Ich muß manchmal auf ein Gerüst steigen und dabei einen schweren Eimer tragen. Noch heute, als Gesellin, kriege ich dann manchmal ein bißchen Angst.
10 Irgendwann merken die, daß du was bringst. Ab da akzeptieren sie dich auch.

3 Lesen Sie den folgenden Text. Lesen Sie nun den Artikel aus *Kicker* auf Seite 114 (Abschnitt 4) noch einmal und übersetzen Sie dann diesen Text ins Deutsche.

When the modern Olympic Games began in 1894 there was not a single woman to be found among the participants: now they seem to have occupied every possible position. They wrestle, do bodybuilding, play rugby – only in ski-jumping are they still not to be found, and here too they will certainly soon appear. The old male pretext, 'But that just isn't feminine', won't wash any more. Women have fought their way through.

Einheit 13

1 Lesen Sie den Artikel *Atomenergie* auf Seite 122 (Abschnitt 3) noch einmal durch und ergänzen Sie dann im folgenden Text alle Verben. (Die Anfangsbuchstaben sind gegeben.)

Atomenergie – die Sache s___ klar: Es g___ kaum mehr Politiker und Bürger, die nicht für einen langfristigen Ausstieg p___ w___. Doch in Wirklichkeit g___ der Ausbau der Atomenergie immer weiter. Mehr als ein Dutzend neuer Kernkraftwerke w___ noch 1989 in Europa in Betrieb g___, seit 1980 h___ sich in den EG-Ländern der Anteil der Atomenergie an der Stromproduktion v___. Spitzenreiter i___ dabei Frankreich. Es b___ die meisten Atomkraftwerke und w___ im Jahr 2000 fast den gesamten Energiebedarf aus Atomstrom d___. Andere Länder wie Österreich, Portugal oder Griechenland k___ dagegen ganz ohne atomare Energie aus.

Staatsgrenzen h___ bei der Atomenergie kaum mehr eine Bedeutung: Frankreich w___ seine Überschüsse in der Energieproduktion dafür n___, billigen Atomstrom in die Bundesrepublik zu l___. Auch bei Atommüll d___ die Industrie bereits gesamteuropäisch; und bei einem Unfall g___ Staatsgrenzen erst recht nicht.

2 Finden sie die Substantive, die folgenden Adjektiven entsprechen, denen Sie in dieser Einheit begegnet sind:

heimelig	günstig
gewaltig	elektrisch
dürr	ehrgeizig
malerisch	zusätzlich
gnadenlos	fortschrittlich

3 Hören Sie sich noch einmal an, was Herr Lambertz zum Thema Energie und Energieerzeugung zu sagen hat. Das, was er sagt, kann man in drei Abschnitte einteilen. (Ihre Lehrerin/Ihr Lehrer wird nach jedem Abschnitt eine längere Pause machen.) Fassen Sie diese drei Abschnitte anhand der folgenden Informationen zusammen:

1 Reduzierung der Energiemenge
drei regenerative Energiequellen
Bundes- und Landesprogramme zur Förderung
primäres Ziel – nicht nur in Deutschland
zum Vergleich: Entwicklungsländer

2 Windenergie
eine gesetzliche Vorgabe
Energieversorgungsunternehmen – Versorgungspflicht
alternierende Energiearten
Einspruch erheben
ökologische und ökonomische Verwertung

3 Regenerative Energien
im Vergleich zu den herkömmlichen:
Regenerative: Ressourcen bleiben erhalten
keine radioaktiven Müllhalden
Herkömmliche: Kohlendioxid (z. B. Braunkohleabbau)
Vernichtung der Ozonschicht
müssen reduziert werden

Einheit 14

1 Die folgenden Definitionen beziehen sich auf Substantive, denen Sie in dieser Einheit begegnet sind. Auf welche? (Die Ziffern zeigen an, wie viele Buchstaben die jeweiligen Substantive haben.)

falsche Haare *(7)*
armer Teufel *(12)*
boshafte Freude über das Unglück anderer Leute *(13)*
gebogenes Kreuz, Symbol der Nazipartei *(10)*
schauriger, furchterregender Traum *(8)*
in einem Auto: Sitz neben dem des Fahrers *(13)*
jemand, der Autos stoppt, um sich mitnehmen zu lassen *(8)*
Lehrerin oder Pflegerin für sehr junge Kinder *(15)*
Gerät zum Abwaschen *(14)*
rundes Stück Holz, mit dem man Teig ausrollt *(9)*

2 Die folgenden Satzpaare erscheinen auf Seite 131 – 132 (Abschnitt 4) als je ein einziger Satz. Machen Sie aus jedem Satzpaar wieder einen einzigen Satz. Vergleichen Sie dann Ihre Sätze mit den Originalsätzen.

1 In England wäre höchstwahrscheinlich ein landesweiter Streik ausgebrochen. Dort haftet dem Teetrinken etwas Religiöses an.
2 Der erste deutsche Kanzler, Konrad Adenauer, gelangte mit einer sehr kleinen Mehrheit zu Amt und Würden. Der Kreistag von Wittmund hat gerade mit ebenjener Mehrheit eine Entscheidung ähnlicher Tragweite gefällt.
3 Man benötigt etwa zwei Minuten für das gründliche Reinigen einer Tasse. Wahrscheinlich muß die Dauer der Pausen deshalb um mindestens zwei Minuten verlängert werden.
4 Bleibt den pädagogischen Teetrinkern noch der volle Genuß erhalten oder werden Geschmack und Stimmung verdorben? Das ist dagegen eine ganz andere Frage.
5 Sollten die Lehrer gänzlich auf das Teetrinken verzichten, dann besteht eine Gefahr. Die Schüler könnten ihren Vorbildern nacheifern und sich ebenfalls an ein teeloses Leben gewöhnen.
6 Somit stellt sich folgende Frage. Hat der Kreistag zu Wittmund die weitreichenden Folgen seiner Entscheidung sorgfältig bedacht?
7 Man könnte den unwilligen *Raumpflegerinnen* eine *Tassenpflegerin* zur Seite stellen. Unter wirtschaftlichen Gesichtspunkten wäre das jedenfalls vernünftiger.
8 Diese Einführung eines neuen Berufszwei-

ges könnte gleichzeitig die Einwegtasse verhindern. Diese droht sonst als Notlösung.

3 Lesen Sie den folgenden englischen Text. Lesen Sie dann den Artikel aus dem *Spiegel* auf Seite 133 – 134 (Abschnitt 6) noch einmal und übersetzen Sie den Text ins Deutsche.

The latest objects of German humour live between the Oder and the Elbe. But this is not an especially political matter. The provinces of the eastern part of Germany are merely the latest of many regions whose inhabitants have been sharply caricatured by the rest of the Germans. Swabians, Bavarians, East Frieslanders – all were once seen as national fall-guys. Now it is the turn of the inhabitants of the new federal states.

Einheit 15

1 Ergänzen Sie diesen Auszug aus einem *Spiegel*-Artikel über die Verkehrsprobleme in Berlin, in dem die folgenden Wörter fehlen:

öffentlichen; natürlich; gleicht; tun; dichtgemacht; besiegelten; um; Jahrzehnt; angesichts; Mark; Planer; Nebenstraßen

Angesichts der durch den Mauerbau 1961 ___ gewaltsamen Zerschneidung eines einst ___ gewachsenen Stadtzentrums bleibt viel zu ___ . Allein 193 Haupt- und ___ waren abgeriegelt, 74 Übergangsstellen ___ worden. Parallel zum Mauerabriß soll nun Straße ___ Straße wieder zusammengeführt werden – unumgänglich ___ eines Gesamt-Berliner Kraftfahrzeugbestandes, den ___ bis zum Jahr 2000 auf rund zwei Millionen hochrechnen. Die Priorität gilt jedoch dem ___ Nahverkehr. Die Sanierung des Schienennetzes allein dürfte im nächsten ___ Hunderte von Millionen ___ verschlingen. Die Wiederbelebung des S-Bahn-Verkehrs ___ einer Jahrhundert-Aufgabe.

Der Spiegel

besiegeln set the seal on
abriegeln cordon off
unumgänglich absolutely necessary
verschlingen swallow up

2 Sie sind den folgenden Verben in dieser Einheit bereits begegnet. Bilden Sie mit jedem einen Satz, der die Bedeutung des jeweiligen Verbs erklärt.

trügen	zwingen
zerschneiden	schmücken
retten	entstehen
schaffen	dressieren
wiederherstellen	verhindern

3 Hören Sie sich das Interview mit Frau Schladebach und Frau Lauterbach noch einmal an. Ihre Lehrerin/Ihr Lehrer wird nach jedem der hier unvollständigen Sätze eine Pause machen, damit Sie die Sätze schriftlich vervollständigen können.

1. Ich habe zu West-Berlin gute Beziehungen, weil wir immer Bekannte in West-Berlin hatten und vorher ......
2. Aber die Beziehungen wurden dadurch aufrechterhalten, daß unsere Freunde und Bekannten aus West-Berlin immer nach dem Osten gekommen sind, und wir ......
3. Seit dem Fall der Mauer ist es uns nun möglich, nach West-Berlin zu gehen, was wir alle sehr lieben, und so oft es geht, ...
4. Ich bin 1964 erst nach Berlin hierhergezogen und ......
5. Und mache nach dem Fall der Mauer meine ersten Erfahrungen mit einer Stadt, die eine gemeinsame ist, aber ......
6. Aber es ist auch Unter den Linden, weil Unter den Linden, Alexanderplatz, rund um das Brandenburger Tor, weil ......
7. Das ist heute immer noch der ganz große Unterschied, und wenn Sie selber nach Berlin kommen, ...
8. Und es bereitet mir immer noch ein schlechtes Gewissen, daß ich durchaus durch meiner Hände Arbeit hier relativ gut leben konnte, ...
9. Schnell ist die Wiedervereinigung gegangen, und schnell ist auch die Währungsunion gekommen: ......
10. Hier ist es so eng beieinander, und die Mentalität ist die gleiche in Berlin, die Mundart ......

Einheit 16

1 Im folgenden Text (Abschnitt 3) fehlen die Endungen aller Adjektive und Artikel. Ergänzen Sie den Text:

D___ Hamburg___ Südosten ist ein___ Landschaft wie aus d___ Bilderbuch. Zwischen d___ Elblauf und ein___ alt___ Nebenarm d___ Flusses liegen d___ Vier- und Marschlande, ein___ Idylle mit reetgedeckt___ Häuschen und blumenreich___ Vorgärten, altertümlich___ Gehöften und viel___ Quadratmetern Gewächshäusern: d___ Gemüsegarten d___ Hansestädter . . .

Was d___ ahnungslos___ Konsumenten einkaufen, wächst nicht selten auf vergiftet___ Boden. D___ Grund: D___ trügerisch___ Idylle liegt in d___ Nähe von gleich mehrer___ Giftschleudern und wird von zwei Autobahnpisten gesäumt. Resultat: D___ Hamburg___ Südosten ist mit bis zu zehnmal mehr Gift belastet, als Experten d___ Bundesgesundheitsamtes für ein___ „uneingeschränkt___ landwirtschaftlich___ Nutzung" noch für hinnehmbar halten.

2 Den Substantiven und Verben in den folgenden Wortpaaren sind Sie in dieser Einheit begegnet. Bilden Sie einen eigenen Satz aus jedem Paar.

(das) Gift / belasten
(das) Übel / packen
(der) Nebenfluß / münden
(die) Lebenserwartung / entsprechen
(der) Schluß / beurteilen
(der) Lärm / entspringen
(die) Hecke / abholzen
(der) Feind / drohen
(der) Antrag / vorliegen
(das) Verhalten / bewerten

3 Hören Sie sich noch einmal an, was Herr Mengel zum Thema Umweltschutz sagt. Erklären Sie dann, warum die folgenden Substantive alle etwas mit Umwelt und Umweltschutz zu tun haben. Zum Beispiel: *der Braunkohleabbau – Durch den Braunkohleabbau wird die Landschaft zerstört.*

(die) Mondlandschaft
(die) Waldlandschaft
(die) landwirtschaftliche Fläche
(die) Mülldeponie
(der) Haushaltsmüll
(die) Öffentlichkeitsarbeit

Auch die folgenden Verben haben alle etwas mit Umwelt und Umweltschutz zu tun. Was? Zum Beispiel: *rekultivieren – Die abgebauten Braunkohleflächen können rekultiviert werden.*

aufforsten	überquellen
sortieren	ablagern
wegschmeißen	verbrennen

Bilden Sie nun Sätze mit den oben gegebenen Verben und Substantiven. Zum Beispiel: *Mondlandschaft; abbauen – Die abgebauten Braunkohleflächen sehen aus wie Mondlandschaften.*

Einheit 17

1 Finden Sie andere Wörter oder Ausdrücke für die im folgenden Text unterstrichenen, denen Sie in dieser Einheit (S. 156) begegnet sind.

1 Der Film, das ungebärdige Kind des beginnenden modernen Zeitalters.
2 Der Film wird alsbald hundert Jahre alt.
3 Ungefähr eine Viertelstunde dauerte dieses Programm.
4 Eine bemerkenswerte technische wie künstlerische Leistung.
5 Sein Projektor, mit dem er erfolgreich durch Deutschland reiste.
6 Die Pariser Folies Bergères annullierten allerdings den für Januar 1896 abgeschlossenen Vertrag.
7 Die Brüder Auguste und Louis Lumière, von denen letzterer der vielleicht überhaupt bedeutendste Filmpionier wurde.
8 Dieser wurde am 28. Dezember 1895 ebenfalls mit einem Programm kurzer Streifen vorgestellt.
9 Die „Einfahrt eines Zuges", die die ersten Kinogänger entsetzt von ihren Plätzen aufspringen ließ.
10 Max Skladanowsky, der ja immerhin die erste öffentliche Filmprojektion gegen Entgelt in Europa realisiert hatte.

2 In diesem Auszug aus einem Artikel im *Köl-*

ner Stadt-Anzeiger über die Aktion „offenes Radio" im Westdeutschen Rundfunk fehlen folgende Verben:

produzieren; sollen; unterwerfen; geben; hören; eingerichtet; verleihen; können; feiert; wird; wenden; sein; mitgestalten; ausgestrahlt.

Ergänzen Sie nun den Artikel:

Offenes Radio im WDR

Wer das Radioprogramm nicht nur ___, sondern selbst ___ will, kann sich ab 6. Oktober an den Westdeutschen Rundfunk wenden. Dann nämlich ___ das „offene Radio" Premiere, das jeden Samstag von 9.05 bis 10 Uhr auf WDR 1 ___ wird. Offen für alles, „was Spaß am Zuhören macht", soll dieser Programmbeitrag des WDR den Bürgern Gelegenheit ___, Sendungen „in Alltagssprache über Alltagsthemen" eigenhändig zu ___.

Interessierte Bürger ___ sich an sogenannte „Informer" in den 19 Landesstudios des WDR ___, die auch Aufnahmegeräte ___. Zudem wird im Carltonhaus eine täglich geöffnete Informationsstelle ___. Aus diesem Zentrum ___ die Sendung auch live vor Studiopublikum ausgestrahlt. Ohne sich den gewohnten Professionalitätskriterien des Radios zu ___, ___ sowohl künstlerische Darbietungen als auch Porträts, Erlebnisberichte oder Themen aus dem Arbeits-, Wohn- und Freizeitumfeld möglich ___.

Kölner Stadt-Anzeiger

mitgestalten take part in creating
der Beitrag contribution
das Aufnahmegerät recording equipment
sich unterwerfen be subjected to
die Darbietung presentation
das Umfeld area

3 Lesen Sie den folgenden englischen Text. Lesen Sie dann den deutschen Text auf Seite 161 (Abschnitt 5) noch einmal und übersetzen Sie den englischen Text (ohne den deutschen anzusehen).

Television grows bloodier and bloodier – murder, robbery, kidnappings, blackmail, grievous bodily harm on all channels. Whether beaten to death, gored, strangled, roasted alive, stabbed to death or cemented in – it is often just sheer love of killing. The living-room is degenerating into a chamber of horrors.

An especial danger lies in the fact that six of the 27 films – in which altogether 420 people 'died' over one weekend – were broadcast in the morning or afternoon, at a time when children are watching television.

Einheit 18

1 Folgende Satzanfänge sind dem Artikel auf Seite 174 (Abschnitt 8) entnommen. Unten (**a** - **l**) finden Sie auch die anderen Hälften der Sätze. Lesen Sie den Originaltext noch einmal und beenden Sie jeden Satz richtig – ohne sich den Originaltext dabei anzusehen.

1 Durch die Kassenanlage wird . . .
2 Drei Mark Eintritt für Kauflustige, . . .
3 Martina aus Bergheim hat einen Golf Diesel zu verkaufen, . . .
4 10 000 Mark steht . . .
5 Mehr als 500 Mark . . .
6 Als jetzt weitere Interessenten mitbieten, . . .
7 Neben Martina steht Holger, . . .
8 Er arbeitet bei Ford und . . .
9 Mit dem Geld sieht er sich dann auf dem Markt . . .
10 Von unehrlichen und halbkriminellen Käufern und Verkäufern . . .
11 Mit der Polizei suchte er . . .
12 Drei Meter weiter wird es dann, noch am selben Tag, . . .

a . . . bekommt Klaus Torschlußpanik.
b . . . mit 1000 Mark Aufschlag weiterverkauft.
c . . . gut in Schuß.
d . . . kurz vor Schluß noch mal um.
e . . . will sie nicht runtergehen.
f . . . auf dem Schild im Fenster.
g . . . den üblen Burschen zu finden – erfolglos.
h . . . eine schier endlose Schlange geschleust.
i . . . wissen die meisten Besucher des Automarktes zu berichten.
j . . . um einen Fiesta loszuschlagen.
k . . . macht hier oft eine schnelle Mark.
l . . . 2000 bis 3000 Personen jeden Samstag, und 30 Mark für Anbieter.

2 Im folgenden Auszug aus dem *Junge Welt*-Artikel auf Seite 169 (Abschnitt 5) fehlen die Präpositionen. (Vorsicht! Bei zusammengesetzten Formen wie *im, zum* fehlt auch der Artikel.) Setzen Sie sie wieder ein:

So stellt die kleinste Parklücke ___ das funktionstüchtige Forschungsmodell kein großes Problem dar. ___ Knopfdruck manövriert sich das Gefährt ___ seinen vier lenkbaren Rädern automatisch ___ die Lücke. Laser- und Ultraschallsensoren sorgen dafür, daß der VW Futura ___ seinem „Seitensprung" nicht aneckt. ___ der Fahrt, speziell ___ dichten Stadtverkehr, wird dem Fahrer ___ ein Abstandsmeßsystem optisch signalisiert, wenn der Abstand ___ Vorausfahrenden „brenzlig" geworden ist. ___ zwei Farbdisplays werden zudem die günstige Geschwindigkeit und Motordrehzahl empfohlen und der aktuelle Treibstoffverbrauch angezeigt. Letzterer reduziert sich ___ einen direkt einspritzenden Benzinmotor ___ Stadtverkehr ___ 20 ___ 30 Prozent ___ herkömmlichen Motoren.

3 Hören Sie sich das Interview (Abschnitt 3) noch einmal an. Ihre Lehrerin/Ihr Lehrer wird nach jedem der hier unvollständigen Sätze eine Pause machen, damit Sie jeden Satz schriftlich vervollständigen können.

1 Wohnen tu' ich am westlichen Stadtrand von Köln, das ist schon im Erftkreis, ...
2 Und von dort aus mit einem Bus oder einer Straßenbahn zum Funk fahren; . . . . . .
3 Deshalb muß ich mit dem Auto fahren, weil das günstiger ist, und ich dann . . . . . .
4 Allerdings werde ich oft aufgehalten durch Staue auf dem Weg dahin, so daß ich manchmal, wenn es... . . . . . .
5 Können Sie denn ohne Schwierigkeit am Funkhaus parken? – Parken . . . . . .
6 Sonst muß man in der Nähe irgendwo . . . . . .
7 Weil das unter Umständen sogar schneller ist, als wenn ich mit dem Auto fahre, denn wie gesagt, da gibt es . . . . . .
8 Ist das die Mehrzahl der Tage, oder nur gelegentlich? – Das . . . . . .
9 Ansonsten geht das fast die ganze Woche durch von montags bis freitags, ...
10 Aber trotz allem geht das immer noch schneller, als wenn ich . . . . . .

Einheit 19

1 Den folgenden Substantiven sind Sie bereits in dieser Einheit begegnet. Erklären Sie sie bitte auf deutsch. Zum Beispiel: der Schlendrian – *Mit Schlendrian bezeichnet man eine lässige, etwas faule Einstellung zum Leben und zur Arbeit.*

der Einheimische	der Sonderfall
der Haken	der Wehrdienst
der/die Angestellte	die Gleichberechtigung
die Überstunde	das Trauerspiel

2 Bilden Sie aus folgenden Substantiven, denen Sie in dieser Einheit begegnet sind, die entsprechenden Verben. Gebrauchen Sie dann jedes Verb in einem neuen Satz.

die Note	der Dienst
die Gestalt	das Gericht
der Beitritt	die Mitwirkung
der Vermittler	die Teilnahme
der Abbau	das Gebot

3 Lesen Sie den folgenden englischen Text. Lesen Sie dann den deutschen Text auf Seite 177 (Abschnitt 3) noch einmal und übersetzen Sie den englischen Text (ohne den deutschen noch einmal anzusehen).

In spite of a 40-hour working week Austrians suffer more and more from stress and complain about too little genuinely free time. A recent questionnaire found that 45% see stress as the main burden at their place of work. But whilst almost one in four feels at least in part overworked, nearly as many would work even longer if the pay was appropriate. And about a quarter of the men and one ninth of the women regularly work overtime already.

Einheit 20

1 Lesen Sie den Artikel *Die Lehrerin* (S. 188, Abschnitt 5) noch einmal und ergänzen Sie dann den folgenden Auszug aus dem Artikel:

Der letzte Platz wurde in Augsburg ___. Ungeachtet der Ablehnung, ja ___ in den Blicken der Reisenden, hatte die Frau energisch die Abteiltür ___ und mit einem zurechtweisenden „Verzeihung" sich an dem dicken Mann ___, der gerade ein belegtes Brot zur ___ in den Mund steckte. Sie hatte sich ___ üppiger Formen behend gedreht, gewendet, Hut, Mantel, ___ abgelegt, hatte Platz für ihr ___ und die Entfernung eines Kleidungsstücks ___ und sich schließlich ___. „Läßt sich die ___ nicht abdrehen", sagte sie, kaum daß sie saß. „Machen Sie doch mal die ___ auf, ja." Sie faßte den dicken Mann ins ___, der, bereits wieder mit vollem Mund, blöde ___ und die Tür öffnete. Ihr Blick traf ein Papiertuch am ___. „Sie haben ein Taschentuch verloren", sagte sie zum Mann am ___, ihm streng ins Gesicht ___, bis er sich danach bückte. Kein Zweifel, die Frau war ___.

2 Bilden Sie aus den folgenden Substantiven, denen Sie in dieser Einheit begegnet sind, die entsprechenden Adjektive. Übersetzen Sie die Adjektive anschließend ins Englische.

der Unterschied
der Vorzug
der Ort
das Ende
die Reife
die Wirtschaft
das Zögern
die Neugier
der Ehrgeiz
der Mund
das Leben

3 Lesen Sie den folgenden englischen Text. Lesen Sie dann den deutschen Text auf Seite 186 (Abschnitt 4) noch einmal und übersetzen Sie den englischen Text (ohne den deutschen noch einmal anzusehen).

The last week of the holidays was a continuous nightmare for Michael. At night the ten-year-old flung himself restlessly about the bed and often woke in tears. After much hesitation he admitted the reason for this to his mother: 'I'm just so scared of the new school.'

After the summer holidays Michael was to go to the grammar school. That meant a longer journey by bus to school, more homework and more subjects, a lot of new teachers and the loss of classmates and friends from the old primary school.

Einheit 21

1 Folgende aktive Sätze sind in dieser Einheit im Passiv erschienen. Wandeln Sie sie wieder ins Passiv um. Zum Beispiel:
Hier nennt man besonders häufig Hamburg, Oberbayern, Allgäu, Nordsee und Schwarzwald.
*Hier **werden** besonders häufig Hamburg, Oberbayern, Allgäu, Nordsee und Schwarzwald **genannt**.*

1 Ins Auge faßt man dabei vor allem die BRD (rund 90 Prozent), Frankreich, Österreich und Skandinavien.
2 Man hatte unseren Wohnwagen vom Zugfahrzeug abgehängt und entwendet.
3 Gegen 2.30 Uhr nachts gab man uns zu verstehen, daß wir uns eine Übernachtungsmöglichkeit suchen sollten.
4 Nach drei Stunden Wartezeit händigte man uns gegen Quittung je Person 19,93 DM aus.
5 Man erledigte das ein paar Tage später von Deutschland aus.
6 Die Frage nach dem Verbleib unseres Caravans beantwortete man mit einem vielsagenden Achselzucken.
7 Die schauen sich an, wie man Rinder zur Weide treibt und Jungbullen mästet.
8 Was einst der Club Méditerranée erdachte, haben die beiden deutschen Marktführer gründlich perfektioniert.

2 Den folgenden Ausdrücken und idiomatischen Wendungen sind Sie in dieser Einheit begegnet. Erklären Sie sie auf deutsch.

hoch im Kurs stehen
über den Haufen werfen
Angebot und Nachfrage
keine Rolle spielen
mit großem Abstand
im Trend liegen
ausschlaggebend für
ständig auf Achse sein
auf gut Glück
bis in die Puppen schlafen

3 Hören Sie sich an, was der ehemalige DDR-Bürger über die damals neue Reisefreiheit erzählte. Setzen Sie dann die folgenden Sätze in der direkten Rede in die indirekte Rede. Zum Beispiel:
Man mußte eine organisierte Reise kaufen.
*Er sagte, man **hätte/habe** eine organisierte Reise **kaufen müssen**.*

1 Unsere bisherigen Möglichkeiten, Reisen zu unternehmen, waren sehr beschränkt.
2 Diese Reisen führten in der Regel in die Länder östlich von Deutschland.
3 Private Reisen waren fast unmöglich, weil es von den zu besuchenden Ländern

Schwierigkeiten mit den Reisegenehmigungen gab.

4 Nach dem Fall der Mauer und der Einführung der D-Mark durch die Wirtschafts- und Währungsunion war es möglich, alle Länder zu besuchen, die uns bisher verschlossen geblieben waren.

5 Das haben viele von uns gleich ausgenutzt und sind auf gut Glück losgefahren – wie auch ich.

6 Ich habe inzwischen Frankreich, England, Wales, die Vereinigten Staaten von Amerika und Frankreich besucht.

7 Es war ein völlig neues Gefühl, endlich den Teil der Welt zu besuchen, den wir nur aus Filmen, Büchern, Fernsehsendungen und ähnlichen kannten.

8 Ganz besonders beeindruckt hat mich Frankreich und die Hauptstadt Paris.

9 Nach allem, was ich bisher gesehen habe, denke ich, daß Paris die heimliche Hauptstadt Europas, wenn nicht vielleicht sogar der ganzen Welt ist.

10 Ich weiß nicht, ob viele verstehen werden, daß man nach den vielen, vielen Jahren der Wartezeit ganz hungrig auf Reisen ist und viel, viel nachzuholen hat.

Einheit 22

1 Lesen Sie den Artikel auf Seite 212 (Abschnitt 6) noch einmal. In der folgenden Version fehlen viele Substantive. Setzen Sie diese wieder ein – ohne dabei den Originaltext anzusehen.

Das neue Deutschland – eine ___, gleichen Rangs mit den beiden Supermächten und ein ___ zwischen ihnen? Eine Weltmacht, die Europa dominiert und, in seiner ___ gelegen, den Westen mit dem ___ verknüpft?

Weltmacht: Ohne atomare ___, ohne nennenswerte Rohstoffe, in schlechter strategischer ___, abhängig von Exporten, auf Jahrzehnte durch die milliardenteure DDR belastet – bleibt da der neue Staat nicht, was der westliche ___ war: eine gewichtige ___?

Nach der ___ erstreckt sich Deutschland über 357 000 Quadratkilometer und gehört zu den mittelgroßen europäischen ___. Frankreich, Spanien oder auch Schweden sind größer.

Allerdings macht ___ allein das Sozialprodukt nicht fett. Mit einem Bruttosozialprodukt von insgesamt rund 2,75 Billionen ___ erreicht das neue Deutschland knapp die ___ der japanischen Volkswirtschaft. Der größte deutsche ___, Daimler-Benz, erwirtschaftet mit einem Umsatz von 85 Milliarden gerade ein Fünftel vom ___ der größten japanischen Firmengruppe (Mitsubishi). „Bis zum Status einer ___", urteilte die International Herald Tribune über das vereinte ___, „wird es noch eine ___ dauern." Es darf dauern.

2 Bilden Sie aus den folgenden Verben Substantive (den Substantiven sind Sie in dieser Einheit begegnet):

bewegen	akzentuieren
ärgern	ergeben
demonstrieren	aufbrechen
abschaffen	einschneiden
zurücktreten	vorstellen

3 Lesen Sie den folgenden englischen Text. Lesen Sie dann den deutschen Text auf Seite 201 (Abschnitt 1) noch einmal und übersetzen Sie den englischen Text (ohne den deutschen anzusehen).

Bad Liebenwerda is a friendly, boring little town in the Lausitz with about 6000 inhabitants. The Big Bang that destroyed the old GDR had only a few echoes here. At some point or other cars illegally parked in front of the Stasi headquarters were no longer towed away. At some point or other the duty informer no longer turned up at the bar of the Goldener Stern, no longer hung about for hours with his one glass of beer, to the great amusement of the regulars there. And at some point suddenly in the former SED newspaper, the Lausitzer Rundschau, you could read the truth.

Reference grammar

Verbs

Verb formation

There are three types of verbs in German: weak, strong and mixed. The three types differ from each other only in the present and simple past tenses (the latter is also known as the imperfect or preterite tense), and in their past participle form.

Weak verbs

Most verbs are weak. Weak verbs all follow this pattern:

machen to make

present tense

ich mache	wir machen
du machst	ihr macht
er macht	sie machen

The final **-e** of the **ich** form is almost always dropped in speech: **ich mach'**.

past tense

ich machte	wir machten
du machtest	ihr machtet
er machte	sie machten

past participle gemacht

Strong verbs

These make changes to their stem vowel, throughout the past tense, often in the past participle and sometimes in the **du** and **er** forms of the present. They are all listed on pages 247-251.

Strong verbs in the present have the same endings as weak verbs do. In the past tense and the past participle they follow this pattern:

gehen to go

past tense

ich ging	wir gingen
du gingst	ihr gingt
er ging	sie gingen

past participle gegangen

▶ **Sein** has an irregular present:

ich bin	wir sind
du bist	ihr seid
er ist	sie sind

Mixed verbs

This is a small group of verbs that make the strong-verb vowel change but have weak-verb endings in the past tense and the past participle:

bringen to bring

past tense

ich brachte	wir brachten
du brachtest	ihr brachtet
er brachte	sie brachten

past participle gebracht

All verbs

The various endings are added to the stem of the verb. This is the infinitive minus **-en** (if the infinitive ends in **-en**) or minus **-n** (if it does not).

gehen: stem **geh-**
angeln: stem **angel-**

Sie (*she*), **es** (*it*), **man** (*one*), other indefinite pronouns and all singular nouns are followed by the **er** form of the verb.

▶ The polite (**Sie**) form of verbs is identical with the **sie** (*they*) form in all tenses.

Minor irregularities

Verbs whose stem ends in an **s** sound **(-s, -ß, -x, -z)** add **-t** rather than **-st** in the **du** form of the present:

heißen **du heißt**

In strong verbs with these stems the ending of the **du** form of the past tense is **-est:**

du hießest

Verbs whose stem ends in **-d,** in **-t** or in a consonant followed by **m** or **n** add **-est** in the **du** form and **-et** in the **ihr** form of the present. Weak verbs also insert this extra **-e-** throughout the past and in their past participle:

er antwortet, er antwortete, er hat geantwortet

Verbs ending **-eln** or **-ern** may drop the **e** of their stem in the **ich** form of the present and the **du** form of the imperative:

ich wand(e)re; ich ang(e)le

Plural endings of these verbs have no **e**:

wir wandern; wir angeln

Verbs ending **-ieren** and **-eien** have no **ge-** in their past participle; neither do verbs with an inseparable prefix (see page 232):

promovieren **sie hat promoviert**
prophezeien **er hat prophezeit**

Some strong verbs simply add an umlaut to their vowel in the **du** and **er** forms of the present tense, rather than changing it completely. (For the imperative of these verbs see page 232.)

fahren **er fährt**

Modal verbs substitute their infinitive for their past participle when they are used with another infinitive (see page 234):

ich habe gehen wollen

Other tenses

These are formed regularly for all verbs, as follows:

Perfect tense

Present tense of **haben** or **sein** plus past participle:

ich habe gemacht	wir haben gemacht
du hast gemacht	ihr habt gemacht
er hat gemacht	sie haben gemacht
ich bin gegangen	wir sind gegangen
du bist gegangen	ihr seid gegangen
er ist gegangen	sie sind gegangen

▶ **Sein** is used with verbs of motion with no direct object, with verbs expressing change of state, and with **sein** itself, **bleiben** and **werden.**

▶ The past participle is placed last in the clause. When the perfect is used in subordinate order the part of **haben** or **sein** comes last in the clause after the past participle:

ich weiß, daß sie gegangen sind

Pluperfect tense

Exactly as the perfect, but formed with the past tense of **haben** or **sein**:

ich hatte gemacht	ich war gegangen

Future tense

The present of **werden** plus the infinitive:

ich werde machen	wir werden machen
du wirst machen	ihr werdet machen
er wird machen	sie werden machen

▶ The infinitive is placed last in the clause. When this tense is used in subordinate order the part of **werden** comes last in the clause after the infinitive:

ich weiß, daß sie es machen werden

Future perfect tense

The future of **haben** or **sein** plus the past participle:

ich werde gemacht haben	wir werden gemacht haben
du wirst gemacht haben	ihr werdet gemacht haben
er wird gemacht haben	sie werden gemacht haben

▶ The past participle plus **haben** is placed last in the clause. When this tense is used in subordinate order the part of **werden** comes last in the clause immediately after the past participle plus **haben**:

ich weiß, daß sie es gemacht haben werden

Conditional tense

The past subjunctive of **werden** plus the infinitive:

ich würde machen	wir würden machen
du würdest machen	ihr würdet machen
er würde machen	sie würden machen

▶ The infinitive is placed last in the clause. When this tense is used in subordinate order the part of **werden** comes last in the clause after the infinitive:

ich weiß, daß sie es machen würden

Conditional perfect tense

The past subjunctive of **haben** or **sein** plus the past participle:

ich hätte gemacht	wir hätten gemacht
du hättest gemacht	ihr hättet gemacht
er hätte gemacht	sie hätten gemacht
ich wäre gegangen	wir wären gegangen

du wärest gegangen	ihr wäret gegangen
er wäre gegangen	sie wären gegangen

▶ The past participle is placed last in the clause. When this tense is used in subordinate order the part of **haben** or **sein** comes last in the clause after the past participle:

ich weiß, daß sie gegangen wären

▶ The forms **ich würde gemacht haben, ich würde gegangen sein**, etc., are also found, formed from the conditional of **haben** or **sein** plus the past participle.

The subjunctive

(For the use of the subjunctive see page 233.)

Present subjunctive

Identical with the present tense except in the **du**, the **er** and the **ihr** forms:

ich mache	wir machen
du mach**est**	ihr mach**et**
er mach**e**	sie machen

Past subjunctive

Identical with the past tense in weak verbs. Strong verbs modify the vowel of their past tense, if it is **a**, **o** or **u**, and add the above (present subjunctive) endings. Most mixed verbs form the past subjunctive as if they were weak verbs (see the verb list on pages 247-251):

ich machte	wir machten
du machtest	ihr machtet
er machte	sie machten
ich ginge	wir gingen
du gingest	ihr ginget
er ginge	sie gingen
ich wäre	wir wären
du wärest	ihr wäret
er wäre	sie wären

▶ The **e** of the **du** and **ihr** forms of the past subjunctive of strong verbs is frequently dropped in the spoken language: **du gingst, ihr wärt**.

Perfect subjunctive

The present subjunctive of **haben** or **sein** plus the past participle:

er habe gemacht   er sei gegangen

Pluperfect subjunctive

The past subjunctive of **haben** or **sein** plus the past participle:

er hätte gemacht   er wäre gegangen

The passive

A passive tense is formed by using the equivalent active tense of **werden** plus the past participle of the verb. All tense formations correspond exactly to the English ones, with **werden** the equivalent of *to be*.

The past participle of **werden** used in this construction is **worden**, not **geworden**.

Present passive: **es wird gemacht** *it is done*
Past passive: **es wurde gemacht** *it was done*
Perfect passive: **es ist gemacht worden** *it has been done*
Pluperfect passive: **es war gemacht worden** *it had been done*
Future passive: **es wird gemacht werden** *it will be done*
Conditional passive: **es würde gemacht werden** *it would be done*

▶ The future perfect passive (**es wird gemacht worden sein** *it will have been done*) and the conditional perfect passive (**es wäre gemacht worden** *it would have been done*) exist, but are usually avoided.

▶ When the passive conveys a state rather than an action **sein** is used instead of **werden**:

sie war gut dafür geeignet *she was well suited to it*

▶ *By* with the passive is **von** (referring to people) or **durch** (referring to things).

Present participle

Formed for all verbs by adding **d** to the infinitive:

machen **machend**
gehen **gehend**

▶ The present participle can only be used as an adjective in German:

das wartende Auto *the waiting car*

▶ Other uses of the *-ing* form in English correspond to a clause introduced by **während** or **indem**:

während sie auf das Auto wartete, dachte sie an Hans *waiting for the car she thought of Hans*
indem sie sich vorsichtig anschleicht, fängt die Katze die Maus *creeping up cautiously the cat catches the mouse*

. . . or a verbal noun:

Warten is so langweilig *waiting is so boring*

. . . or the simple tense of the verb:

ich warte *I'm waiting*

Imperative

The imperative forms are based on their equivalent present tense forms, with the subject following. The subject is very frequently dropped with the **du** and **ihr** forms:

mache (du)!
machen wir!
macht (ihr)!
machen Sie!

▶ The final **-e** of the **du** form is often omitted, especially in speech.

▶ Strong verbs with a complete vowel change (not just an added umlaut) in the **du** and **er** forms of the present also make this change in the **du** form of the imperative. The final **-e** is never used with these verbs:

geben **du gibst; gib!**
but: fahren **du fährst; fahr(e)!**

▶ The forms **wollen wir machen, wir wollen machen** and **laß(t) uns machen** are frequent alternatives to **machen wir.**

▶ Official language often uses an infinitive for the imperative:

nicht hinauslehnen! *don't lean out*

▶ **Sein** has irregular imperative forms: **sei (du), seien wir, seid (ihr), seien Sie.**

Compound verbs: separable and inseparable prefixes

Compound verbs follow the pattern of simple verbs; they are formed by adding a prefix to the simple verb. This prefix may be either separable (**auf-, an-, zu-**, etc.), or inseparable (**er-, be-, ver-**, etc.), or sometimes separable, sometimes inseparable according to the meaning of the verb (**um-, unter-, durch-**, etc.)

Separable prefixes

A separable prefix is found attached to its verb in the infinitive:

ich muß aufstehen *I have to get up*
können wir abfahren? *can we leave?*

Once the verb is used in any of its tenses, however, the prefix separates from it and moves to the end of the clause:

ich stand auf *I got up*
wir fahren heute ab *we leave today*

If the verb itself is at the end of the clause (as is the case in subordinate order) the prefix and verb join up again:

ich weiß nicht, wann wir heute abfahren
I don't know when we're leaving today

If the infinitive is used with **zu**, the **zu** is inserted between prefix and verb:

ich versuche aufzustehen *I'm trying to get up*

In the past participle the **ge-** appears between prefix and verb:

der Zug ist schon abgefahren *the train has already gone*

In the present participle the prefix remains attached:

der abfahrende Zug *the departing train*

Inseparable prefixes

The prefixes **be-, emp-, ent-, er-, ge-, miß-, ver-, zer-** are always inseparable. The only difference between these and a simple verb is that they have no **ge-** in their past participle:

bedienen **ich habe bedient**

Prefixes that may be either separable or inseparable

The prefixes **durch-, hinter-, über-, um-, unter-, voll-, wider-, wieder-** are separable with some verbs, inseparable with others. Whether they are being used separably or inseparably can immediately be distinguished in speech, since a separable verb has its main accent on the prefix, an inseparable one has its accent on the stem of the verb:

durchscháuen **sie durchschaute es** *she saw through it*
dúrchschauen **sie schaute es durch** *she looked it through*

Double prefixes

A separable prefix followed by an inseparable one separates, but the verb has no **ge-** in its past participle:

er bereitet das Mittagessen zu *he's preparing lunch*
er versucht, das Mittagessen zuzubereiten *he's trying to prepare lunch*
er hat das Mittagessen zubereitet *he's prepared lunch*

▶ The verb **mißverstehen** *to misunderstand* has a double inseparable prefix. This verb has no **ge-** in its past participle; its infinitive with **zu** is **mißzuverstehen**:

er mißversteht mich immer *he always misunderstands me*
er hat mich immer mißverstanden *he's always misunderstood me*
das ist leicht mißzuverstehen *that's easy to misunderstand*

▶ The separable prefixes **hin-** and **her-** imply respectively motion away from and motion towards the speaker, and as well as being added to simple verbs they may also be added to compound verbs, producing a double separable prefix. This behaves like a single separable prefix:

er kommt herauf *he comes up;*
er ist heraufgekommen *he came up*

The subjunctive

The subjunctive in German casts doubt. Its main use is in reported matter, usually in order to disclaim personal responsibility for what is being said. It is much used in newspaper reports. It is by no means obligatory when reporting speech, however, and indeed is rarely used when the reporting verb (**er sagt, er meint,** etc.) is in the present tense.

Use of subjunctive tenses in reported speech

If the original speech was in the present, the present subjunctive is used to report it. This tense sequence is different from that in English:

sie sagte, daß er gehe *she said he was going* (her actual words were 'er geht')

If the original speech was in a past tense, the perfect subjunctive is used to report it. This too does not correspond to English tenses:

sie sagte, daß er gegangen sei *she said he had gone*

Many forms of the present and perfect subjunctive are not obviously subjunctive; in such cases the past subjunctive may be used instead of the present subjunctive, and the pluperfect subjunctive instead of the perfect subjunctive:

sie sagte, daß ich es hätte *she said I had it* (**habe** would not be obviously subjunctive)
sie sagte, daß ich es gemacht hätte *she said I had done it* (**gemacht habe** would not be obviously subjunctive)

This substitution may sometimes be made even when the other tense is clearly subjunctive, and it is always made to avoid the **du** and **ihr** forms of the present subjunctive, which are hardly used in spoken German.

In all the examples above the **daß** may be omitted (and frequently is). In this case normal order is used:

sie sagte, er sei schon gegangen *she said he'd already gone*

Other uses of the subjunctive

The subjunctive is used in some set third-person commands (**Gott sei Dank!; es lebe die Republik!**). Otherwise third-person commands are expressed by the present of **sollen** or by the imperative of **lassen**:

er soll das machen / laß ihn das machen *let him do it*

▶ The past subjunctive of **werden** (**würden**) plus the infinitive is used to form the conditional tense; in the case of **sein, haben,** the modals and some of the commoner strong verbs a past subjunctive is often used instead of a conditional:

ich würde sein / ich wäre *I would be*

▶ In 'if' sentences in the past a subjunctive is used in the **wenn** half, thus:

wenn ich Geld genug hätte, würde ich dir etwas kaufen *if I had enough money, I'd buy you something*
wenn ich damals Geld gehabt hätte, hätte ich dir etwas gekauft *if I'd had money then, I'd have bought you something*

In the first type of sentence English uses a past after *if*, German a past subjunctive after **wenn;** in the second type the tenses are pluperfect (English), pluperfect subjunctive (German).

If a weak verb occurs after **wenn** in the first type of sentence, a conditional may be substituted for the past subjunctive, since the past subjunctive of a weak verb is indistinguishable from its past tense:

wenn du mir etwas kauftest / kaufen würdest
. . . if you bought me something . . .

The **wenn** may be dropped from all these sentences and the verb placed first:

hätte ich Geld genug, (so/dann) würde ich dir etwas kaufen

If **wenn** is dropped, **so** or **dann** is a common but not obligatory addition. Beware of beginning to read this kind of sentence as a question!

Modal verbs

The modal verbs are **dürfen, können, mögen, müssen, sollen** and **wollen.**

dürfen *be allowed to; may*

das darf ich nicht essen *I mustn't eat that*
darf ich? *may I?*
dürfte ich? *might I possibly?*
das dürfte wahr sein *that might well be true*
was darf es sein? *can I help you?*
ich darf Ihnen sagen, daß, . . . *I am able to tell you, that . . .*
ich durfte . . . *I could (= was allowed to)*

können *can; be able to*

das kann sein *that may be*
ich konnte *I could (= was able to)*
ich könnte *I might*
sie kann jeden Moment kommen *she may come at any moment*
das kann nicht sein *that's not possible*
er kann Italienisch *he speaks Italian*
dafür kann ich nichts *I can't do anything about it; it's not my fault*

mögen *like; may; want*

das mag ich nicht *I don't like that*
das mag sein *that may be*
ich mochte nicht *I didn't want to*
er mochte fünfzig sein *he might have been fifty*
ich möchte *I should like*

müssen *must; have to*

du mußt das nicht essen *you don't have to eat that*
muß das sein? *is that really necessary?*
sie muß bald hier sein *she's bound to be here soon*
es müßte gehen *it ought to be possible*

sollen *is to; is supposed to; ought to*

er soll hereinkommen *tell him to come in*
er soll reich sein *he's supposed to be rich*
sie sollte heute kommen *she was to come today*
das solltest du nicht machen *you ought not to do that*
du sollst dein Geld bekommen *you'll get your money*
was soll das heißen? *what's that suppposed to mean?*
das hätte er nicht tun sollen *he ought not to have done that*

wollen *want to; will*

wollen wir gehen *let's go*
wollen Sie bitte Platz nehmen *would you please take a seat*
ich wollte gerade sagen . . . *I was just going to say ...*
wir wollen sehen *we'll see*
er will ein Millionär sein *he claims to be a millionaire*

Lassen + an infinitive means to get something done or to have something done:

ich lasse mir die Haare schneiden *I'm going to have my hair cut*
sie ließ uns holen *she sent for us (had us fetched)*

In this meaning **lassen** behaves like a modal verb.

▶ The modals and **lassen** are followed by a dependent infinitive without **zu.** All other verbs normally take an infinitive with **zu.**

▶ The modals can also be used without a dependent infinitive:

du mußt nicht *you don't have to*
das mag ich nicht so sehr *I'm not too keen on that*
ganz wie du willst *just as you like*

▶ The modals and **lassen** have two past participles. Their normal one is used when they stand alone; a second one, identical with their infinitive, is used when they have a dependent infinitive:

das habe ich nicht gewollt *that's not what I intended*
das habe ich schon lange machen wollen
I've wanted to do that for a long time

▶ In subordinate order the compound tenses of the modals involve two infinitives and a part of **haben** coming together at the end of a clause. In this case the part of **haben** comes before, not after the infinitives:

schade, daß er nicht hat kommen können
a pity he hasn't been able to come

The same applies to the position of **werden** in the future and conditional tenses of modals:

es ist klar, daß er wird kommen können *it's clear that he'll be able to come*

▶ Modals, as in English, may be followed by a passive infinitive (formed by the past participle plus **werden**):

es muß getan werden *it must be done*

Dative verbs

A number of verbs whose English equivalents take a direct object take a dative object in German. The commonest are:

begegnen *to meet*
danken *to thank*
dienen *to serve*
drohen *to threaten*
folgen *to follow*
gefallen *to please*
gehorchen *to obey*
gratulieren *to congratulate*
helfen *to help*
stehen *to suit*
trauen *trust*

es hat mir sehr gefallen *it pleased me (I liked it) a lot*
sie ist mir begegnet *she ran into me*

Note that **begegnen** and **folgen** are verbs of motion without a direct object and so form their compound tenses with **sein**.

▶ Separable verbs whose prefixes are prepositions taking the dative frequently also have dative objects:

sie rief mir nach *she called after me*

▶ The verbs **erlauben** *to allow*, **glauben** *to believe* and **befehlen** *to order* have an accusative if the object is a thing:

das glaube ich *I believe that*
meine Eltern erlauben das nicht *my parents don't allow that*

. . . but a dative if the object is a person:

ich glaube ihr nicht *I don't believe her*
man erlaubte ihm, gleich zu fahren *they allowed him to go straight away*

▶ A small number of reflexive verbs take a direct object that is not their reflexive pronoun; in this case the reflexive is a dative:

das kann ich mir denken *I can imagine that*

The dative reflexive only differs from the accusative in the **mir** and **dir** forms.

Impersonal verbs

As in English a number of verbs in German have an impersonal *it* (**es**) as subject. Many of these are weather verbs:

es regnet *it's raining*
es schneit *it's snowing*

Others have a personal object, either accusative or dative. Some of these correspond to an English impersonal:

es ist mir recht *it's OK by me*

. . . some do not:

es tut mir leid *I'm sorry*

Among the commonest verbs of this kind are:

es fehlt mir an (+ *dat*)	*I lack*
es geht mir (gut, etc.)	*I'm (well,* etc.)
es gelingt mir	*I succeed*
es tut mir leid	*I'm sorry*
es freut mich	*I'm glad*
es wundert mich	*I'm surprised*
es ist mir, als ob	*I feel as if*
es ist mir (kalt, etc.)	*I'm (cold,* etc.)
es ist mir recht	*it's OK by me*
es scheint mir	*it seems to me*

With the last five verbs above the **es** disappears if anything else is placed first in the sentence:

mir ist furchtbar warm hier

▶ There is a different use of **es** as subject which corresponds to the English impersonal *there*:

es bleibt nur noch sehr wenig Zeit *there's very little time left now*

In this construction the **es** simply functions as a substitute for the real subject, which is held back until after the verb and so gets more importance. If the real subject is plural, so is the verb:

es stehen viele Autos auf dem Parkplatz
there are many cars in the car-park

. . . and if an adverb appears before the verb in this construction, the **es** simply disappears:

heute stehen viele Autos auf dem Parkplatz
there are many cars in the car-park today
(compare: **heute regnet es**)

With a passive no real subject need be expressed at all:

es wird hier gebaut / hier wird gebaut *construction work is taking place here*

▶ Where existence rather than position is to be expressed **es gibt** is used instead of **es ist, es steht, es liegt**, etc. to mean *there is, there are*. The **es** is always there, the verb is always singular and is followed by an accusative:

es ist kein einziger Teller im Schrank *there isn't a single plate in the cupboard*
es gibt keine Teller mehr *there aren't any plates left*

Nouns

All nouns are spelled with a capital letter.

Gender

Nouns in German have three genders, masculine, feminine and neuter, which only very partially correspond to the sex of the person or object. Most males are masculine, most females feminine. In addition:

masculine are
names of days, months, seasons, points of the compass, makes of car
nouns ending **-er** indicating a profession or the doer of an action
nouns ending **-ich, -ig, -ling**
abstract nouns ending **-ismus**

feminine are
names of ships, makes of aeroplane, German rivers (exceptions: **der Rhein, der Main, der Neckar, der Inn, der Lech**)
nouns ending **-in**
abstract nouns of more than one syllable ending **-ei, -ion, -heit, -keit, -schaft, -ung**
most nouns ending **-e**

neuter are
nouns ending **-lein and -chen** (diminutives)
infinitives used as nouns (e.g. **das Lachen** *laughing*)
names of metals (exceptions: **die Bronze, der Stahl**)
names of continents, countries, towns and the German Länder (common exceptions: **die Bundesrepublik Deutschland, die Schweiz, die Tschechoslowakei, die Türkei**. Feminine and plural country names always have the article. *To* is **nach** with neuters, **in** with feminines and plurals.)

Compound nouns have the same gender as the last element of which they are composed.

Case

The case of a noun is indicated largely by the preceding article (see page 237). Nouns also make the following case changes, however:

▶ Almost all masculine nouns which form their plural in **-n** or **-en** also add this ending to all cases of the singular except the nominative. Nouns ending **-or** add **-en** in the plural only; **Herr** adds **-n** in the singular, **-en** in the plural.

▶ All other masculine nouns and all neuter nouns add **-s** or **-es** in the genitive singular. The extra **-e** is most frequently found with monosyllables, nouns already ending **-s** and nouns with their stress on the last syllable.

▶ Personal names, both masculine and feminine, add **-s** in the genitive. If the name already ends in an **-s** sound (**-s, -ß, -x, -z**) it simply adds an apostrophe for the genitive, or, occasionally and rather colloquially, **-ens**:

Peters Auto; Lauras Auto; Mutters Auto; Hans' Auto / Hansens Auto

▶ All nouns except those with plural **-s** or already ending **-n** add **-n** to their dative plural:

der Mann; die Männer: dative plural **den Männern**

▶ Adjectives being used as nouns take a capital letter and the appropriate gender; they still change according to case as if they were adjectives (see page 238):

der Reisende *the traveller;* **ein Reisender** *a traveller*

▶ Masculine and neuter monosyllables formerly added **-e** to their dative singular. This **-e** can still be found in some common expressions: **zu Hause** *at home*; **auf dem Lande** *in the country.*

Nouns in apposition go into the same case in German:

er war früher bei Robotron, der größten Firma in dieser Stadt *he used to be with Robotron, the biggest firm in that town*

Plurals

There are no watertight rules. As a very general rule: most masculine nouns have plural ¨e, most feminines **-(e)n**, most neuters ¨**er**.

Additionally the following indications may help:

masculine

ending **-el, -en, -er**	+ no ending, some modify
ending **-e**	+ **-n**
small group of monosyllables	+ ¨**er**
other nouns	+ **-e**, usually modify

feminine

monosyllables	+ some ¨**e**, but most **-en**
more than one syllable	+ **-n** or **-en**
ending **-in, -nis**	+ **-nen, -se**

neuter

ending **-el, -en, -er**	+ no change
ending **-lein, -chen**	+ no change
monosyllables	+ some **-e**, many common ones ¨**er**
ending **-nis**	+ **-se**
other nouns	+ ¨**er**

nouns of foreign origin + **-s**

▶ Compound nouns have the same plural as the last element of which they are composed:

die Stadt (¨**e**), so: **die Hauptstadt** (¨**e**)

▶ Masculine and neuter nouns used as expressions of quantity do not pluralize:

zwei Glas Wein *two glasses of wine*
(but: **zwei Flaschen Wein** *two bottles of wine* – **Flasche** is feminine)

Note that *of* is not translated after expressions of quantity.

Articles

The form of the article indicates the case of the noun following and whether it is singular or plural. The forms of the definite article (**der**, *the*) and indefinite article (**ein**, *a*) are as follows:

	singular			**plural**
	masculine	**feminine**	**neuter**	
nominative	der/ein Mann	die/eine Frau	das/ein Buch	die/keine Leute
accusative	den/einen Mann	die/eine Frau	das/ein Buch	die/keine Leute
genitive	des/eines Mann(e)s	der/einer Frau	des/eines Buch(e)s	der/keiner Leute
dative	dem/einem Mann	der/einer Frau	dem/einem Buch	den/keinen Leuten

▶ Following the pattern of **der** are: **welcher**, *which*; **dieser**, *this/that*; **jener**, *that*; **jeder**, *every*; **mancher**, *many a*.

▶ Following the pattern of **ein** are: **kein**, *no* (used above in the plural, since **ein** has no plural) and the possessive adjectives: **mein**, *my*; **dein**, *your*; **sein**, *his/its*; **ihr**, *her/their*; **unser**, *our*; **euer**, *your*; **Ihr**, *your*.

▶ **Unser** (sometimes) and **euer** (always) lose the final **e** of their stem when they have an ending: **eure Bücher**.

▶ **Jener** is uncommon in modern German. For *that* **dieser** or, in speech, an emphasized **der** is used.

Adjectives and adverbs

The endings on adjectives are determined both by the article standing before the adjective and the case of the following noun. Adjectives when they do not stand before a noun have no endings.

Most adjectives can be used unchanged as adverbs.

The adjective endings following **der** and **ein** are as follows:

	singular			**plural**
	masculine	**feminine**	**neuter**	
nominative	der rote Hut ein roter Hut	die/eine rote Lampe	das rote Buch ein rotes Buch	die/keine roten Bücher
accusative	den/einen roten Hut	die/eine rote Lampe	das rote Buch ein rotes Buch	die/keine roten Bücher
genitive	des/eines roten Hut(e)s	der/einer roten Lampe	des/eines roten Buch(e)s	der/keiner roten Bücher
dative	dem/einem roten Hut	der/einer roten Lampe	dem/einem roten Buch	den/keinen roten Büchern

▶ Like adjectives after **der** are adjectives after: **welcher**, *which*; **dieser**, *this/that*; **jener**, *that*; **jeder**, *every*; **mancher**, *many a*.

▶ Like adjectives after **ein** are adjectives after: **kein** and the possessives **mein**, **dein**, **sein**, **ihr**, **unser**, **euer**, **Ihr**.

Adjectives standing in front of a noun but with no preceding article take the following endings:

	singular			**plural**
	masculine	**feminine**	**neuter**	
nominative	weißer Wein	frische Milch	neues Geld	junge Leute
accusative	weißen Wein	frische Milch	neues Geld	junge Leute
genitive	weißen Wein(e)s	frischer Milch	neuen Geld(e)s	junger Leute
dative	weißem Wein	frischer Milch	neuem Geld	jungen Leuten

▶ The genitive forms are usually avoided if possible.

▶ Adjectives ending in **-a** and those formed from town names by the addition of **-er** are invariable: **eine prima Idee; die Berliner Luft**

Adjectives after indefinites

Adjectives after **alle/sämtliche**, *all the*, **solcher**, *such*, **beide**, *both* take the same endings as adjectives after plural **die**:

alle jungen Leute; solche jungen Leute

Other plural indefinites are themselves treated as adjectives:

viele junge Leute *many young people*
die wenigen jungen Leute *the few young people*

Adjectives after the singular indefinites **etwas**, *something*, **nichts**, *nothing*, **viel**, *much*, **wenig**, *little* have the same endings as after neuter **ein**:

etwas Gutes; mit wenig Gutem

After **alles** they have the same endings as after singular **der**:

alles Gute

In both cases the adjective is spelled with a capital letter – except where the adjective is itself an indefinite:

ander-: etwas anderes

Adjectives losing an e

Adjectives ending **-el** (always) and **-en**, **-er** (sometimes) drop the **e** when they have an ending:

übel: **eine üble Laune** *a bad mood*
finster: **ein finst(e)rer Mensch** *a sinister person*

An **e** preceded by -**au** or -**eu** is always dropped if the adjective has an ending:

sauer: **eine saure Miene** *a cross look*
teuer: **ein teures Getränk** *an expensive drink*

The adjective **hoch** loses its **c** when it has an ending:

ein hoher Turm *a high tower*

Comparison of adjectives and adverbs

All adjectives and adverbs form their comparative with the ending **-er** and their superlative with **-(e)st**. There is no equivalent to the English use of *more, most* with longer adjectives and adverbs.

leicht *easy; easily*

comparative adjective: **leichter**
es ist leichter, als es war *it's easier than it was*

comparative adverb: **leichter**
es läßt sich leichter machen *it can be done more easily*

superlative adjective, before a noun or an understood noun: **leichtest-**
das ist die leichteste Aufgabe *that's the easiest job*
diese Aufgabe ist die leichteste *this job is the easiest (job)*

superlative adjective standing alone: **am leichtesten**
das Leben ist für sie am leichtesten *life is easiest for her*

superlative adverb: **am leichtesten**
das läßt sich am leichtesten machen *that can be done most easily*

The extra **-e** in the superlative ending (**-est** rather than **-st**) is used (as above) where the word would be difficult or impossible to pronounce without it.

▶ The adjectives and adverbs listed below also modify their vowel in the comparative and superlative, thus:

arm *poor*: comparative: **ärmer**; superlative: **ärmst-**

alt *old*	kurz *short*
arm *poor*	lang *long*
dumm *stupid*	oft *often*
grob *coarse*	scharf *sharp*
hart *hard*	schwach *weak*
jung *young*	schwarz *black*
kalt *cold*	stark *strong*
klug *clever*	warm *warm*
krank *sick*	

Modification is optional for:

blaß *pale*	naß *wet*
fromm *pious*	rot *red*
gesund *healthy*	schmal *narrow*
glatt *smooth*	

▶ The following adjectives and adverbs have irregular comparatives and superlatives:

	comparative	**superlative**
bald *soon*	eher	ehest-
gern *gladly*	lieber	liebst-
groß *big*	größer	größt-
gut *good*	besser	best-
hoch *high*	höher	höchst-
nah *near*	näher	nächst-
viel *much*	mehr	meist-

After a comparison *than* is **als**; *as* in expressions of equality is **wie**:

er ist älter als ich *he's older than I am*
er ist nicht so alt wie sie *he's not so old as she is*

Numerical adjectives

Cardinals

ein	elf	(ein)hundert
(eins *when counting)*	zwölf	(ein)hundert(und)eins . . .
zwei	dreizehn . . .	(ein)tausend . . .
(*often* zwo *in speech*)	sechzehn	eine Million . . .
drei	siebzehn . . .	eine Milliarde
vier	zwanzig	
fünf	einund-zwanzig . . .	
sechs	dreißig	
sieben	vierzig . . .	
acht	sechzig	
neun	siebzig . . .	
zehn		

Ordinals

erst-
zweit-
dritt-
viert-
fünft-
sechst-
sieb(en)t-
acht-
neunt-
zehnt- . . .
zwanzigst- . . .
dreißigst- . . .
(ein)hundertst-
(ein)hundert(und)einst- . . .
(ein)tausendst-

▶ Ordinals take normal adjective endings.

▶ A full stop is used to abbreviate ordinals:

zweite: 2.; II.
zwanzigste: 20.; XX.

Fractions and decimals

das Ganze *the whole*
ein halb / die Hälfte, $^1/_2$
ein drittel $^1/_3$
ein viertel $^1/_4$
ein hundertstel $^1/_{100}$
drei sieb(en)tel $^3/_7$
anderthalb / ein(und)einhalb $1^1/_2$
zwei(und)einhalb $2^1/_2$
11,704 elf Komma sieben null vier = *11·704*

Compounds

einfach *simple*
zweifach *double*
dreifach *triple,* etc.

einmal *once*
zweimal *twice*
dreimal *three times,* etc.

erstens *firstly*
zweitens *secondly*
drittens *thirdly,* etc.

Clock time

The questions:

Wie spät ist es? Wieviel Uhr ist es? Haben Sie die richtige Uhrzeit, bitte?

The answers:

Es ist ein Uhr, fünf (Minuten) nach eins, Viertel nach eins, halb zwei, Viertel vor zwei, zwei Uhr.

Es ist fünf vor/nach zwölf. Es ist Mittag, Mitternacht.

The 24-hour clock:

Es ist ein Uhr fünfzehn, ein Uhr dreißig, ein Uhr fünfundvierzig, dreizehn Uhr, vierundzwanzig Uhr, null Uhr eins.

▶ There are no equivalents to a.m. and p.m. in German. To be specific, **vormittags**, *in the morning*, **nachmittags**, *in the afternoon*, **abends**, *in the evening*, and **nachts**, *at night*, are used.

Pronouns

Personal pronoun forms

	nominative	accusative	dative	reflexive
singular	ich *I*	mich	mir	mich/mir
	du *you*	dich	dir	dich/dir
	er *he*	ihn	ihm	sich
	sie *she*	sie	ihr	sich
	es *it*	es	ihm	sich
plural	wir *we*	uns	uns	uns
	ihr *you*	euch	euch	euch
	sie *they*	sie	ihnen	sich
polite you	Sie	Sie	Ihnen	sich

- ▶ The familiar forms **du** and **ihr** are used to friends, relatives, colleagues, children and animals.
- ▶ The indefinite pronoun **man**, *one,* has the accusative and dative forms **einen** and **einem**. Its reflexive form is **sich**, its possessive **sein**.

Possessive pronouns

The most common forms of the possessive pronouns are:

meiner, *mine*; **deiner**, *yours*; **seiner**, *his, its*;
ihr, *hers*; **unser**, *ours*; **euer**, *yours*;
ihrer, *theirs*; **Ihrer**, *yours.*

They take endings as follows:

	masculine	feminine	neuter	plural
nominative	meiner	meine	mein(e)s	meine
accusative	meinen	meine	mein(e)s	meine
genitive	meines	meiner	meines	meiner
dative	meinem	meiner	meinem	meinen

- ▶ **Euer** (always) and **unser** (sometimes) lose the final **-e** of their stem when they have an ending: **eure sind besser als uns(e)re** *yours are better than ours.*

The following forms are also found:

▶ **mein, dein, sein, unser, euer**

These take no endings, are rather formal and can only be used after the verb **sein** (and note that 'ihr' and 'Ihr' don't exist):

mein Herz ist dein *my heart is yours*

▶ **der meine, der deine,** etc.

In this form of the possessive pronoun **mein-**, etc. is treated as an adjective after the definite article. It is rather less common than the first form given above (**meiner**, etc.); the form **der meinige**, **der deinige**, etc, where **meinig-**, etc. is also an adjective, is a little old-fashioned.

Demonstrative pronouns

The demonstrative pronouns **dieser,** *this one; the latter*, and **jener**, *that one; the former*, are identical with their demonstrative adjective forms **dieser** and **jener** (see page 238).

However, except in the special meaning of *the former*, **jener** has dropped out of common use. **Dieser** may be used for both *this one* and *that one*; or frequently **der**, emphasized in speech, is used for *that one.* Note that as a pronoun **der** is declined like the relative pronoun **der** (see below):

stellen sie es zu denen, bitte *put it with those, please*

▶ The demonstrative pronoun **derjenige** means *the one.* Both parts of the word decline, the second part as an adjective after **der. Derjenige** is usually followed by the relative **der**:

ich suche denjenigen, den er mitgebracht hat
I'm looking for the one he brought with him

Wer is the equivalent of **derjenige, der**. It refers to people and has the general meaning of *anybody who, those who, the one who.* It always stands at the head of the sentence:

wer schon bezahlt hat, darf daran teilnehmen
anyone who has already paid may take part

Distinguish **wer** followed by subordinate order, meaning *anybody who*, from **wer** followed by question order, meaning *who?* (**wer hat schon bezahlt?** *who's paid already?*).

Relative pronouns

The relative pronouns (English: *who, which, that*) are **der** or **welcher** in German. Their forms are as follows:

	masculine	**feminine**	**neuter**	**plural**
nominative	der/welcher	die/welche	das/welches	die/welche
accusative	den/welchen	die/welche	das/welches	die/welche
genitive	dessen	deren	dessen	deren
dative	dem/welchem	der/welcher	dem/welchem	denen/welchen

▶ **Welcher** has no genitive forms and is less frequently used than **der**.

▶ Distinguish carefully the relative **das**, *that*, referring back to a neuter noun, from the conjunction **daß**, *that*, introducing a clause and not referring back to any noun.

▶ Relatives agree in gender and number with the noun or pronoun they refer back to; their case depends on their function in the clause they introduce. So:

der Mann, den ich meine, heißt Pelters *the man that I mean is called Pelters*

Den is singular and masculine, because **der Mann**, to which it refers back, is singular and masculine. **Den** is accusative, however, because in the clause it introduces it is the object of **meine.**

Exactly the same rule applies to the genitive relative:

der Mann, dessen Tochter ich meine, heißt Pelters . . . *whose daughter I mean . . .*

Dessen is masculine because **Mann** is masculine (and in spite of the fact that it stands before the feminine word **Tochter**).

▶ A relative may follow a preposition (with the case that normally follows that preposition):

der Mann, mit dem du sprichst . . . *the man you're speaking to* (literally, with whom you are speaking)

der Mann, mit dessen Tochter du sprichst . . . *the man whose daughter you're speaking to* (literally, with whose daughter you are speaking)

A less common alternative to preposition plus relative is a compound formed with **wo-** plus the preposition: **von dem → wovon.** This form can only be used to refer to things. Before a preposition beginning with a vowel an **r** is inserted: **auf dem → worauf**.

der Stuhl, worauf du sitzt *the chair you're sitting on*

▶ **Was** is used as the relative after the indefinite pronouns **alles, etwas, nichts, viel, wenig, das:**

alles, was er sagt, ist Unsinn *everything he says is nonsense*

It is also used to refer back to a whole clause:

er bezahlte das Essen, was ich erstaunlich fand *he paid for the meal, which I found astonishing*

Was may of course introduce a question as well, either direct or indirect:

was meinst du? *what do you mean?*

ich weiß nicht, was du meinst *I don't know what you mean*

▶ Relatives can be omitted in English (*the man you're speaking to*), but not in German.

Prepositions

Case with prepositions

The case to be found most frequently after a preposition in German is the dative. In general, if you are not sure what case a preposition takes, use the dative. However . . .

▶ Seven common prepositions always take the accusative:

bis *until*
durch *through*
entlang *along* (only when it follows its noun; otherwise dative)
für *for*
gegen *against*
ohne *without*
um *around*

▶ Four common prepositions usually take the genitive:

(an)statt *instead of*
trotz *in spite of*
während *during*
wegen *because of*

A large number of uncommon prepositions and prepositional phrases, including many legal ones, also take the genitive. The four listed above may also be found with the dative.

▶ A group of prepositions take the accusative if motion towards is implied and the dative if not. The prepositions in this group are:

an *on*
auf *on*
in *in*
hinter *behind*
neben *near*
über *over*
unter *under*
vor *in front of*
zwischen *between*

The only prepositions outside this group that commonly imply motion towards are **zu** and **nach**, with which the case is always dative. So apart from **zu** and **nach**, if a preposition implies motion towards, use the accusative.

An, auf, über and **vor**, and less frequently other prepositions, can be used after verbs (e.g. **bestehen auf** *insist on*). In such cases **vor** always takes the dative, **auf** and **über** almost always take the accusative, and **an** varies.

Contracted forms of prepositions

The following contracted forms are preferred to the non-contracted forms unless the article is stressed (meaning *that*: **zu dem Laden** *to that shop*):

am (an dem)
beim (bei dem)
im (in dem)
ins (in das)
vom (von dem)
zum (zu dem)
zur (zu der)

In addition, the following contracted forms are very frequent indeed in spoken German and are very often found in modern printed German:

ans (an das)
aufs (auf das)
außerm (außer dem)
durchs (durch das)
fürs (für das)
hinterm (hinter dem)
hintern (hinter den)
hinters (hinter das)
überm (über dem)
übern (über den)
übers (über das)
ums (um das)
unterm (unter dem)
untern (unter den)
unters (unter das)
vorm (vor dem)
vors (vor das)

Other contracted forms may be heard in spoken German.

Prepositions + it

Da may be prefixed to a preposition to add the meaning *it*:

von *from* → **davon** *from it*

If the preposition begins with a vowel an extra **-r** is inserted: **daraus**.

In the same way, in questions **wo** + preposition = preposition + *what*:

wovon? *of what?*
worüber? *about what?*

Wo combinations can also be used as relatives. See page 242.

Conjunctions

In German there are six common coordinating conjunctions (that is, conjunctions that introduce a second main clause and are followed by normal word order). They are:

aber *but*	oder *or*
allein *only; but*	sondern *but (on the contrary)*
denn *for*	und *and*

All other conjunctions are subordinating conjunctions (that is, they introduce a subordinate clause in which the verb goes to the end).

▶ Question words (**wo, wann**, etc.) can also be used as subordinating conjunctions introducing indirect questions:

wann kommt er? *when is he coming?*
ich frage mich, wann er kommt *I wonder when he's coming*

▶ For word order with coordinating and subordinating conjunctions see below and page 245.

Word order

Word order in main clauses

The verb

▶ In statements the verb is the second grammatical element in the clause. Subject, object, adverb or adverb clause may precede, but only one of these. A coordinating conjunction may introduce a second or subsequent main clause in the sentence.

In compound tenses the past participle goes to the end of the clause. With separable verbs the separable prefix goes to the end of the clause; in the compound tenses of such verbs the prefix rejoins the past participle there (see page 232).

Dependent infinitives go to the end of the clause, immediately before the past participle. See page 245.

▶ In questions the verb is either placed first, or, if there is a question word to introduce the question, immediately after this. Note that the question word **wo**, *where*, cannot be used with a verb of motion. **Wohin**, *where (to)* must be used.

▶ In commands the verb is normally placed first in the sentence.

The subject

▶ In statements the subject is normally first or third, though object pronouns after the verb may displace a noun subject to fourth position.

Putting something other than the subject first in a statement gives extra emphasis to whatever is put first.

▶ In questions the subject is second or (if there is a question word) third, immediately after the verb. An object pronoun after the verb may stand before a noun subject.

▶ In commands the subject (if expressed) is normally second.

The object

Objects, especially pronoun objects, usually come early in the sentence after the verb. A pronoun object comes directly after the verb.

▶ Pronoun objects always precede noun objects:

schick mir eine Karte! *send me a card*

If there are two pronoun objects the accusative comes first:

schick sie mir! *send it to me*

With two noun objects the dative comes first:

schick Karen die Karte! *send Karen the card*

This is identical with the most common (though not the only possible) order of objects in English.

Adverbs

The normal order of adverbs is time – manner – place:

er fährt sofort mit dem Auto nach Hildesheim

If there are two adverbs of the same kind the more general one comes first.

A time adverb will often precede a noun object.

▶ Negative adverbs (**nicht, nie**, etc.) stand in front of the word or words they are negating:

das habe ich nie wirklich gesagt *I never really said that*

If they negate the whole clause they stand as near the end as possible:

das habe ich wirklich nie gesagt *I really never said that*

Word order in subordinate clauses

All elements of the clause stay in main-clause order except the verb, which moves to the very end of the clause. If it is a separable verb it recombines there with its prefix. See page 232.

▶ If there are two or more infinitive forms at the end of the clause the verb will stand before, not after these. See page 234.

▶ Subordinate order is not always adhered to in spoken German: phrases tend to be added after the verb.

Infinitive phrases

Infinitives without **zu** are included in the clause, at the end, before a past participle (and before the verb in subordinate order):

ich weiß, daß du gehen möchtest *I know you'd like to go*

▶ Infinitives used in a phrase go at the end of that phrase.

▶ Infinitives with **zu** (with or without other qualifications such as adverbs, objects) are placed after the clause:

er versucht zu arbeiten *he's trying to work*
er hat versucht, sein Auto zu verkaufen *he's been trying to sell his car*

However, in subordinate order with a verb in a simple tense, a short infinitive phrase with **zu** is enclosed within the clause:

ich weiß, daß er es zu verkaufen versucht *I know he's trying to sell it*

▶ Infinitives preceded by **um . . . zu** are always placed after the clause.

▶ When it is not included in the clause the infinitive phrase should be preceded by a comma, unless it simply consists of **zu** + infinitive.

Punctuation

Capitals

All nouns and other words used as nouns have a capital letter:

der Mann; das Lachen; der Reisende

▶ The polite **Sie** and its other forms (**Ihnen, Ihr-** – but not the reflexive form **sich**) always have a capital; **du** and **ihr** and their other forms are written with a capital when writing letters.

▶ Adjectives made from town names by adding **-er** have a capital:

der Kölner Dom

▶ A capital is frequently used in mid-sentence after a colon.

▶ Nouns not used as nouns have a small letter:

Freitag *Friday:* **er kommt freitag** *he's coming on Friday*
Schuld *guilt:* **du bist daran schuld** *it's your fault*
Leid *sorrow:* **er tut mir leid** *I'm sorry for him*

Commas

▶ Commas are used in lists to divide off items (but not before the **und** at the end):

er ist jung, schön, reich und gesund *he's young, handsome, rich and healthy*
sie haben drei Kinder, einen Hund, eine Katze und einen Hamster *they have three children, one dog, one cat and one hamster*

▶ Commas are not used between two adjectives if the second is felt to form a single concept with the noun:

ein schöner, saftiger Schinken *a nice juicy ham*
ein schöner westfälischer Schinken *a nice Westphalian ham*

▶ A comma is used before and/or after each subordinate clause to separate it from the main clause:

Ich weiß, daß er kommen wird. *I know he'll come.*
Wenn er kommt, werden wir essen. *When he comes we'll eat.*
Die Leute, die kommen werden, sind mir bekannt. *The people who're coming are known to me.*

▶ Commas separate main clauses, unless an element of the first has to be understood in the second. This element is usually (but not always) the subject:

Er kam, und wir aßen. *He came and we ate.*
Er kommt und ißt (= **und er ißt**). *He comes and eats.*

▶ An infinitive phrase consisting of **zu** + infinitive has no comma before it; one that is longer than just **zu** + infinitive usually has a comma before it:

Sie versucht zu singen. *She tries to sing.*
Sie versucht, den ganzen „Ring" auswendig zu lernen. *She's trying to learn the whole of the 'Ring' by heart.*

▶ Commas are placed round appositional phrases and before a phrase beginning **und zwar:**

Herr Schmidt, unser neuer Chef, ist heute erschienen, und zwar um acht Uhr. *Herr Schmidt, our new boss, turned up today, and, would you believe it, at eight o'clock.*

Colon

The colon marks an amplification or explanation of what has gone before, often corresponding to a dash in English. The clause following a colon very frequently starts with a capital letter.

Hyphen

A hyphen is used to represent part of a compound to avoid clumsy repetition:

Radio- und Fernsehgeräte (= **Radiogeräte und Fernsehgeräte**) *radio and television sets*

Dash

This usually indicates a pause, often for thought (*dash* = **der Gedankenstrich**). It may also be used instead of three dots to suspend the sense. It is sometimes used to separate two passages of direct speech within the same paragraph.

Inverted commas

The opening set of inverted commas is placed on the line in German. Both sets are printed the opposite way round from English: „ "

French guillemets (also printed the 'wrong' way round) are also found: » «

For speech-within-speech single inverted commas are used: ‚ '

Emphasis

In older printed material this is shown by spaced printing:

Ich möchte d e n .

This has now been largely replaced by italics, as in English:

Ich möchte *den*.

Syllable division

This is largely a matter for printers, but beware of the fact that the letters **ck** divide as **k-k**. So split over two lines **Zucker** becomes **Zuk-ker**, **Bäcker** becomes **Bäk-ker**.

Irregular verbs

This list includes all strong and mixed verbs in modern usage; verbs formerly strong but now normally weak are not given.

Compound verbs should be looked up under their simple form. Where an irregular present-tense **er** form is given, the same irregularity will occur in the **du** form. Irregular past subjunctives are given in brackets after the past tense.

An asterisk before the past participle indicates a verb whose compound tenses are formed with **sein** when used intransitively.

infinitive	meaning	present (**er**, if irregular)	past (**er**; past subj.)	past participle (* = **sein**)
backen	*bake*		backte	gebacken
befehlen	*command*	befiehlt	befahl (beföhle)	befohlen
beginnen	*begin*		begann	begonnen
beißen	*bite*		biß	gebissen
bergen	*save*	birgt	barg	geborgen
bersten	*burst*	birst	barst	*geborsten
biegen	*bend*		bog	gebogen
bieten	*offer*		bot	geboten
binden	*tie*		band	gebunden
bitten	*ask*		bat	gebeten
blasen	*blow*	bläst	blies	geblasen
bleiben	*stay*		blieb	*geblieben
braten	*roast*	brät	briet	gebraten
brechen	*break*	bricht	brach	*gebrochen
brennen	*burn*		brannte (brennte)	gebrannt
bringen	*bring*		brachte	gebracht
denken	*think*		dachte	gedacht
dreschen	*thresh*	drischt	drosch	gedroschen
dringen	*be urgent*		drang	gedrungen
dürfen	*be allowed*	ich/er darf	durfte	gedurft/dürfen
empfehlen	*recommend*	empfiehlt	empfahl (empföhle)	empfohlen
erlöschen	*die out*	erlischt	erlosch	*erloschen
erschrecken	*be startled* [1]	erschrickt	erschrak	*erschrocken
essen	*eat*	ißt	aß	gegessen
fahren	*travel*	fährt	fuhr	*gefahren
fallen	*fall*	fällt	fiel	*gefallen
fangen	*catch*	fängt	fing	gefangen
fechten	*fence*	ficht	focht	gefochten
finden	*find*		fand	gefunden
flechten	*plait*	flicht	flocht	geflochten

1 In the sense of *to startle* **erschrecken** is weak and takes **haben; sich erschrecken**, *to get a fright* may be either weak or strong.

infinitive	meaning	present (**er**, if irregular)	past (**er**; past subj.)	past participle (* = **sein**)
fliegen	*fly*		flog	*geflogen
fliehen	*flee*		floh	*geflohen
fließen	*flow*		floß	*geflossen
fressen	*eat (of animals)*	frißt	fraß	gefressen
frieren	*freeze*		fror	*gefroren
gebären	*bear (child)*	gebärt, gebiert	gebar	geboren
geben	*give*	gibt	gab	gegeben
gedeihen	*prosper*		gedieh	*gediehen
gehen	*go*		ging	*gegangen
gelingen	*succeed*		gelang	*gelungen
gelten	*be valid*	gilt	galt (gölte)	gegolten
genesen	*recover*		genas	*genesen
genießen	*enjoy*		genoß	genossen
geschehen	*happen*	geschieht	geschah	*geschehen
gewinnen	*win*		gewann (gewönne)	gewonnen
gießen	*pour*		goß	gegossen
gleichen	*resemble*		glich	geglichen
gleiten	*slip*		glitt	*geglitten
graben	*dig*	gräbt	grub	gegraben
greifen	*grasp*		griff	gegriffen
haben	*have*	du hast; er hat	hatte	gehabt
halten	*hold*	hält	hielt	gehalten
hängen [1]	*hang*		hing	gehangen
hauen	*hit*		haute	gehaut, gehauen
heben	*raise*		hob	gehoben
heißen	*be called*		hieß	geheißen
helfen	*help*	hilft	half (hülfe)	geholfen
kennen	*know*		kannte (kennte)	gekannt
klingen	*sound*		klang	geklungen
kneifen	*pinch*		kniff	gekniffen
kommen	*come*		kam	*gekommen
können	*can*	ich/er kann	konnte	gekonnt/können
kriechen	*crawl*		kroch	*gekrochen
laden	*load*	lädt	lud	geladen
lassen	*let*	läßt	ließ	gelassen/lassen
laufen	*run*	läuft	lief	*gelaufen
leiden	*put up with; suffer*		litt	gelitten

1 **hängen** is weak when transitive.

infinitive	meaning	present (**er**, if irregular)	past (**er**; past subj.)	past participle (* = **sein**)
leihen	*lend*		lieh	geliehen
lesen	*read*	liest	las	gelesen
liegen	*lie*		lag	gelegen
lügen	*tell lies*		log	gelogen
mahlen	*grind*		mahlte	gemahlen
meiden	*avoid*		mied	gemieden
messen	*measure*	mißt	maß	gemessen
mißlingen	*fail*		mißlang	*mißlungen
mögen	*like*	ich/er mag	mochte	gemocht/mögen
müssen	*must*	ich/er muß	mußte	gemußt/müssen
nehmen	*take*	nimmt	nahm	genommen
nennen	*name*		nannte (nennte)	genannt
pfeifen	*whistle*		pfiff	gepfiffen
preisen	*praise*		pries	gepriesen
quellen	*gush*	quillt	quoll	*gequollen
raten	*advise*	rät	riet	geraten
reiben	*rub*		rieb	gerieben
reißen	*tear*		riß	gerissen
reiten	*ride*		ritt	*geritten
rennen	*run*		rannte (rennte)	*gerannt
riechen	*smell*		roch	gerochen
ringen	*struggle*		rang	gerungen
rinnen	*run*		rann	*geronnen
rufen	*call*		rief	gerufen
salzen	*salt*		salzte	gesalzen
saufen	*drink heavily*	säuft	soff	gesoffen
schaffen	*create* [1]		schuf	geschaffen
scheiden	*separate*		schied	*geschieden
scheinen	*seem*		schien	geschienen
scheißen	*shit*		schiß	geschissen
schelten	*scold*	schilt	schalt (schölte)	gescholten
scheren	*trim*		schor	geschoren
schieben	*push*		schob	geschoben
schießen	*shoot*		schoß	*geschossen
schinden	*ill-treat*		schindete	geschunden
schlafen	*sleep*	schläft	schlief	geschlafen
schlagen	*hit*	schlägt	schlug	geschlagen

1 In the sense of *to manage* **schaffen** is weak.

infinitive	meaning	present (**er**, if irregular)	past (**er**; past subj.)	past participle (* = **sein**)
schleichen	*creep*		schlich	*geschlichen
schleifen	*sharpen*		schliff	geschliffen
schließen	*shut*		schloß	geschlossen
schlingen	*loop*		schlang	geschlungen
schmeißen	*fling*		schmiß	geschmissen
schmelzen	*melt*	schmilzt	schmolz	*geschmolzen
schneiden	*cut*		schnitt	geschnitten
schreiben	*write*		schrieb	geschrieben
schreien	*shout*		schrie	geschrie(e)n
schreiten	*step*		schritt	*geschritten
schweigen	*be silent*		schwieg	geschwiegen
schwellen	*swell*[1]	schwillt	schwoll	*geschwollen
schwimmen	*swim*		schwamm (schwömme)	*geschwommen
schwinden	*dwindle*		schwand	*geschwunden
schwingen	*swing*		schwang	*geschwungen
schwören	*swear*		schwor (schwüre)	geschworen
sehen	*see*	sieht	sah	gesehen
sein	*be*	ich bin; du bist; er ist; wir/sie sind; ihr seid	war	*gewesen
senden	*send*[2]		sandte (sendete)	gesandt
singen	*sing*		sang	gesungen
sinken	*sink*		sank	*gesunken
sinnen	*think*		sann	gesonnen
sitzen	*sit*		saß	gesessen
sollen	*is to*	ich/er soll	sollte	gesollt/sollen
spalten	*split*		spaltete	gespaltet, gespalten
speien	*spew forth*		spie	gespie(e)n
spinnen	*spin*		spann (spönne)	gesponnen
sprechen	*speak*	spricht	sprach	gesprochen
sprießen	*sprout*		sproß	*gesprossen
springen	*jump*		sprang	*gesprungen
stechen	*stab*	sticht	stach	gestochen
stehen	*stand*		stand (stünde)	gestanden
stehlen	*steal*	stiehlt	stahl	gestohlen
steigen	*climb*		stieg	*gestiegen

1 In the transitive sense of *to fill (a sail)* **schwellen** is weak and takes **haben**.
2 In the sense of *to broadcast* **senden** is weak.

infinitive	meaning	present (**er**, if irregular)	past (**er**; past subj.)	past participle (* = **sein**)
sterben	*die*	stirbt	starb (stürbe)	*gestorben
stinken	*stink*		stank	gestunken
stoßen	*push*	stößt	stieß	gestoßen
streichen	*stroke*		strich	gestrichen
streiten	*quarrel*		stritt	gestritten
tragen	*carry*	trägt	trug	getragen
treffen	*meet*	trifft	traf	getroffen
treiben	*drive*		trieb	getrieben
treten	*step*	tritt	trat	*getreten
trinken	*drink*		trank	getrunken
trügen	*deceive*		trog	getrogen
tun	*do*	ich tue; du tust; er/ihr tut; wir/sie tun	tat	getan
verderben	*spoil*	verdirbt	verdarb (verdürbe)	*verdorben
verdrießen	*annoy*		verdroß	verdrossen
vergessen	*forget*	vergißt	vergaß	vergessen
verlieren	*lose*		verlor	verloren
verlöschen	*go out*	verlischt	verlosch	*verloschen
wachsen	*grow*	wächst	wuchs	*gewachsen
waschen	*wash*	wäscht	wusch	gewaschen
weichen	*budge*		wich	*gewichen
weisen	*point*		wies	gewiesen
wenden [1]	*turn*		wandte (wendete)	gewandt
werben	*advertize*	wirbt	warb (würbe)	geworben
werden	*become*	du wirst; er wird	wurde	*geworden/worden
werfen	*throw*	wirft	warf (würfe)	geworfen
wiegen	*weigh* [2]		wog	gewogen
winden	*wind*		wand	gewunden
wissen	*know*	ich/er weiß	wußte	gewußt
wollen	*want*	ich/er will	wollte	gewollt/wollen
zeihen	*indict*		zieh	geziehen
ziehen	*pull*		zog	gezogen
zwingen	*force*		zwang	gezwungen

1 **wenden** may also be weak.
2 **wiegen** is weak when it means *to rock*.

Grammar index

The letters *a* and *b* refer to the first and second columns on a page, respectively.

Acknowledgements

The author is very grateful to his two collaborators in the old and new *Bundesländer*, Lilo Lehnigk and Gisela Schladebach, for so much valuable organizational and linguistic help, to the Oxford University Press editorial and design team for their ideas, suggestions and help, and above all to the dozens of Germans, East and West, who so readily agreed to be recorded and who so willingly gave up their time.

The author and publishers would also like to thank the following newspapers and magazines for their permission to reprint material:

Altenburger Wochenblatt, Auto & Reise, Berliner Morgenpost (BIZ), Berliner Zeitung, Bravo (Girl!), Brigitte, Bunte, Deutsches Allgemeines Sonntagsblatt, Express, Frankfurter Allgemeine Zeitung (FA Magazin, FA Sonntagszeitung), Frankfurter Rundschau (FR Magazin), Freundin, Hörzu, Hürther Stadtblatt, Junge Welt, Kicker, Kölner Illustrierte, Kölner Stadt-Anzeiger, Kowalski, Postbox, Spiegel Verlag Rudolf Augstein GmbH & Co. KG/The New York Times Syndicate, Süddeutsche Zeitung, Der Tagesspiegel, Vital, Die Zeit (Zeitmagazin, Zeitspiegel).

Permission to reprint extracts from publications by the following institutions/organisations is also acknowledged:

BAT Freizeit- und Forschungsinstitut, „Deutschlands Straßenbauer", Deutsches Verkehrsforum e.V./DB, Zentralverband des Deutschen Baugewerbes.

The publishers also wish to thank the following for their permission to publish photographs:

ADN (Behrendt) p. 71, 139; Bavaria Bildagentur (Brand) p. 41, (Geisser) p. 52, (Meier) p. 57 top, (Messerschmidt) p. 59 btm right; Bravo (Girl!) (Lange) p. 40, (Kranz) p. 92; Brigitte (Jung) p. 58 top left, btm left, btm right, p. 59 btm left; British Film Institute p. 156; Close, Jon p. 151 left and centre; Deutsches Filmmuseum (Kramer) pp. 155, 157, 158 (both); Elgaß, Peter p. 17 top right; EPD Evangelischer Pressedienst (Neetz) p. 121; ERA Solartechnik GmbH p. 170 (all); 1. FC Köln p. 31; Frankfurter Allgemeine Magazin p. 155; Fotex (van Eick) p. 66; Globus Kartendienst GmbH pp. 166, 206; Harding, Robert Associates pp. 42, 78, 88, 89, 212; Hellgoth, Brigitte p. 87; Holter, Mechthild p. 21; Hunt, Lindsay pp. 23, 94 top left and right, 140; Impact (Conant) p. 81; Junge Welt p. 211; Kaiser, Friedrich pp. 54, 90, 126; Kur und Long-Evity Zentrum p. 85; Lüft GmbH p. 153; Magnum (Peres) title page, (Haas) p. 14, (Franck) p. 15, (Zachmann) p. 44, (Cartier Bresson) p. 136, (Peres) p. 205 top, (Franck) p. 177, (Hoepker) p. 209; Mathiesl, Willi p. 17 middle; Mehner, Klaus p. 95; Network Photographers (Lowe) front cover, p. 135, (Doran) p. 182; Popperfoto pp. 29, 102, 124, 203, 204 top, 205 top; Rex Features pp. 60, 67; Simson, David pp. 17 top left, 51 btm, 59 top left and right, 190, 191, 193; Spiegel Verlag Rudolf Augstein GmbH & Co. KG p. 200; Sulzer Kleinemeier, Erika p. 149; Tabberner, Jeffrey pp. 3, 4, 11, 12, 41, 51 top, 58 top right, 94 btm left and right, 96, 101, 144, 145; Topham Picture Source pp. 180, 207; Volkswagen p. 169; Zeitmagazin p. 64; Zenit Bildagentur (Langrock) p. 173 (both).

All other photographs are by the author.

Cartoons and illustrations are by:
Bauer, Jutta pp. 35 - 37; Berliner Zeitung p. 130 top left; Junge Welt p. 130 top right; Hellge, Jürgen 46; Lewis, Jan pp. 17, 48; Roscoe, Thelma pp. 16, 70, 74, 104, 109, 141, 161, 198; Stein, Uli pp. 130 btm left, 187; Tomicek, Jürgen pp. 13, 24, 27, 28, 32, 38, 47, 75, 95, 106, 107, 118, 125, 131, 132, 133, 148, 159, 163, 172, 195, 196, 201, 202, 206.

All maps are by OUP Technical Graphics.

Every effort has been made to contact copyright holders of material reproduced in this book. Any omissions will be rectified in subsequent printings if notice is given to the publishers.